# LA CHAMBRE EN MANSARDE

MICHELINE DALPÉ

Roman

Graphisme :
Chantal Morisset

Couverture :
Jessica Papineau-Lapierre

Révision, correction :
Pierre-Yves Villeneuve

Photographie de la couverture :
ShutterStock



Dépôt légal : 1er trimestre 2012
Bibliothèque et Archives nationales du Québec
Bibliothèque nationale du Canada

Imprimé au Canada

ISBN : 978-2-89690-288-0

Micheline Dalpé

# La chambre en mansarde

Mendiante T. 2

Les Éditions
Coup d'oeil

# DE LA MÊME AUTEURE

*Les Batissette*, roman, Éditions Au Pied de la Lettre, 1998.

*Charles à Moïse à Batissette*, roman, Éditions Au Pied de la Lettre, 1999.

*La fille du sacristain*, roman, Éditions Au Pied de la Lettre, 2002 (réédition Les Éditions Coup d'œil, 2012).

*Joséphine Jobé, Mendiante T. 1*, roman, Éditions Au Pied de la Lettre, 2003 (réédition Les Éditions Coup d'œil, 2012).

*La chambre en mansarde, Mendiante T. 2*, roman, Éditions Au Pied de la Lettre, 2005 (réédition Les Éditions Coup d'œil, 2012).

*L'affaire Brien, 23 mars 1834*, roman, Éditions Au Pied de la Lettre, 2007 (réédition Les Éditions Coup d'œil, 2012).

*Marie Labasque*, roman, Éditions Au Pied de la Lettre, 2008.

*À ma grande sœur Lise,*
*l'ange de mon berceau.*

# I

Les *bobsleighs* arrivaient en pleine nuit et déversaient leurs voyageurs comme un panier renversé.

Ils étaient vingt, presque tous ivres morts ; en route, les voiturées avaient fait escale à toutes les auberges en vue.

Deux longues bâtisses comprenaient les dortoirs et la cookerie. À proximité se trouvaient le camp de l'entrepreneur, celui du mesureur, une cache pour la nourriture et l'écurie. Les cabanes, construites en planches de bois brut, donnaient l'impression d'un petit village dans les bois, mais ce n'était pas un village ; il n'y avait pas de rues, pas d'enfants.

Sauvageau conduisit le groupe dans le premier camp. Il alluma un fanal et précéda les hommes au dortoir où dormaient vingt bûcherons. Le poêle était éteint et les arrivants grelottaient. Parmi eux se trouvaient deux gamins, des cousins dont les mères étaient sœurs.

Grégoire se pinça le nez et chuchota à l'oreille d'Émilien :

– Pouah ! Ça sent le diable, ici !

L'air vicié empestait l'haleine de tabac, la sueur, les gaz et l'urine ; certains dormeurs souffraient d'incontinence.

Sauvageau distribua des couvertures de laine fournies par la compagnie, désigna une couchette à chacun et disparut sans allumer le feu. Les lits superposés étaient des boîtes remplies de sapinages.

– Émilien et Grégoire, fatigués et transis jusqu'aux os, se glissèrent sur leur couche de branchage. Cette aventure, hier encore si emballante, les décevait terriblement.

– Moi, marmonna Émilien, je m'en retourne à la maison à la première occasion.

– Quoi ? Tu me planterais là ?

C'en était trop. Grégoire se mit à pleurer comme un enfant.

– Vos gueules ! cria une voix caverneuse.

Dans ce monde d'hommes, la virilité interdisait les lamentations.

– Ta gueule, toi-même ! répliqua Émilien qui ne s'en laissait pas imposer.

Grégoire, recroquevillé de peur, refoula ses sanglots, mais des soubresauts soulevaient sa poitrine à intervalles irréguliers. Il finit par s'endormir aux sons grossiers des ronflements et des grincements de dents.

* * *

À cinq heures, on sonnait le réveil. Grégoire sursauta et s'assit carré sur sa couche, les jambes pendantes au-dessus d'Émilien couché sur l'étage du bas. De tous côtés, des hommes en combinaison grise sautaient des lits et, pressés, enfilaient une salopette. Grégoire remarqua que la moitié du groupe portait la barbe et les cheveux longs. Il revêtit son pantalon.

Émilien ne bougeait pas de sa paillasse. Les paupières encore lourdes sous le poids du sommeil, il refusait de quitter la chaleur de ses couvertures. Toutefois, il était assez conscient pour questionner Grégoire.

– Je rêve ou j'ai entendu une voix de fille ?

– Non, tu rêves pas. On crie à la cookerie ; on dirait une engueulade.

– Ah oui ? Je veux pas manquer ça.

Émilien se jeta en bas du lit.

À la table, s'ajoutaient vingt bouches à nourrir et Sauvageau n'avait pas prévenu la petite cuisinière du camp de cette surcharge.

Judith, une jeune fille de seize ans, suffisait à peine à la tâche. Comme elle était très mal rémunérée, l'occasion était propice pour négocier une augmentation de salaire. Ce fut peine perdue, Sauvageau se montrait intransigeant. Judith cria à l'injustice et une violente dispute s'ensuivit. Finalement, la cuisinière rendit son tablier.

– Avant de partir, je voudrais mon dû.

– Je te dois rien, objecta Sauvageau.

Judith devint rouge de colère. Les poings sur les hanches, elle avança de deux pas et se trouva nez à nez avec Sauvageau.

– Vous me devez un mois de salaire. Ce qui fait un bon dix dollars.

– Si je soustrais tes repas et ta pension, il reste rien.

– D'abord que c'est de même, vous allez perdre vos hommes. Je pense pas que les bûcherons soient en condition de jeûner. Demandez-leur, vous verrez !

Un murmure de mécontentement traversa la pièce. Même les immigrés, qui ne voulaient pas apprendre la langue du pays pour ne pas renier leurs origines, avaient leur façon à eux d'exprimer leur contrariété par des grognements et des regards menaçants.

Elzéar Leblanc, un scieur de long, assistait au débat, impassible. À la fin de la discussion, il adressa un sourire complice à sa fille.

– Je pensais pas que tu lui tiendrais tête jusqu'au bout. C'est sérieux cette menace de partir ?

La longue fille brune était déterminée.

– Ben tiens ! Vous me connaissez, papa ! Je préférerais mourir plutôt que de céder. L'argent est déjà si difficile à gagner.

– Si t'as vraiment l'intention de t'en retourner, habille-toi ben chaudement et arme-toi de patience parce qu'il te faudra marcher des miles avant d'arriver chez le père Japhet. Tu sais, ce moine qui vit en ermite ? Tu y demanderas de te conduire au village. Je pense pas qu'il te refuse ce service. Un coup rendue là-bas, tu devras trouver une occasion pour rentrer à la maison. Tiens, prends cet argent en cas de besoin et ménage-le. S'il te sert pas, tu le remettras à ta mère avec un bonjour de ma part.

Elzéard Leblanc se pressa de rejoindre les bûcherons.

Judith enfouit la monnaie au fond de sa poche avec son chapelet.

Un peu en retrait, Émilien Dubé surveillait la cuisinière. Au moment où elle passa devant lui, le garçon l'aborda :

– Je veux retourner chez moi. J'attendais juste une occasion pour déguerpir d'ici. On pourrait faire le chemin ensemble.

Judith n'hésita pas un instant. « Ce sera un bûcheron de moins pour Sauvageau », se dit-elle. Au fond, cette proposition l'arrangeait. Dans ce coin reculé, voyager seule n'était pas sans risques ; la jeune fille craignait les bêtes sauvages et, Émilien, même s'il n'était qu'un gamin, s'avérait pour elle une certaine protection.

– Moi, j'ai rien contre. À deux, le chemin sera moins ennuyant. Nous devrons marcher neuf miles avant de trouver une voiture. Là-bas, il y a un ermite qui vit dans une cabane ; un bonhomme charitable qui acceptera de nous conduire au village de Saint-Michel, moyennant quelques galettes. Ensuite, on attendra une occasion pour rentrer chez nous. Emballe tes effets, on part dans la minute ! Et surtout, habille-toi ben chaudement.

– Cet ermite, de quoi il vit ?

– Il pêche le poisson au lac et cuit des lièvres qu'il prend au piège. Va ! Je te raconterai tout ça en chemin.

Émilien courut à son lit et réapparut avec un sac en toile grise rempli de son linge de corps. Il abandonna tous ses petits outils à Grégoire.

Ce dernier, atterré par le brusque départ de son cousin, tentait de cacher sa déception. Émilien s'en rendit compte, à sa lèvre qui tremblait. Il lui donna un coup de coude dans les côtes.

– Viens-t'en avec nous.

Grégoire ne bougeait pas. Il se contenta de ravaler. Il aurait bien aimé accompagner Émilien et Judith, mais il trouvait indigne de se présenter à nouveau chez son oncle, vaincu et sans le sou. Il désirait vivre par ses propres moyens. Et puis, il passa sous silence un autre projet qui le démangeait. Un coup sur les lieux, Grégoire prévoyait mener une petite enquête pour retrouver son père ; celui-ci faisait peut-être partie des quatre-vingts résidents des deux camps.

Grégoire donna une bourrade amicale à son cousin et lui adressa un sourire forcé.

– Tu m'écriras.

À l'instant même, le contremaître attrapa Émilien par le collet.

– Minute, toi, dit-il, tu me dois des repas et tu partiras d'ici seulement quand tu m'auras payé rubis sur l'ongle. Marche travailler !

La veille, sur la route, Émilien et Grégoire avaient pris un repas aux frais de Sauvageau. Certes, Émilien se sentait en dette envers le contremaître, mais ce matin, un heureux hasard lui permettait de retourner chez lui. Une chance semblable ne se présenterait pas deux fois. Émilien ne laisserait personne le détourner de son but. Vif comme un écureuil, il tourna la tête et mordit Sauvageau au poignet. De sa main libre, celui-ci le gifla en pleine figure. Émilien continuait de se débattre comme un diable quand Judith intervint :

– Lâchez-le ! Vous déduirez ses repas de l'argent que vous me devez.

Émilien, à force de se tortiller comme un ver, réussit à s'arracher des griffes de Sauvageau. Il déguerpit en vitesse.

Sauvageau bavait de colère. Il cracha par terre, juste au bout de la botte de Judith. Celle-ci le traita de sale cochon. L'homme claqua la porte sans se retourner.

Le contremaître parti, la jeune fille se faufila en douce à la cuisine où elle remplit un grand sac de nourriture qu'elle dissimula sous son manteau.

« J'ai rien volé, se dit-elle sans aucun scrupule. Sauvageau me doit beaucoup plus. »

Judith engagea ses pas dans les profondes ornières des voitures. Le chemin de bois était quasi impraticable avec ses bosses et ses creux. Non loin, Émilien l'attendait, tapi derrière une souche. Il lui prit son sac des mains.

Peu de temps après, l'attelage de Sauvageau les dépassa. Judith et Émilien s'élancèrent hors du sentier pour céder le chemin à la voiture. Arrivé à leur hauteur, Sauvageau fit un brusque crochet dans leur direction pour les effrayer.

Judith s'indigna de la grossièreté du contremaître.

– Un peu plus et Sauvageau nous passait sur le corps. Le sauvage ! Je te dis, celui-là, il porte ben son nom. Et pis là, je serais prête à jurer qu'il s'en va chercher une nouvelle cuisinière au camp de son frère à des miles d'ici. Je gagerais ma tête qu'il va lui donner le salaire qu'il me refuse et ça me révolte juste d'y penser.

– T'as pas marchandé ? Des fois, en discutant…

– Écoute, le jeune, comme on se connaît peu, je veux pas que tu me tutoies. On n'a pas gardé les vaches ensemble à ce que je sache !

Émilien, dépaysé et désarmé, se sentait un moins que rien qu'on outrage. Pour qui cette Judith se prenait-elle pour lui parler de haut comme s'il était un minable? Et pourquoi s'en laisserait-il imposer? Il rétorqua, le regard offensé :

– Ce sera comme vous voulez, mais je vous trouve pas mal pète-sec, mademoiselle !

Judith dissimula son envie de rire en enfouissant le menton dans son col de manteau.

Émilien, comme un condamné, suivait la fille, dix pas derrière, gardant en vue sa belle crinière brune aux boucles folles.

Le garçon en voulait à Judith et, comme la jeunesse est l'âge du ressentiment, il trouvait important d'afficher son amertume par un air renfrogné. Il était là, qui portait son bagage en surplus du sien. Il n'était quand même pas son esclave. Il la rejoignit et lui rendit son sac.

– Tenez ! Traînez vos choses ! Et si vous préférez, je peux suivre de plus loin.

Judith éclata de rire. Elle glissa amicalement son bras sous le sien et allongea le pas.

Ils marchaient dans une neige folle, titubant comme des petits enfants qui font leurs premiers pas et à chaque clairière, des taloches de vent cinglaient leurs joues et effaçaient le sentier. Une heure après, les bourrasques chassaient les nuages et balayaient la glace des lacs que le soleil argentait. Au loin, des haches abattaient des arbres à coups redoublés que l'écho répercutait dans toutes les directions.

Émilien, saisi par l'étrangeté de la forêt, ne savait pas distinguer ses changements brusques. Il craignait de s'égarer.

– La forêt est la même partout. Des arbres, ça reste des arbres !

Judith le rassura.

– Impossible de se perdre ! Tu vois, tout au long du sentier, les bouleaux sont marqués d'un cran.

Tandis que le jour montait, ils marchaient, muets, et tendaient les narines, prêts à respirer un nouveau décor. À l'occasion, ils faisaient halte, tantôt près d'un lac, tantôt à l'abri d'une colline. Autour d'eux, la forêt bougeait et se déplaçait. Les squelettes nus des bouleaux couchaient leur ombre sur une neige bleutée. Le spectacle était saisissant de beauté. Dire que les bûcherons allaient tout détruire sans scrupules. Il ne resterait bientôt plus qu'un amas de branches et la nature serait salie de bran de scie et de copeaux avec, ici et là, des souches dédaignées comme des trognons.

Soudain, Émilien saisit Judith par un bras.

– Regardez là-bas, juste devant, on dirait l'attelage de Sauvageau.

– Ma foi, sa jument s'est encore entêtée.

Émilien avait vu juste. Sauvageau échappait un chapelet de jurons que l'écho leur rendait. Sa bête rétive n'obéissait plus ni aux cris ni au fouet. Comme Judith et Émilien dépassaient l'attelage, Sauvageau, adossé à un arbre, leur montra son poing. Cela les fit beaucoup rire. Ils pouvaient se moquer tant que bon leur semblait, les menaces de Sauvageau ne les intimidaient plus. Sitôt la voiture dépassée, Judith se retourna et vit la face du géant, rouge de colère.

Après des heures d'une marche épuisante à balayer la neige de leurs pieds, Judith et Émilien décidèrent de prendre un raccourci en terrain accidenté qui leur ferait gagner deux miles. Ils entreprirent une descente sur une piste glissante et la pente augmenta leur allure jusqu'à les faire basculer puis rouler au bas de la côte. Étendus sur le sol blanc, ils se mirent à rire tous les deux, parce que la neige craquait sec, que la pente était raide et que le soleil était haut au-dessus de leur tête.

– Dans ce ravin, l'air était doux comme au printemps. Émilien ne savait pas ce qui l'excitait. Était-ce le rire enfantin de la fille ou peut-être sa position invitante, il en ignorait la cause, mais il ressentait une envie folle de se vautrer dans la neige avec Judith.

Il resta allongé près d'elle, un bon moment, le temps de reprendre haleine. Puis elle se roula à plat ventre.

– Je me demande ben quelle heure il est.

– Je sais pas, mais si j'avais une boussole, je pourrais le dire juste par l'ombre des arbres. J'espère qu'on arrive.

– Oh non ! Avant, il nous faudra traverser une clairière et après quelques miles de forêt, un lac, pis plus loin, une chute. J'espère juste qu'on arrivera chez l'ermite avant de congeler. J'ai déjà les doigts et les orteils engourdis.

Judith fouilla dans ses bottes pour retirer la neige accumulée, avant qu'elle ne fonde et ne gèle davantage ses pieds, puis elle enleva ses mitaines et souffla sur ses doigts pour les réchauffer.

Soudain, elle se leva et enfonça les mains dans les poches de son manteau. À ses côtés, Émilien s'impatientait.

– Allons-y ! dit-elle.

– Pensez-vous qu'on a la moitié du chemin de fait ?

– Sans doute !

– Si on mangeait un peu avant de se remettre en route, proposa Émilien dont la faim tordait l'estomac, ça nous reposerait avant d'entreprendre la montée de cette maudite côte. Moi, j'ai rien à vous offrir, mais votre sac est si lourd. Il doit ben contenir un peu de nourriture.

– D'accord ! Mais ça va nous retarder ; déjà que la route est pas mal longue.

Émilien se laissa choir sur un arbre couché au sol et tous deux dégustèrent des petits biscuits salés.

Ils reprirent leur route. Quelques miles plus loin, Sauvageau les dépassa de nouveau.

Les voyageurs engagèrent leurs pas dans les ornières du *bobsleigh*.

– Arrête ! ordonna soudain Judith. Pas un pas de plus ! Ici, on peut prendre un autre raccourci.

Elle brisa une branche en guise de bâton qui servirait à tâter la glace du lac avant de s'y aventurer.

– C'est un lac ou une mer ?

– Un lac. Si la glace défonce ou craque, on devra revenir sur nos pas et le contourner.

Une peur morbide s'empara d'Émilien et un frisson parcourut tout son corps.

– Si la glace défonce, on aura plus besoin de contourner le lac, on sera déjà mort.

Judith ressentit une envie de rire et Émilien une envie de prier.

– On aurait mieux fait de s'accrocher à la voiture de Sauvageau.

– Et risquer de recevoir un coup de fouet en pleine figure ? Le géant est pas un tendre.

– Je me demande comment vous auriez pu faire une si longue route toute seule, s'informa Émilien.

– Quand on n'a pas le choix !

Au pas de poule, Judith s'aventura sur le lac.

– On va tenir chacun notre bout du sac et, si l'un d'entre nous cale, l'autre se couchera à plat ventre et le tirera à l'aide de la besace.

Judith brisa une branche et sonda la solidité de la glace.

– Ça va aller. Suis-moi ! dit-elle.

Émilien la regardait aller, les bras écartés de son corps. Elle semblait marcher sur des œufs. Il prit soudain conscience du danger qu'ils couraient. Ça n'allait pas très fort. S'ils s'enfonçaient tous les deux, jamais personne ne les retrouverait. Il suivit Judith sans entrain, aventura un pas prudent devant lui et un autre, puis s'arrêta net. Il se voyait déjà noyé.

– C'est trop risqué. Je préfère le chemin.

– Comme tu veux ! Mais j'ai les pieds gelés et je peux plus avancer.

– Montez sur mon dos.

Judith monta à califourchon sur le dos d'Émilien. Les jambes nouées autour de ses reins, elle accrocha ses bras à son cou et joignit ses mains sous sa pomme d'Adam. D'instinct, elle se serra le plus possible contre lui. Émilien retenait ses mollets pour l'empêcher de glisser. Il fit trois petits pas rapides et croula sous la charge de la fille et des sacs.

– J'ai pas vu ce trou et j'ai mis un pied en plein dedans.

Soudain, dans l'effrayant calme de la forêt, un hurlement s'éleva comme une lamentation. Judith sauta vivement sur ses pieds.

– Les loups ! Courons avant qu'ils nous encerclent.

Un coup de feu claqua et les cris cessèrent. Émilien soupira et ce fut comme si un poids se soulevait de sa poitrine.

– Ouf ! Quelqu'un a tiré.

– C'est peut-être un Indien ! Ils ont un territoire plus haut. On l'a échappé belle !

– Crois-tu que les loups vont revenir ?

– Je sais pas.

L'incident leur redonna du nerf. Ils allongèrent le pas.

Le jour allait s'évanouir quand Judith et Émilien aperçurent, entre les arbres, une cabane en bois équarri à la hache. La neige avait glissé du toit rouillé et rechaussait tout le bas du mur, côté sud. Un appentis était adossé à la cabane. Le petit toit presque plat était soutenu par deux arbres écorcés qui servaient de poteaux.

Détachée de la cabane, une minuscule écurie, presque éventrée, pouvait contenir tout au plus, deux chevaux. Émilien s'approcha et jeta un œil à une fente du mur. Il n'y vit ni cheval ni voiture, ni fumier. Il s'approcha de la cabane. Rien ne bougeait autour. Pas même un filet de fumée ne montait de la cheminée.

Judith trouvait cette tranquillité étrange. « S'il fallait que le vieux soit mort, se dit-elle, je pourrais pas le supporter. » Elle tirait de l'arrière et poussait son compagnon devant. Émilien ne craignait pas la noirceur, mais en pensant aux choses qu'il pouvait découvrir, il tressaillit. Il lut trois mots sur la porte d'entrée jamais verrouillée. « Entrez, servez-vous. »

Chez le vieux Japhet, tous les passants étaient bienvenus. Chaque charretier s'y arrêtait, soit pour se réchauffer, soit pour laisser son cheval se reposer ou encore, vérifier si le vieil homme était toujours en vie.

– Va, Émilien ! Entre le premier. Je te suis de près, crains pas !

Judith tentait, tant bien que mal, de rassurer Émilien quand elle-même était affolée à l'idée de découvrir un cadavre.

Émilien poussa la porte. Le silence était glacial. Lentement, ses yeux s'habituèrent à la pénombre. Le garçon chercha des allumettes. Il en trouva dans une petite boîte en fer pendue au mur, dos au poêle. Il en craqua une sur sa fesse puis une autre, la troisième s'enflamma. Émilien promena la petite langue de feu autour de la pièce et aperçut un fanal suspendu au plafond. Il l'alluma.

# II

Le même matin aux chantiers, quarante bûcherons, emmitouflés jusqu'aux oreilles et chaussés de hautes bottes se hasardaient dans une neige légère comme des blancs d'œufs battus. À chaque pas, ils enfonçaient jusqu'aux genoux. Les hommes, la mine renfrognée, marchaient, silencieux vers la crique Brûlé à cinq miles de marche.

Grégoire prit sa hache, son godendart et suivit les habitués. Il s'essouffla au bout de quelques arpents seulement. L'un d'eux se retourna et lui cria :

– Hé toi, le jeune, là-bas ! Le boss t'a pas nommé un associé pour bûcher ?

– Non ! Monsieur Sauvageau est parti se chercher une nouvelle cuisinière et il était trop fâché pour me parler.

– Retourne au camp ; tu laveras la vaisselle en attendant que le boss revienne. C'est lui qui donne les ordres.

Grégoire retourna sur ses traces et les hommes continuèrent leur marche sans se retourner.

Arrivés sur les lieux d'abattage, ils toisaient les arbres. Comme des tortionnaires, ils choisissaient leurs victimes, les plus belles, les plus gaillardes, les épinettes de plus de trois pieds de diamètre. Puis, sans cesse au même endroit, la hache frappait et mordait les troncs glacés. On n'entendait que des « han ! » de la bouche des bourreaux.

D'immenses tuques blanches chutaient de la tête des arbres et leurs bras battaient l'air, semblant crier grâce, mais les bûcherons frappaient toujours et pendant qu'ils s'acharnaient à leur donner la mort, ils entendaient comme une plainte sortant d'une poitrine et qui ressemblait au dernier cri d'un être humain qu'on assassine. Les scies pleuraient, grinçaient des dents et les bûcherons les sollicitaient jusqu'à ce que l'arbre tombe mort à leurs pieds, étendu de tout son long dans un cercueil blanc. Puis les équipes reprenaient, jamais rassasiées et les coups se succédaient rapides, pressés. Les bûcherons étaient payés à la quantité.

Pendant que les hommes regardaient d'un œil content leur travail bien fait, à peu de distance, d'autres arbres tombaient comme des larmes dans l'immensité.

* * *

Grégoire poussa la porte du camp. Les tables n'étaient pas desservies et tout traînait dans la cookerie. L'ennui le prit. Il pensa à Émilien, reparti sitôt arrivé et à sa chance d'avoir une famille qui l'attendait en bas. Grégoire s'appliqua à mettre de l'ordre dans la grande pièce, mais tout lui était tellement étranger qu'il perdit un temps précieux à chercher le savon, la lavette et où placer la vaisselle propre. Il entretint le feu, tout en surveillant le four où mijotaient huit chaudrons en fonte noire, remplis de fèves au lard.

À l'heure du dîner, le garçon mangea deux rôties beurrées, puis passa le reste de l'après-midi, seul, à s'ennuyer de sa famille, à se reprocher de ne pas avoir suivi Émilien et à gratter à deux mains sa tête déjà fourmillante de poux.

* * *

Vers quatre heures, l'arrivée d'un attelage brisa le silence profond de la forêt. Grégoire colla l'œil au carreau. Sauvageau arrivait accompagné des nouveaux cuisiniers, un couple dans la trentaine avancée.

Gustave Brochu, un homme à la peau aussi blanche que la farine, sauta de voiture. La femme, une longue brune aux traits sévères, tirait par la main un enfant trisomique d'environ quatre ans. Près d'eux se tenait une petite merdeuse de quatorze ans qui ressemblait à un poulet déplumé. Grégoire s'étonnait de son extrême minceur. La maigrichonne au cou fin, aux bras et aux jambes qui n'en finissaient plus, se tourna vers lui. Grégoire remarqua son visage allongé et ses joues creuses. La fille était moche. Seuls des yeux d'un bleu intense égayaient sa figure. Elle retira son manteau et le lança négligemment sur la table. Elle portait une robe laide et décolorée recouverte d'un tablier à bavette qui dissimulait son peu de féminité. Des bas en laine écrue montaient au-dessus de ses genoux noueux.

Grégoire ne pouvait s'empêcher de fixer ses membres secs et délicats.

La nouvelle cuisinière n'avait pas mis un pied dans le camp qu'elle se vantait de réussir les crêpes comme personne ne savait le faire.

– Ici, riposta Sauvageau, vous ménagerez les œufs, on n'est pas millionnaire!

La remarque déplut à la Brochu. Les œufs étaient une denrée peu dispendieuse et ils entraient dans la composition de plusieurs mets. Elle répondit par un silence. Dans ce camp de bûcherons, les femmes avaient peu de place. Toutefois, elle n'en ferait qu'à sa tête et si Sauvageau tirait trop sur la ficelle, il n'aurait qu'à se trouver d'autres cuisiniers.

Grégoire tournicotait autour de Sauvageau.

– Comme c'est mon premier jour et que je savais pas trop à quoi m'occuper, je me suis affairé à la cuisine.

– Ça va! À l'avenir, tu seras *cho-boy*.

– Je serai quoi?

– *Chore-boy*! Mais ici, on dit toujours *cho-boy*, ça veux dire aide-cuisinier ou ben homme de corvées, prends ça comme tu veux. Tu t'occuperas des commissions, de charrier le courrier, d'approvisionner la cuisine en eau, de réparer les cuirs des attelages et aussi de couper la corne aux sabots des chevaux. Et s'il te reste du temps, t'aideras à la cookerie. Commence tout de suite. Va dételer la Bleue et sers-lui une terrine d'avoine.

La Bleue était une belle jument qui tirait son nom de sa robe lustrée qui miroitait entre le noir et le bleu acier. Au début de la saison, on avait affecté l'élégante bête au charriage du bois, mais dès que la neige touchait son poitrail, ce qui était assez fréquent dans ce pays, la jument s'arrêtait et ne repartait que lorsqu'elle le décidait d'elle-même. Qu'on ait recours aux cris ou aux coups de fouet, rien ni personne ne venait à bout de son entêtement. La

Bleue pouvait rester une heure ou deux à attendre, à exaspérer son charretier. Finalement, on la réserva pour le petit ouvrage, comme les commissions, lorsque les chemins étaient praticables.

La gamine maigrelette revêtit un manteau qu'elle boutonna jusqu'au cou, enfonça un béret de laine sur ses oreilles et sortit derrière Grégoire.

Elle se tenait appuyée au mur extérieur du camp et regardait le *chore-boy* mettre une éternité à détacher le mors de la bride. Il manquait de connaissance en ce domaine, c'était évident. La fille sourit de sa gaucherie et arrêta son geste. Sans un mot, elle dételа la jument.

Sa mère la toisa à quelques reprises. Elle voyait bien l'intérêt que sa fille portait au *chore-boy*; elle ne le quittait pas des yeux. Elle l'appela:

– Grouille! Viens nous aider à rentrer les bagages dans le camp.

La maigrichonne ne bougea pas d'un poil. La femme murmura quelques mots à l'oreille de son mari tout en gratifiant le garçon d'un coup d'œil méchant. L'homme attrapa sa fille par le col de son manteau et lui allongea une gifle en pleine figure. Sous la force du coup, la maigrelette chancela.

– T'entends, Bethléem? Obéis quand ta mère te parle! Combien de fois elle t'a répété de te tenir loin des garçons?

La jeune fille baissa le front et regarda Grégoire, les yeux par en dessous, comme si elle ne pouvait détacher le regard de son visage. Qui sait? Peut-être attendait-elle une intervention de sa part. La Brochu tira l'adolescente par la manche de son manteau et la poussa brutalement dans le camp.

Grégoire, atterré, rageait contre ce couple brutal. Il détourna la vue pour ne pas humilier davantage la pauvre fille. Il ressentait ce qu'elle pouvait souffrir, non pas des blessures infligées, mais de la haine, de la honte et du rejet que les gestes violents comportaient. Est-ce que ces gens brutaliseraient ainsi leur fille chaque fois qu'elle lèverait les yeux sur un garçon ? Puis, Grégoire pensa à tous ces hommes sauvages qui vivaient dans ce camp. Finalement, peut-être, les Brochu craignaient-ils pour la vertu de leur fille ? De toute façon, Grégoire réfutait les manières barbares. Selon lui, les Brochu étaient de la même race que Gildas Beaupré.

Le *chore-boy* sortit chercher une brassée de bois et, au retour, sans se pencher, par pure provocation envers les cuisiniers, il laissa tomber les rondins avec fracas dans la boîte à bois.

– Moins fort ! insista la femme, le ton cassant.

Grégoire la dévisagea longuement et calmement. Pour qui se prenait-elle ? Quelle autorité exerçait-elle sur lui ? Elle n'était pas sa mère, il n'était pas son fils. Dès le premier jour, il détesta cette femme. Il recommença le même manège jusqu'à ce qu'il y ait assez de bois pour le chauffage de la journée.

La fille demeurait sage. Toutefois, elle ne perdait pas une occasion d'observer Grégoire. Elle ressemblait à une prisonnière qui ne parlait à personne, pas même à ses parents, à tel point que Grégoire la pensait anormale.

Il jucha un joug en bois sur ses épaules et y suspendit deux chaudières, comme une balance à deux plateaux. Il marcha jusqu'au lac. Quelques minutes plus tard, il réapparut avec ses deux contenants pleins d'eau. Il dut faire plusieurs allers et retours pour remplir le baril de quarante-cinq gallons. Grégoire détestait le charriage d'eau qui s'avérait sa pire corvée. À force de se casser les méninges dans le but de remédier à cette besogne tuante, l'idée lui vint d'atteler la Bleue au *bobsleigh* et de se servir du tonneau pour remplacer le joug, comme le faisaient les gens d'en bas pour la tournée d'eau d'érable.

Le travail commandait. La cuisinière avait besoin d'un sac de cinquante livres de farine pour préparer son pain et ses galettes. En même temps, le cuisinier réclamait son aide pour débiter un devant de bœuf. Grégoire apprenait le nom de chaque partie de viande. Les coupes terminées, les cuisiniers avaient pris l'habitude d'essuyer leurs couteaux pointus et de les lancer sur le mur. Ceux-ci allaient piquer dans les planches où ils étaient laissés en permanence. Grégoire aurait voulu les imiter. Malheureusement, il manquait de pratique et, à tout coup, les couteaux allaient piquer le sol.

Le *chore-boy* employait son peu de temps libre à éplucher les patates. Souvent, un bûcheron ou deux, dont les mains gourdes guérissaient mal des engelures et des crevasses des grands froids, donnaient un coup de main à peler, à desservir les tables et à laver la vaisselle. Ceux-là étaient récompensés d'une pointe de tarte aux raisins servie en secret. Mais pour Grégoire, ni dessert ni merci, que le plaisir de voir briller les yeux de la fille.

# III

Allongé sur sa paillasse de brindilles de sapin, le corps entortillé bien serré dans ses couvertures de laine, Grégoire n'arrivait pas à fermer l'œil.

Cette fois, ni les poux ni les vrombissements des dormeurs n'étaient en cause. Le garçon se sentait seul parmi les quarante dormeurs du premier camp et il s'ennuyait à mourir dans ce coin reculé. Tout ça, à cause de ce Gildas. Sa famille lui manquait terriblement et le pauvre devait faire des efforts pour ravaler sa peine.

Jean-Valère Chalifoux, son voisin de couchette n'arrivait pas non plus à trouver le sommeil. Chez lui, à Saint-Côme, sa femme devait bercer le petit dernier en récitant son chapelet ou peut-être était-elle en train de lui écrire un mot. Sa dernière lettre remontait à un bon mois. L'homme retira son harmonica de sous son oreiller et étira une longue note qui ressemblait à une lamentation que les durs réprouvaient parce que leur cœur ne pouvait la supporter. Il existait de ces moments ravissants pour les hommes heureux qui étaient insupportables pour les malheureux.

– La paix! cria aussitôt une voix venue du fond de la pièce. Nous autres, on veut dormir!

– Si c'est comme ça, marmonna Jean-Valère.

L'homme essuya sa musique sur sa combinaison et la rentra sous son oreiller.

Il n'existait pas plus violents ni plus cruels que ces bûcherons, mais Chalifoux n'en craignait aucun. Dans le camp et sur les chantiers, la bataille était interdite. Si quelqu'un s'y adonnait, il risquait d'être chassé sans salaire. Les hommes connaissaient très bien la consigne et tous la respectaient.

Jean-Valère Chalifoux remonta ses oreillers et croisa les mains sous sa nuque. Le grand dortoir tomba dans le silence, mais pour peu de temps; les ronflements des hommes se remirent en branle.

Grégoire se leva avec mille précautions pour ne pas réveiller ses voisins de couchette. Il revêtit sa veste de mouton, contourna le poêle à bois qui, bien bourré, grondait de satisfaction, puis il sortit sans bruit dans la nuit.

Un froid mortel régnait dans ce pays de glace. Grégoire leva les yeux sur un fond d'obscurité étoilé. Non loin, une meute de loups affamés hurlait et les cris prolongés se rapprochaient peu à peu. Le garçon ne laisserait pas le temps aux carnivores de l'encercler. Il hâta le pas vers les dépendances et referma, prenant bien soin d'abaisser la clenche sur le mentonnet.

L'écurie était tiède et puante. Les chevaux nerveux se mirent à hennir. Était-ce dû aux hurlements des loups ou à sa présence? «Pourvu qu'ils n'alarment pas le boss», pensa le garçon. Il caressa le cou de quelques bêtes et susurra à leur oreille quelques mots susceptibles de les rassurer. Le calme revenu, Grégoire s'appuya au box et, assuré que personne ne puisse l'entendre, brailla comme un enfant, son départ, sa famille, Joséphine.

Soudain, il sentit une main sympathique sur son épaule. Il cessa net de se lamenter ; un homme ne doit pas pleurer.

Dans le noir, Grégoire ne reconnut pas l'arrivant. Celui-ci s'en rendit compte et s'identifia :

– C'est moi, Jean-Valère Chalifoux, ton voisin de couchette.

Jean-Valère frotta une allumette sur sa fesse et à la vue de la petite flamme, Grégoire resta interdit.

– Éteignez ça tout de suite ! Si le feu prend à la paille, les quarante chevaux vont y passer.

– Chalifoux ne réagit pas. Celui qui allait le contrôler n'était pas encore né. Sa grosse main mettait la petite langue de feu à couvert. L'homme se dirigea vers l'abreuvoir et décrocha un fanal pendu au plafond. Il souleva le globe et alluma la mèche. À travers le verre poussiéreux, la langue de feu s'enfla et diffusa une lueur de sacristie.

Chalifoux désigna une botte de foin.

– Viens t'asseoir là, le *cho-boy* !

– Si jamais le boss nous surprend ici…

– Sauvageau est habitué. T'es pas le seul à sortir la nuit. Tu sais, ici, chacun traîne une peine.

Un court silence s'ensuivit. Puis Jean-Valère offrit à Grégoire un carré de sucre à la crème qu'il débarrassa d'un peu de bran de scie accumulé au fond de sa poche.

– Tiens, prends-le ! C'est mon dernier.

Grégoire l'accepta avec empressement. La friandise était dure à s'en briser les dents ; toutefois, le garçon la savoura lentement. Les gâteries étaient presque inexistantes dans le camp. Aux repas, les rares desserts profitaient aux bûcherons les plus productifs ; les autres se contentaient de les regarder déguster et, malheur à celui qui oserait s'approprier la pointe de tarte assignée à son voisin de table. Cette race d'hommes nourrissait ses rancunes et les différends se réglaient à coups de poing au Petit Canot, un hôtel où les bûcherons s'arrêtaient au retour des chantiers et où, la plupart d'entre eux buvaient leur paie de tout un hiver.

Jean-Valère s'assit sur un sac d'avoine.

– Ça va pas, mon jeune ? Tu t'ennuies de ta blonde ?

– C'est pire que vous pensez. J'ai plus de chez moi. Si je pouvais retracer mon père, je resterais pas ici à m'ennuyer. Je l'aiderais sur la ferme. S'il possède une ferme, ben sûr !

– Il y a longtemps que tu l'as perdu de vue ?

– Si je vous disais que je connais ni mon père ni son nom. Mon histoire est tellement compliquée que je sais même pas par où commencer.

Chalifoux savait mettre la pédale douce. Il ne cherchait nullement à bousculer Grégoire ni à l'embarrasser par une curiosité malséante. Toutefois, il savait par expérience que le fait de se vider le cœur pouvait empêcher les plombs de sauter. Il suggéra tout bonnement :

– Si tu veux parler, mon gars, vas-y. Mais si t'aimes mieux garder tes secrets pour toi, je veux rien forcer ! Tu sais, je comprends les jeunes. J'ai un garçon de ton âge.

Grégoire, en confiance, lui raconta son histoire en détail. Il relata les faits comme s'ils s'étaient passé la veille.

* * *

C'était deux ans plus tôt. Ce jour-là, Grégoire jeta un coup d'œil furtif autour de lui et, après s'être assuré que personne ne remarquait son petit manège, il retira un passe-partout de sa poche et déverrouilla la porte du salon. Il se faufila adroitement dans la pièce mystérieuse et referma en douceur.

Chez lui, le boudoir était un lieu fermé à clef qu'on n'ouvrait que pour les grandes occasions. Parfois, son père y invitait des hommes d'affaires pour signer des contrats ou conclure des ententes verbales, le plus souvent, de crapuleuses transactions toujours à son avantage.

La pièce où Grégoire entra était recouverte de papier peint à ramages vert mousse. Elle était meublée seulement de deux larges sofas cramoisis et d'une table en noyer recouverte d'un petit dessous décoratif qui supportait un superbe coffret. Tout au fond, il y avait une penderie dont la porte était masquée par la tapisserie qui se décollait dans le coin droit. Une baie vitrée donnait sur le chemin.

Grégoire se glissa sous le rideau de mousseline et s'agenouilla devant la fenêtre, les bras allongés sur l'appui. De là, entre les branches feuillues d'un jeune chêne, il surveillait la venue de Joséphine. La veille, la petite mendiante lui avait promis de venir le retrouver à la laiterie, entre six et sept heures.

Un quart d'heure s'écoula, une éternité pour le garçon. À treize ans, le temps est bien long.

Les minutes s'égrenaient, le soleil descendait lentement derrière la grange des Marion et le garçon restait là, à fixer la ligne de la terre, à se demander si Joséphine avait oublié sa promesse.

De l'autre côté du mur, la cuisine des Beaupré était pleine d'agitation. Anne, l'aînée des filles, âgée tout au plus de douze ans, passait le balai tandis que sa mère berçait un nourrisson qui pleurait à s'époumoner. Trois fillettes attablées découpaient des poupées de carton et deux autres se tenaient accroupies dans l'escalier où elles s'amusaient à ériger des châteaux de cartes que leurs coquins de frères démolissaient au fur et à mesure, en glissant entre les barreaux une petite main presque inaperçue par sa rapidité. Des fous rires, des cris et des menaces sans importance s'ensuivaient. Violaine fermait les yeux sur leurs espiègleries. En l'absence de son mari, elle tolérait tout de ses enfants. C'était le seul temps où la maisonnée pouvait respirer en paix, où ses petits étaient presque heureux.

Son mari, Gildas, tenancier d'hôtel, était un homme d'étoffe vulgaire, cynique et dur comme du cuir, mais c'était un débrouillard qui procurait aux siens chaussures, vivres et vêtements. La preuve qu'une brute peut aussi être un très bon pourvoyeur.

Ce jour-là, Gildas s'était attardé à jouer à l'argent avec des clients réguliers. Il avait misé une somme rondelette et avait perdu. Il rentrait chez lui en rogne contre l'univers.

De son poste, Grégoire reconnut le joli tilbury noir au coude du chemin. L'idée le prit de se cacher dans la penderie, mais il craignait de rater son rendez-vous avec Joséphine. Il se pressa de déguerpir et oublia de refermer la porte. Si son père le voyait traîner dans le salon ou encore s'il découvrait ses amitiés avec une quêteuse, il ne serait pas mieux que mort; Gildas s'en prenait sans cesse à lui pour tout et pour rien. La brute fonçait droit sur lui, les coudes écartés de son corps, les poings en avant, prêts à frapper.

« Bon, ça recommence ! se dit Grégoire. Qu'est-ce que j'ai encore fait de pas correct ? » Déjà, son père lui barrait le chemin.

– On peut se parler, papa ? Vous savez, je demande pas mieux que…

Mais Gildas n'était pas le genre d'homme qui discute ou plie. Il était de fer. Il ne laissa pas Grégoire aller au bout de sa phrase ; il l'agrippa par son col de chemise et le lança avec force au fond de la cuisine. Grégoire fléchit les genoux et, sous le choc, il entendit un bruit d'os frapper le bas du mur. Aussitôt, une douleur fulgurante traversa son épaule. Le garçon se releva péniblement, la main gauche posée sur sa clavicule droite. Le mal était à la limite du supportable, mais la pire souffrance était ailleurs, au dedans de lui.

Son père se mit à vociférer des injures et des menaces.

– Maudit chien sale ! T'es allé voler des pommes chez le père Proulx.

Grégoire était abasourdi.

Son père savait donc ! Grégoire se sentait pris au piège et comme il était coupable, il ne trouvait aucun alibi acceptable pour s'innocenter.

– C'est pas ce que vous pensez, papa. Je vais tout vous expliquer.

– Je veux rien savoir de tes maudites explications. Je vais te fourrer mon pied au cul. Je t'avais dit d'enlever les châssis doubles, mais t'aimes mieux aller marauder chez les gens bien avec la pire traînée de la place.

– Les châssis doubles ?

Grégoire n'y comprenait rien ; son père ne lui avait jamais soufflé un mot de ce travail, c'était sûrement une autre de ses inventions pour s'en prendre à lui ; il le détestait tant. Grégoire marmonna :

– Je vous ai pas entendu.

– En plus d'être idiot, t'es sourd !

Le gamin sentit la colère monter. Pour la première fois de sa jeune existence, son cœur se durcit.

L'adolescence provoquait certains changements chez Grégoire. Il commençait à écouter les discours des grands, à s'y intéresser, à donner son opinion, à raisonner en adulte. Juste à penser de braver l'autorité, Grégoire sentait ses muscles se tonifier, son assurance se raffermir. Il redressa le corps dans une attitude de défi. « Je vais me défendre », se dit-il.

– Approchez ! J'ai pas peur de vous.

– Regardez-moi ce jeune morveux ! Ça se permet de braver.

La colère du père figeait les enfants sur place ; même les craquements de la berçante cessèrent. Anne restait immobile, le menton sur son manche à balai. Les jeunes ne s'habituaient pas aux emportements violents de leur père. Celui-ci allait encore faire mal à leur frère jusqu'à le faire pleurer.

Grégoire sentait sa force s'accentuer, ses dents ne claquaient plus, son menton ne tremblait plus.

– Approchez, que j'ai dit !

Sa mère intervint tout en douceur avec des tremblements dans la voix :

– Tu te trompes, Gildas, c'est à moi que t'as parlé de cette besogne. Tu te souviens ? Je t'ai répondu que je remettais ça à plus tard quand je serai remise de mon accouchement.

Grégoire refusait de ramper, de se diminuer devant son père et voilà que maintenant, c'était au tour de sa mère de s'aplatir comme une carpette devant lui. Il s'interposa aussitôt avec l'air décidé de quelqu'un qui n'a peur de rien ni personne.

– Laissez faire, maman. Vous voyez ben qu'il comprend rien !

Gildas Beaupré ne pouvait souffrir que sa femme et Grégoire forment clan. Ça le mettait hors de lui.

* * *

Pendant ce temps, chez les Tremblay, Joséphine soupait tranquillement. C'était chaque fois le bonheur chez ces gens qui lui ouvraient toute grande leur maison et pour ajouter, Léocadie venait de lui faire don de deux robes qui n'allaient plus à sa taille.

Joséphine découpait des lichettes de pain qu'elle trempait dans la mélasse et elle accompagnait chaque bouchée d'une bonne gorgée de lait. Soudain, d'un geste brusque, elle recula sa chaise.

– Il faut que j'y aille, moi ! dit-elle. Avant, est-ce que je peux me changer ?

Joséphine sortit de la chambre vêtue d'une petite robe à pois rouge, un peu collante, qui démarquait ses seins et ses fesses rebondies. Elle dandinait des hanches et le bas de sa jupe formait des vagues. Léocadie la regardait se tortiller dans le milieu de la place et elle la trouvait presque indécente. « Pourvu que sa coquetterie ne lui joue pas de vilain tour », se dit-elle. L'idée lui vint de reprendre le vêtement, mais elle-même ne l'avait-elle pas porté depuis plusieurs années ?

– Wow ! s'exclama Pierrot, tu devrais garder cette jolie robe pour le dimanche.

– C'est dimanche aujourd'hui ?

– Non, c'est vendredi.

– Pour moi, c'est pareil !

Léocadie ajouta un peu de sucre dans son café et, inconsciemment, se mit à donner des petits coups de cuillère au fond de sa tasse.

– Qu'est-ce qui te presse tant ? J'aimerais que t'essuies la vaisselle.

Joséphine la gratifia d'un si adorable sourire que Léocadie se demanda si elle ne s'était pas pratiquée devant un miroir.

– Grégoire m'attend. Ce soir, je vais l'embrasser pour la première fois.

– T'es folle ou quoi ? Tu vas pas te pendre au cou des garçons ?

– Grégoire est pas « les garçons », mais un garçon !

– Et ce soir, tu coucheras où ?

– Ici, sous l'escalier, si tu veux ben, comme de raison.

– Tu sais ben que oui, mais je tiens à ce que tu rentres avant la brunante.

– Promis !

Léocadie resta plantée dans la porte jusqu'à ce que Joséphine disparaisse. La semaine d'avant, Milie lui avait demandé de renseigner sa fille au sujet des garçons et elle avait refusé, se disant que cette charge délicate revenait aux mères et finalement, personne ne l'avait fait. « Si Joséphine m'appartenait, se dit Léocadie, elle ne courrait pas les grands chemins. »

La vaisselle terminée, Léocadie monta l'escalier avec des draps frais et un oreiller. « À l'avenir, se dit-elle, Joséphine dormira dans un lit. C'en est assez de coucher dans le recoin de l'escalier. »

* * *

Joséphine éprouvait chaque fois un grand bonheur à fouler le chemin qui la conduisait chez Grégoire. Son cœur de fillette balançait à gros tic-tac. Elle se mit à chanter gaiement *À la claire fontaine* et sourit à ce refrain qu'elle avait jadis mille fois repris avec sa sœur Marguerite, mais maintenant que son cœur battait pour un garçon, les mêmes paroles prenaient une toute autre signification.

Arrivée chez les Dubé, Joséphine se rendit à la laiterie. Assise sur le seuil de la porte, elle attendait Grégoire. Elle s'amusait à regarder une grosse poule caquetante qui promenait sa couvée de poussins jaunes quand elle entendit des cris de terreur s'échapper de la maison.

Elle arrivait au beau milieu de l'affrontement entre Grégoire et son père.

La gamine, désireuse de connaître les secrets et les affaires qui touchaient Grégoire de près, rampa en douce jusque sous la fenêtre de la cuisine et tendit l'oreille.

En dedans, madame Beaupré tentait de raisonner son mari et son fils, mais comme ceux-ci ne voulaient rien entendre, elle se plaça entre les deux belligérants. Personne n'oserait la frapper, elle tenait un nouveau-né dans ses bras. Mais l'homme se rua sur elle, comme un tigre en furie et la poussa violemment sans aucune considération pour l'enfant blotti sur son sein. La pauvre Violaine, pâle et déjà ébranlée par l'état de crise qui régnait dans sa cuisine, s'affaissa lourdement sur le sol. Par chance, elle eut le réflexe en tombant de soulever son épaule droite et réussit ainsi à amortir le choc brutal qui risquait de tuer son bébé. Anne se précipita sur le nourrisson qui, effrayé, criait à fendre l'âme. Elle l'arracha des bras de sa mère et, à pas rapides, elle se mit à arpenter le passage en tapotant le petit dos et en chantonnant des « ha, ha, ha ! » pour consoler le bébé. Violaine abasourdie s'écria :

– Voire si c'est une manière de traiter ses enfants.

Gildas, emporté, cria à tue-tête :

– C'est pas mon enfant ! C'est ton maudit bâtard !

Grégoire figea. L'aveu cinglait comme un coup de fouet en travers de son visage. Suivit un lugubre et effrayant silence. Les nerfs du garçon relâchaient, ses jambes mollissaient. Dire que deux minutes plus tôt, il avait ressenti dans ses membres une force herculéenne.

Grégoire n'entendait plus qu'un mot, un seul, mais tellement lourd qu'il martelait ses oreilles, brisait ses tympans et son cœur de petit garçon de treize ans, même si ce soir-là, il en avait cent. Il lança un regard terrifiant à Gildas.

Après avoir lâché le paquet, l'homme satisfait fila à sa chambre où il claqua la porte à tour de bras.

La révélation avait ramené un calme apparent dans la cuisine. La force n'entrait plus en compétition. Grégoire ignorait qui de Gildas ou de lui avait gagné la partie, mais il savait maintenant d'où partait la rancœur que l'homme nourrissait à son endroit. Il saisit convulsivement le bouton de la porte et quitta la maison. « C'en est fini avec lui », se dit-il, soulagé.

Violaine le rappela, le supplia, mais il semblait indifférent. Il s'en allait, sans se retourner, comme si sa mère n'existait plus.

Violaine, le visage dans les mains, était toujours agenouillée par terre; comme si se relever n'en valait plus la peine. Maintenant, tout était fichu. Son Grégoire était parti en mauvais terme avec sa famille et pour comble, sa réputation entachée rejaillirait sur ses enfants. « Il y a des limites, se dit-elle. Si Gildas Beaupré croit pouvoir tout se permettre ! »

La pauvre femme cherchait une issue, un moyen d'en finir avec cette stupide vie.

L'enfant avait cessé de crier. « Tiens, se dit-elle, Anne s'en occupe bien, elle prendra la relève. Anne est la seule dans cette maison qui n'a qu'à lever le petit doigt pour que Gildas plie aussitôt à ses quatre volontés. »

Violaine redressa la tête; dans son regard, on ne voyait ni rancune ni colère. Avec son habituelle tendance à subir sans protester, on pouvait lire dans ses yeux une résignation tranquille. Toutefois, au fin fond de son âme, elle aurait préféré mourir que d'en arriver à pareille fatalité.

* * *

Treize ans plus tôt, Violaine, enceinte de quatre mois, avait contracté mariage avec Gildas Beaupré dans le seul but de sauver son honneur. À l'époque, la jeune femme n'avait que dix-sept ans. Gildas, l'homme le plus hideux de la planète, aurait vendu son âme pour posséder la belle Violaine, aussi avait-il accepté l'arrangement en toute connaissance de cause. En retour, Violaine se dévouait à sa famille et, même si elle n'éprouvait aucun sentiment pour son mari, elle se donnait tout entière à son rôle d'épouse. La preuve, depuis qu'ils étaient en ménage, les cloches avaient sonné onze fois pour le baptême des petits Beaupré.

* * *

Grégoire, perdu, désespéré, éclaboussé, déambulait comme un aveugle sans même se demander où il passerait la nuit. C'était bien là le dernier de ses soucis. La nuit comme le jour étaient inexistants et peu importait la couleur du ciel, c'était le chemin qui le menait et il lui obéissait, résolu à marcher tant que terre il y aurait.

Joséphine, mal chaussée, courait en clopinant derrière lui. Arrivée à sa hauteur, elle le devança et, de ses bras étendus, elle lui barra la route. Comme le garçon ne réagissait pas ni ne lui portait attention, elle insista:

– C'est moi, ton amie Joséphine. Tu sais, j'ai tout entendu.

Le temps de reprendre son souffle, Joséphine tenta de réconforter Grégoire par des paroles consolantes. Dans la misère, les cœurs se serrent les uns contre les autres pour mieux supporter leur sort.

Elle prit la main de Grégoire. Il la retira. Elle le supplia de mendier en sa compagnie, persuadée que leurs deux malheurs réunis pouvaient faire un bonheur. Quel plaisir elle prendrait à parcourir les chemins avec un compagnon ! Mais Grégoire ne répondit pas. La veille encore, il pensait à prendre la relève de son père, comme hôtelier. Quelle illusion ! Joséphine interpréta son silence comme un refus.

Grégoire n'était pas prêt à s'abaisser à quêter, pas plus qu'il n'avait le cœur à s'étendre en explications embarrassantes. Il sentait le besoin de se retrouver seul avec lui-même afin de mettre de l'ordre dans ses pensées. Il devait subir le contrecoup de son départ, digérer l'arrachement à sa famille et le déracinement de son milieu habituel. Il devait aussi apprendre à vivre par ses propres moyens, tout ça était énorme pour un gamin de treize ans. Grégoire n'était plus capable d'aucune autre perception extérieure. Pour la première fois, il aurait préféré voir Joséphine ailleurs. Elle n'avait pas à le harceler avec ses suggestions gênantes ni à être témoin de ses états d'âme. Elle était là, à marcher à ses côtés, à parler comme un moulin à paroles. Si au moins, elle se taisait et mieux encore, si elle s'en allait ! Elle ne voyait donc pas que sa présence le dérangeait dans ses réflexions !

Grégoire sentait le besoin de décortiquer son passé et de reconstruire ses lendemains en regard de ses origines, et ce, sans tiraillement d'un côté et de l'autre. Il en voulait à Joséphine de ne pas respecter son besoin de solitude.

Il repartit dans ses souvenirs. Du plus loin qu'il se rappelait, son père lui donnait des coups de pied au derrière qui le faisaient bondir dans les airs et retomber sur le sol dur. C'était à ce moment que ses peurs étaient nées. Chaque fois, sa mère se penchait sur lui et l'emportait dans ses bras, se réfugiait dans la berçante et pleurait avec lui.

Gildas Beaupré était une brute, un malade, un bêta, physiquement et moralement ! De toute sa vie, Grégoire ne se souvenait pas l'avoir entendu une seule fois prononcer son nom.

Grégoire ne s'aperçut pas à quel moment Joséphine avait rebroussé chemin, pas plus qu'il ne remarqua sa petite robe à pois.

Le ciel se mit à pleurer. Sans but précis, Grégoire déambulait au beau milieu de la route et il n'entendit pas la plainte d'une charrette qui venait à sa rencontre. Inconsciemment, Grégoire se rendait maître du chemin. Comment pouvait-il distinguer où il posait le pied ? Le sol était noir comme son âme. L'attelage le frôla dangereusement et le charretier lui cria de gros mots auxquels Grégoire ne prêta pas attention. L'averse tombait dru et le garçon, le cou engoncé dans son col de chemise, continuait de se déplacer d'un pas de somnambule, jusqu'à ce que ses vêtements mouillés lui collent à la peau. La pluie dégoulinait sur son front et glissait sur ses joues, suppléant au flot de larmes qui ne sortait pas à cause de sa rancœur.

Grégoire essuya sa figure du revers de la main puis jeta un regard autour de lui, histoire de se situer. Il était à environ cinq fermes de chez son oncle Gaspard. S'il poussait jusque-là, peut-être qu'on lui offrirait le gîte pour la nuit. Personne ne laisserait coucher un chien dehors par un pareil temps. Et puis les Dubé s'étaient toujours montrés bienveillants à son égard. Il hésitait pourtant.

Grégoire aurait préféré ne pas étaler son histoire de famille au grand jour, non pas pour ménager la réputation de Gildas, le très digne hôtelier de la place à qui il en voulait de toutes ses forces, mais plutôt par respect pour sa pauvre mère qui devait être atterrée par les derniers événements.

Le garçon accéléra le pas. Les poings crispés au fond des poches, la mâchoire serrée. Il en était rendu à s'humilier, à mendier un lit pour la nuit et ce n'était que le début. Sa fierté en prendrait un coup. Dire que toute sa vie basculait sans que son vrai père n'en sache rien. Cet homme pensait-il à son fils comme lui pensait à son père ce soir-là ? Qui était-il ? Grégoire allait bientôt l'apprendre de la bouche de sa tante. Cette femme savait tout.

Grégoire escalada les quatre marches du petit escalier. À travers la vitre, l'éclairage au gaz diffusait sa lumière blanche sur le perron mouillé. Grégoire frappa trois coups au carreau. Sa tante Pâquerette, tout avenante, s'amenait enveloppée dans une robe de chambre à carreaux qu'une ceinture retenait sur sa taille. Son visage rond avait conservé sa candeur de jeunesse et son sourire de bon accueil. Elle ouvrit et serra Grégoire sur sa poitrine opulente qu'elle portait en avant, comme un trophée.

La porte refermée, Grégoire essuya ses semelles sur le tapis et, mal à l'aise de s'incruster chez les gens, il reporta toute son attention à replacer sous ses pieds, la petite tresse ovale qui n'était pas déplacée. Ses vêtements étaient si trempés qu'on aurait pu les tordre. Pâquerette devina tout de suite qu'il se passait quelque chose d'étrange. Animée d'un souffle généreux et humain, elle conduisit son neveu près du poêle encore chaud du dernier repas.

– Viens te sécher ! Enlève cette chemise et étends-la sur un dossier de chaise.

Pâquerette s'éloigna en disant : « T'as pas choisi ton soir ! Il pleut à verse. Des plans pour prendre un bon rhume. » Elle revint avec une serviette blanche comme du lait.

– Tiens, assèche un peu tes cheveux.

Aussitôt, elle se mit à bombarder son neveu de questions.

– Dis-moi donc ce qui t'amène ici à pareille heure ? Tes parents te laissent sortir en pleine noirceur ? Pas une mauvaise nouvelle, au moins ? D'où vient cette tache sur ta chemise ? On dirait du sang frais ! Tu t'es pas battu comme un petit voyou, hein ?

Grégoire se tenait raide comme s'il portait un corset d'acier. Il restait immobile, les mâchoires soudées, incapable d'émettre un son. L'anxiété dans ses yeux n'échappa pas à la vigilance de Pâquerette.

Les traits de sa tante prirent soudain l'éclat d'une excessive douceur. Elle passa la main sur le front soucieux du garçon.

– Qu'est-ce qui se passe dans cette bougresse de carcasse ?

Grégoire serra les poings pour ne pas pleurer devant les Dubé et répondit la bouche tordue de douleur :

– Je viens d'en apprendre une belle. Mon père est pas mon père !

Pâquerette regardait Gaspard qui regardait Pâquerette. Celle-ci avait l'air de ne plus savoir que dire ni que faire de son jeune visiteur. Un silence pesant emplissait la pièce.

Le regard du garçon allait de son oncle à sa tante, attendant une réponse à ses questions qu'il ne formulait que des yeux.

Gaspard ne réagissait pas, écoutait-il seulement ? Il avait le visage d'un homme qui ne veut pas parler. Pâquerette feignait la surprise, mais elle sentait le plancher se dérober sous ses pieds. Elle lança un regard chargé à son mari, mais ce dernier restait de marbre, ce qui n'échappa pas à la vigilance de Grégoire. Le garçon les scrutait en profondeur ; il semblait compter leurs battements de cœur. Pas un clignement des yeux ni un mouvement des lèvres ne lui échappaient. Chacun à sa façon, l'oncle et la tante semblaient jouer les innocents.

Grégoire s'attendait à ce qu'on lui dise toute la vérité au sujet de sa naissance et qu'on lui apprenne le nom de son père, comme ça, sans faire de simagrées, mais une terrible déception l'attendait. La tante commença un interrogatoire en règle :

– Qui a ben pu te mettre pareille idée en tête ? Es-tu certain d'avoir ben entendu ?

Grégoire réalisa alors que la partie se jouerait serrée. Sa tante restait sur ses gardes, prête à riposter à toute attaque, comme si elle se sentait menacée et sans doute, comme elle, toute la parenté lui cacherait aussi la vérité. Pourtant, Grégoire s'arrogeait le droit de savoir.

– Le bonhomme en personne me l'a crié clairement par la tête. Vous demanderez à maman, elle vous le dira, elle !

Le plus blessant était que Gildas Beaupré avait lâché son gros mot comme une victoire dont Grégoire était l'adversaire. Et celui-ci avait ressenti clairement toute la haine anticipée de celui qu'il avait jusqu'alors respecté comme son vrai père. S'il avait su, le respect aurait pris le bord.

– Vous étiez au courant de ça, vous deux ?

Gaspard ne dit rien. Il pinçotait sa barbe. Ce fut Pâquerette qui, sur la défensive, sema le doute.

– Non !

Pâquerette mentait mal ; Grégoire le constata juste à la façon dont elle étirait son non et évitait son regard.

– Et ta mère, comment elle a réagi ? Qu'est-ce qu'elle dit de toute cette histoire ?

Sa mère ! Comme il lui en voulait à celle-là de ne pas lui avoir tout révélé au sujet de sa naissance. Elle avait préféré lui cacher la vérité et Grégoire savait très bien qu'il n'aurait jamais rien su de ses origines si ce n'eut été de cette brusque révélation de Gildas.

Finalement, Grégoire se décida à répondre :

– Maman ! Elle a pas argumenté. Elle s'est caché le visage dans les mains comme si elle était coupable d'un crime.

La tante invita Grégoire à s'asseoir et à lui raconter le conflit qui l'opposait à son père.

Pâquerette se rappelait les propos méchants des enfants dans la cour d'école. Dans le temps, son fils Émilien, lui rapportait tout ce qui touchait son cousin Grégoire.

Pâquerette comprenait bien son neveu de vouloir gratter un petit peu afin d'apprendre la vérité. Comme lui, elle aurait tenté de savoir, mais cette tâche délicate de divulguer le nom de son père à un fils revenait exclusivement à la mère. Pâquerette cherchait à se soustraire aux questions en restant dans l'imprécision. Elle s'informa d'un air évasif :

– Cette chamaille serait pas juste une provocation de ta part concernant tes origines plutôt galvaudées ?

Grégoire bouillait en dedans. Voire s'il avait pu inventer pareille horreur ! Il resta sans voix, se demandant s'il devait se donner la peine de continuer cet entretien confus qui ne le mènerait nulle part. En dépit de l'entêtement des Dubé à refuser de comprendre et de parler, Grégoire maintenait fermement ce qu'il avait dit.

Le coup parti, le garçon continua de se vider le cœur.

– C'est sans doute pour ça que le bonhomme était jamais content de moi. Il critiquait toujours tout ce que je faisais et, pour les moindres niaiseries, il montait sur ses grands chevaux. Il cherchait la chicane, c'est clair ! Mais là, finies les raclées. Si le bonhomme est pas mon père, il a plus aucun droit de lever la main sur moi.

Pâquerette, contrariée, le sermonna :

– Tâche de parler de ton père avec plus de ménagement ! Après tout, Gildas t'a servi de père pendant des années, hein !

– C'est pas mon père ! Moi, j'ai rien qu'un père et c'est pas Gildas Beaupré ! Lui, j'aurais beau dire qu'il est bon, il est mauvais. Je devrais peut-être le remercier pour tout le mal qu'il m'a fait endurer.

Pâquerette voyait bien que Grégoire était trop bouleversé pour raisonner calmement. Elle changea son fusil d'épaule.

– Après tout, dis donc ce que tu voudras, je te laisse maître de tes paroles, hein.

La tante Pâquerette avait la curieuse habitude d'ajouter des « hein » au bout de ses phrases. Ses neveux s'étaient toujours moqués gentiment de cette surcharge, mais ce soir-là, atterré par la nouvelle qui venait de l'assommer, Grégoire ne les entendait plus. Il ajouta, la voix tremblotante :

– J'ai ma petite idée sur lui !

Pour Grégoire, cet homme n'était plus rien d'autre qu'un intrus qui avait volé la place de son vrai père et, si sa mère l'avait choisi, c'était à elle et non à lui de le subir.

– Violaine est au courant que t'es rendu ici ?

Grégoire sentait sa tante inquiète. Il aurait dû prévoir qu'en venant chez elle, il la plaçait dans une situation délicate vis-à-vis sa sœur. Ce jour-là, contre son gré, tout allait de travers et tout ce qu'il faisait ou disait tournait au vinaigre.

– Non ! J'ai foutu le camp de la maison en vitesse sans me demander où j'irais ni si j'arriverais à me débrouiller seul. J'avais pas idée de vous mettre dans de mauvais draps. De toute façon, si maman apprend que je suis ici, elle va envoyer son type me chercher. Je ferais mieux de partir.

« Son type ! » Pâquerette refréna une envie de sourire. Grégoire avait trouvé une nouvelle identité à Gildas. Elle serra le poignet de son neveu pour le retenir.

– Non ! Où voudrais-tu aller à cette heure par un temps de chien ?

Grégoire avoua, l'air piteux:

– Je sais pas! Mais faites-vous-en pas pour moi, je saurai ben me débrouiller.

– Te débrouiller! Et comment?

Grégoire ne répondit pas. Il détourna les yeux pour mieux masquer son amertume. Il était davantage préoccupé par ce qu'il laissait derrière lui: sa famille, son enfance, sa vie.

Puis, en douceur, Pâquerette amena Grégoire à se vider le cœur.

Il parla pendant une bonne heure avec elle. Gaspard semblait absent, mais il suivait mot à mot leur conversation. Grégoire raconta que Gildas traitait sa mère de traînée, de salope et qu'il ne retenait pas ses gestes violents.

– C'était toujours lui qui provoquait les chicanes. Et quand ça le prenait, la petite Gisèle en avait tellement peur que, dès qu'il mettait un pied dans la maison, elle allait se ramasser en boule sous l'escalier. Les seules fois où on avait la paix, c'était le temps que le type passait à son hôtel, mais sitôt de retour, l'air redevenait irrespirable.

Pâquerette était abasourdie par ces révélations aberrantes. Une brume passa devant ses yeux.

– Ça me fait mal au ventre d'entendre ça!

– Il y a autre chose aussi qui me tracasse ben gros, mais, je peux pas en parler parce que maman m'en voudrait à mort d'éparpiller ça d'un bord pis de l'autre.

– Tu peux tout nous dire, tu sais. Je te promets que tes secrets sortiront pas de cette maison.

Grégoire craignait de ternir davantage la réputation de sa mère. Il passa sous silence son penchant pour la boisson.

– Non! De toute façon, ça servirait à rien.

Les Dubé prêtaient une oreille attentive aux révélations renversantes de Grégoire sur la vie de ses parents. Pâquerette ne s'était jamais rendu compte de l'étendue du malheur de Violaine, de la vie d'enfer que Gildas lui faisait subir. Elle avait bien sûr été témoin de quelques obstinations anodines devant la famille, mais rien de plus. Gildas, avec les revenus de son hôtel, permettait à sa sœur de vivre largement, contrairement à Gaspard qui coupait les cennes en deux et astreignait sa famille à vivre petitement. Pâquerette s'exclama:

– Qui se serait douté, hein? L'argent a beau procurer des satisfactions, il donne pas les bons sentiments.

Grégoire vit une larme mouiller les yeux de sa tante.

Comme elle était bonne, cette Pâquerette, et à quel point elle aimait sa sœur!

– Écoute Grégoire, tu peux rester ici cette nuit, mais tu devras partager le lit d'Émilien. C'est un lit à une place; vous serez un peu tassés, mais pour cette nuit, c'est tout ce que je peux t'offrir. Demain, je t'installerai une bonne paillasse.

– C'est ben correct de même! Ce sera mieux que le bord du chemin.

– Demain, je parlerai à Violaine. Je voudrais pas semer la bisbille dans la famille en agissant à son insu. Tu sais, une mère aime pas laisser son enfant aux mains des autres. Ce serait avouer son incapacité à l'élever. Et puis Violaine en endure déjà assez sans qu'on en rajoute sur le tas, hein? Quant à toi, sois assuré qu'on t'abandonnera pas.

À ces paroles rassurantes, les muscles de Grégoire se détendirent et il sentit ses épaules retomber au dossier de sa chaise.

Pâquerette grimpa sur un tabouret et fouilla dans le haut de la penderie. Elle retira d'une tablette, un gros oreiller et le secoua pour lui redonner sa forme. Puis elle chuchota :

– Prends ben garde de pas réveiller Émilien. Et pis dis-lui rien au sujet de ta naissance. Émilien a pas l'âge d'être initié à certains secrets de la vie. Toi non plus d'ailleurs. Mais le hasard place parfois les jeunes devant des faits incontrôlables qui les mènent à maturité avant l'âge. Va, mon grand ! Monte !

Pâquerette lui tendit l'oreiller de plume.

Grégoire le saisit à bras-le-corps et se mit à lambiner. Tout en réfléchissant, il tirait sur une plumette qui perçait le coutil du coussin.

– Avant de monter, je veux connaître le nom de mon vrai père. Je dormirai mieux ensuite.

– Pauvre enfant ! Comment veux-tu ? J'en connais pas d'autres que Gildas Beaupré.

Grégoire insistait, comme il le faisait à l'occasion avec ses frères et sœurs.

– Parole d'honneur ? Jurez !

Pâquerette ne jura pas. Elle lui adressa un maigre sourire.

Grégoire restait sur place. Il finirait bien par avoir raison d'elle. Il fronça les sourcils.

– Maman doit ben avoir eu un autre amoureux que vous devez connaître ?

– Il y a eu un certain Constant, je crois, mais je me rappelle pas son nom de famille. Le garçon est venu la voir au salon deux ou trois dimanches d'affilée pis on l'a plus revu.

Grégoire écarquilla les yeux démesurément. Il pensa tout de suite à l'infirme.

– Constant qui ? Essayez de vous rappeler. Il venait de quel endroit ?

– Je sais plus, moi ! Ta mère a quelques années de moins que moi, hein.

– Faites un effort. Dans une même maison, les gens passent pas inaperçus.

– Tu sais, la mémoire et moi…

– Ce serait pas Constant Baillargeon de Saint-Alexis ?

– Je pourrais pas dire ! Violaine a fait pleurer ben des cœurs. Les garçons tournaient autour d'elle comme des mouches. Ma sœur était sans contredit la plus belle fille de la place !

Grégoire se raidit. Que sa mère ait suscité l'admiration des garçons, il aurait pu en tirer un certain orgueil, pourtant tout le contraire se produisait. Le qualificatif sonnait comme une insulte à son oreille.

– La plus belle pour qui ? Je sens que vous en savez plus long que ce que vous en dites, mais je peux rien exiger de plus de vous.

– Monte, on reparlera de tout ça demain, trancha Pâquerette, d'un ton agacé.

– Pourquoi remettre ça ?

– Parce qu'il est tard.

Grégoire comprit que sa tante se donnait du temps pour penser, pour préparer soigneusement ses réponses. « Demain, les enfants seront là, se dit-il, et ce sera une autre raison de se taire. »

Le garçon monta l'escalier sur la pointe des pieds, la tête basse, le dos rond, le cœur aussi gonflé que l'oreiller qu'il traînait sous son bras. Il avançait à tâtons dans la chambre du bord et dirigeait ses pas à la faible lueur venant de la cuisine. Seul un lit meublait l'étroite pièce, si ce n'était que dans un coin, un vieux tabouret, recouvert d'une étoffe à fleurs pâlie, servait de chaise.

Grégoire s'approcha du lit. Son cousin Émilien dormait comme un bienheureux. Sa respiration égale en faisait foi. Il s'allongea à ses côtés, tout habillé.

Il se sentait inconfortable sur ce matelas et cet oreiller avec lesquels il n'avait rien en commun. Et puis, que faisait-il dans la maison de son oncle, dans le lit de son cousin, quand chez lui, le sien était vide, vide, comme son âme ?

« Constant, se répétait Grégoire, peut-être Constant, l'infirme ! L'histoire de sa Marie-Jolie, ne sous-entendrait-elle pas plutôt une Violaine Jolie ? On verra ben ! » se dit-il.

Au loin, le train sifflait comme une invitation. Grégoire regrettait de ne pas s'être rendu à la gare. Il aurait pu s'accrocher au dernier wagon avant que la locomotive ne reprenne sa vive allure. Plus personne n'aurait entendu parler de lui et ce serait bien ainsi.

Grégoire se demandait ce que seraient ses lendemains. Plus jamais de vie de famille, de vraies soirées familiales et il ne reverrait plus ses frères et sœurs. Il lui fallait recommencer à zéro, faire peau neuve. Grégoire crevait de dépit et il ressentait un violent besoin de crier son désespoir. Il regardait son oreiller avec une envie de le frapper à coups de poing, mais il ne pouvait laisser libre cours à son agressivité. Émilien, près de lui, sursauterait et poserait mille questions embarrassantes auxquelles il lui faudrait répondre. Grégoire ne se sentait pas en état d'expliquer l'embrouillamini que lui-même ne comprenait pas. Et comment deviser tranquillement avec une voix que le chagrin et l'inquiétude étranglent ? De toute façon, sa tante le lui avait interdit. Elle trouvait qu'Émilien était trop jeune. Le garçon était pourtant d'un an son aîné.

Pendant que tout le monde dormait, Grégoire ressassait ses rancœurs. Ses parents, à qui il avait accordé une confiance aveugle, lui avaient bassement menti et l'enfant qu'il était avait tout avalé, sans se douter de rien.

Grégoire aurait voulu régler son destin en un instant pour ensuite avoir l'esprit tranquille et dormir sur ses deux oreilles, mais il n'y arrivait pas. Il revoyait en esprit, ses frères et sœurs effrayés et sa mère déçue qu'il connaisse la vérité toute crue. Comment peut-on dormir l'esprit absorbé par une quantité de soucis qui vous bousculent : le rejet, la coupure d'avec les siens, la crainte de se faire ramener à la maison et maintenant, l'embarras qu'il causait aux Dubé ; ceux-ci avaient déjà sept enfants. Son oncle surtout le mettait mal à l'aise. Il n'avait pas ouvert la bouche une seule fois. Que pensait-il de toute cette histoire ? Gaspard parlait peu. Quand celui-là desserrait les lèvres, il s'en tenait toujours à l'essentiel. Grégoire le savait bien.

Ça bougeait en bas. Grégoire entendait des pas lents et feutrés, un bruit de chaise qu'on déplaçait, quelqu'un rôdaillait, une porte se fermait, puis plus rien. Les Dubé devaient s'être rassis ou couchés. Grégoire était à l'affût du moindre son. On allait sûrement échapper le nom de son père.

Il y eut un court silence, puis commencèrent des chuchoteries incessantes, faibles comme un sifflement de voix indistinctes. De son lit, Grégoire, malgré une attention soutenue, arrivait à peine à grappiller quelques mots. Les yeux fermés pour une meilleure concentration, le garçon ne bougeait pas d'un poil, malheureusement, il y avait toujours cette respiration bruyante d'Émilien qui sifflait à son oreille et brouillait le dialogue.

Grégoire se leva sans bruit et s'étendit à plat ventre sur le plancher, l'oreille collée à la rambarde de l'escalier. De son poste, il entendait nettement la voix de son oncle :

– Gildas aurait pu fermer sa grande gueule pour quelques années encore. Quand il a marié ta sœur, il l'a acceptée enceinte avec les conséquences qui devaient s'ensuivre, donc qu'il assume ses responsabilités. Tout le monde dans la paroisse sait que si ce n'était que de sauver la réputation de la belle Violaine, ce laideron de Gildas aurait jamais trouvé à se marier.

– Comment ça « tout le monde sait » ? argumentait Pâquerette. Voyons donc, Gaspard Dubé, personne dans la place est au courant de nos secrets de famille !

– Ah ! Cachez-vous, cachez-vous pas, vos fautes vous suivent toute votre vie et, depuis que le monde est monde, la moitié des gens jasent de l'autre moitié. Comme Gildas a reconnu l'enfant, aux yeux de la loi, il en restera toujours le seul responsable. Ce qui veut dire que si Grégoire reste ici, Gildas devra nous payer sa pension.

De son poste, Grégoire se complaisait intérieurement, de vengeance, bien sûr. « Gildas, payer ma pension ! Ben bon pour lui ! » se dit-il.

Pâquerette pensait autrement. Elle leva le ton.

– Ça, jamais, Gaspard Dubé ! Tu m'entends ? Violaine est ma sœur et pas question d'accepter un seul sou de ma famille pour des services rendus, hein !

– Pourtant, ce sera comme ça ! Tu devras te soumettre.

– Jamais ! Je suis capable d'aider Grégoire si ça peut rassurer la pauvre Violaine, et ce, sans rien attendre en retour. Quand la maison est pleine, c'est pas un enfant de plus qui fait une différence.

– Soulager la pauvre Violaine, répéta Gaspard, le ton dédaigneux. Est-ce qu'on lui envoie nos enfants à ta sœur, nous ?

– Rien nous assure qu'un jour nos enfants auront pas besoin de la famille. Et s'ils ont besoin de personne, eh ben, tant mieux !

Grégoire réalisa qu'il était un sujet de discorde entre son oncle et sa tante et il se sentait davantage un encombrement dans cette maison. Il se demandait s'il devait quitter les lieux immédiatement ou remettre son départ au lendemain.

En bas, la discussion entre Gaspard et Pâquerette s'accentuait sans aucune réserve pour leur neveu couché juste au-dessus de leur tête. S'ils s'étaient doutés que ce dernier entendait leur conversation, ils auraient baissé le ton d'un octave.

– Tu vois donc pas que cette crapule de Gaspard profite de tout le monde ? Quand il apprendra que Grégoire vit sous mon toit, il va se péter les bretelles de contentement. Qu'il paie !

– J'ai dit non, c'est non ! T'es aussi avare qu'un rat, Gaspard Dubé. On dirait que vous êtes de la même trempe Gildas et toi. Je sais ben que tu me caches de l'argent, va ! Comme si je pouvais le gaspiller. T'as jamais eu la moindre considération pour ta femme, hein ! Ça fait combien de temps que je me lamente que j'ai besoin de chaussures ? Mais non ! Tu fais le sourd parce que ça t'arrange. Pourtant, Dieu sait que c'est pas un caprice. Je suis la seule femme qui assiste aux assemblées d'Action catholique avec des vieilles savates qui ont besoin d'être ressemelées. J'ai l'air d'une quêteuse. Tiens, je suis pas mieux que la Jobé ! Si tu savais comme j'ai honte ! Si on avait pas d'argent, je dirais rien, mais c'est pas le cas. Tu penses juste à te remplir les goussets. Et aujourd'hui, tu pousserais l'audace jusqu'à encaisser quelques sous aux dépens de ma famille ? Ça, jamais ! Je vais garder Grégoire gratuitement et si par malheur tu le chasses, je partirai avec lui !

Ce parti pris en sa faveur émut Grégoire jusqu'à l'âme. Toutefois, il détestait être un sujet de discorde pour les Dubé.

En bas, Gaspard insistait :

– T'abandonnerais tes propres enfants au profit d'un neveu ?

– Oui monsieur ! Je les abandonnerais à leur propre père. Tu vas t'apercevoir qu'une servante coûte pas mal plus cher que ta femme !

Pâquerette ajouta, le ton amer :

– Si tu me traites comme une bonne à rien, c'est que je suis de trop dans ta maison.

Pâquerette semblait catégorique, mais elle ne croyait pas un mot de ce qu'elle avançait. Cette menace en l'air était une

ruse, le seul moyen à sa portée pour secouer son grippe-sou de mari. Chez lui, Gaspard n'avait qu'à lever le petit doigt pour que tout le monde s'incline devant ses exigences. Mais cette fois, sous la menace de sa femme, il ne parlait plus. Gaspard n'était pas méchant, loin de là, il était simplement inconscient et un peu avare. Pour la première fois en dix-sept ans de ménage, Pâquerette manifestait son opinion de façon indiscutable et elle réussit à bâillonner son mari.

Stimulée par les confidences de Grégoire sur ses parents, Pâquerette cherchait à se donner une importance aux yeux de son homme, à prendre la place qui lui revenait dans son couple. Elle refusait de se laisser écrabouiller comme sa sœur Violaine qui vivait l'horreur au quotidien et qui n'osait jamais s'affirmer. Si Violaine avait su s'imposer, son mari l'aurait sans doute davantage respectée et estimée.

Pâquerette se leva.

– Bon, je vais dormir !

Sur sa paillasse, elle tourna le dos à Gaspard afin de lui épargner son air de satisfaction. Elle aurait donné bien cher pour entendre ses pensées.

* * *

En haut, Grégoire déçu, quitta le plancher dur et retourna près d'Émilien. Les choses se compliquaient ; son oncle ne voulait pas de lui. Comment pourrait-il rester là à manger son pain ? Peut-être avait-il poussé trop loin l'indiscrétion. Son but premier était de découvrir le nom de son père. Malheureusement, les Dubé ne l'avaient pas prononcé une seule fois.

Grégoire finit par s'endormir d'un sommeil agité.

Au petit matin, les oiseaux s'égosillaient et un soleil rosé se glissait à la fenêtre nue. Grégoire se leva sans bruit et se rendit au cabinet d'aisances situé tout au fond de la cour. Pourquoi faisait-il si beau ce matin-là quand sa vie était si terne ? Peut-être était-ce pour les autres, pour les gens heureux.

Les vaches étaient rentrées et les portes de l'étable restées grande ouverte. Son oncle était déjà aux bâtiments ! Comme le garçon traversait la cuisine, il remarqua une pièce de cinquante sous, bien en vue, sur le coin de la table. « Cinquante sous ! Personne n'oserait laisser traîner pareille somme d'argent, se dit Grégoire, surtout pas son oncle. » Dans cette maison, tout s'en retournait. On voyait le jour à travers les vieux stores verts aux côtés effrités. L'oncle était un grippe-sou, mais lui au moins ne battait pas ses enfants. Grégoire pensa aussitôt aux souliers à ressemeler qui accusaient une fausse pauvreté. Sa tante avait joué serré, elle avait gagné la partie et, gagner la partie, c'était gagner l'estime. Sa mère elle, aurait perdu.

Au déjeuner, Gaspard pinça la taille de Pâquerette qui lui adressa son plus beau sourire. Les enfants se moquaient d'eux. Grégoire fut surpris de la bonne humeur qui égayait la cuisine. La nuit semblait avoir effacé toute trace de l'animosité de la veille entre Pâquerette et Gaspard. C'était sans doute à cause de la fameuse pièce de monnaie. Toutefois, Grégoire restait sceptique. La paix dans une maison, était-ce chose possible ?

À l'extérieur, un cheval hennissait à pleins naseaux. Pâquerette s'approcha de la fenêtre et écarta le rideau. En voyant sa sœur Violaine attacher la jument noire au piquet, elle leva des yeux éplorés au plafond.

– Ah ben, sainte misère ! Il manquait plus que ça !

L'heure des comptes à rendre sonnait. Pâquerette s'en voulait mortellement d'avoir attendu le lendemain pour avertir sa sœur de la présence de Grégoire chez elle. Trop tard, maintenant ! Violaine l'avait devancée et sans doute lui en voudrait-elle toute sa vie d'avoir accueilli Grégoire et d'être de complicité avec lui.

Pâquerette aurait voulu disparaître pour ne pas avoir à affronter Violaine, mais celle-ci frappait déjà à la porte et, sans attendre qu'on lui réponde, elle entrait en coup de vent dans la maison.

En apercevant son fils, Violaine respira d'aise et agit comme si rien ne s'était passé la veille.

– J'étais certaine de te trouver ici, toi. Viens ! Je te ramène à la maison.

Grégoire refusa net :

– Je remettrai jamais un pied là !

Pâquerette se sentait mal à l'aise d'être témoin des obstinations de sa sœur et de son neveu. Elle aurait préféré cent fois qu'ils aillent régler leur compte dehors, mais comment leur faire comprendre sans les froisser ?

Pâquerette choisit de minimiser le conflit en changeant de sujet et en invitant Violaine à déjeuner. Elle retira une assiette de l'armoire.

– Approche, Violaine. Un coup rendue, tu vas manger avec nous, hein ? Viens, je te sers une belle galette de sarrasin, foncée comme tu les aimais quand nous étions petites filles. Je m'en souviens, tu mangeais seulement celles qui avaient la couleur de la mélasse.

Violaine refusa poliment. Comment pourrait-elle avoir le cœur à manger et à causer avec les événements tragiques qui s'étaient déroulés la veille ? Et puis, elle dormait debout.

* * *

La nuit précédente, après la divulgation de son secret, Violaine, bouleversée, s'était assise au bout de la table, la tête couchée sur les bras et elle y avait passé une bonne partie de la nuit. Gildas l'avait appelée au lit et elle n'avait pas répondu. Quand il sentait le désir monter en lui, Gildas s'attendait à ce que sa femme se soumette à ses instincts. Ce soir-là, Violaine en était incapable ; elle en avait gros sur le cœur. Elle resta sur place, sans même lever un sourcil en sa direction.

Depuis la naissance de sa petite dernière, sa pensée faisait déjà chambre à part. Au petit matin, pour les quelques heures restantes, Violaine, n'en pouvant plus de dormir assise, s'était allongée sur le lit de Grégoire. Tout comme son fils, elle mijotait le projet de fuir, de quitter cet homme violent qu'elle n'avait jamais aimé et, deux minutes plus tard, elle renonçait. Qui accepterait de la prendre avec onze enfants? Et si elle partait, que deviendraient ses pauvres petits sans leur mère?

Résignée à laisser saigner son cœur goutte à goutte, elle remit à plus tard sa décision de partir. Elle sentait que Gildas la tenait sous sa coupe. Elle attendrait que sa petite Laura soit en âge de se débrouiller. Mais l'enfant n'avait pas un mois et le temps en ajouterait peut-être quelques autres? «Non! Plus jamais!» se dit-elle. Elle passa chacun de ses enfants en revue dans son esprit. Ils étaient tous beaux, mais un peu perturbés. Comment pourrait-il en être autrement avec un père violent et une mère qui compensait par une douceur excessive? Élevés entre deux extrêmes, les enfants ne connaissaient pas le juste milieu, l'équilibre.

* * *

Grégoire observait sa mère. Il se demandait si son visage défait était la conséquence de son malheur ou plutôt des ravages de l'alcool. Combien de fois, Grégoire l'avait surprise à boire en cachette, à même le goulot. Elle laissait la porte de l'armoire entrouverte en guise de paravent et, si elle entendait des pas, elle refermait aussitôt de sa belle main. Avec un mari hôtelier, à la maison, la boisson ne manquait pas et sa mère noyait son chagrin au fond des bouteilles.

Violaine était pressée de retourner chez elle pour rétablir au plus tôt les liens entre Gildas et Grégoire. «S'il faut continuer, se dit-elle, aussi ben vivre en paix!» Elle refusait que Pâquerette intervienne ou tente de recoller les pots cassés. C'était à elle seule que reviendrait cet exploit. Toute cette histoire humiliait Violaine devant les siens.

Elle se demandait ce que savaient Gaspard et Pâquerette à son sujet, ce que Grégoire avait bien pu leur avoir raconté sur son compte. La veille, il s'était enfui en affichant une indifférence totale et cette froideur affligeait la pauvre mère plus encore que des réactions agressives l'auraient fait.

Violaine avait beau tenter de cacher ses conflits de famille, Pâquerette voyait bien, tout comme Grégoire, les yeux bouffis de sa sœur et ses mains qui tremblotaient.

Violaine tenta d'affermir son pouvoir.

– Grégoire a une maison où dormir et des parents pour s'en occuper.

Pâquerette lui fit comprendre qu'elle n'avait pas couru au-devant. Grégoire s'était réfugié chez elle de lui-même et, tout compte fait, elle ne pouvait pas laisser un enfant coucher à la belle étoile.

– Tu devrais être soulagée que ton fils soit pas allé frapper chez des étrangers. T'as pas à t'en faire outre mesure, on voit ça dans toutes les familles, des adolescents et des parents en désaccord qui vont parfois jusqu'à se prendre aux cheveux. Laisse donc Grégoire ici pour quelques jours, le temps que l'orage passe et que les choses rentrent dans l'ordre. Je dirai qu'il est en visite.

Devant la rigidité de Violaine, Pâquerette comprit qu'elle n'avait rien à rajouter. Elle vaqua en silence à ses occupations quotidiennes et oublia de manger.

Violaine entrouvrit la porte noircie par les petits doigts sales d'enfants.

– Viens dehors, Grégoire, j'ai à te parler, dit-elle.

Grégoire ne bougea pas.

– Si c'est pour me convaincre de vous suivre, c'est non ! Si ça vous plaît à vous de toujours être à plat ventre devant cette brute, c'est votre affaire.

Violaine salua froidement sa sœur et se retira seule avec son désespoir. Son fils ne pouvait plus compter que sur sa mère et elle le laissait derrière. Il devait se sentir affreusement seul. Puis, elle se rendit à l'évidence et abdiqua. « C'est peut-être mieux ainsi, se dit-elle. À force de bagarres, Gildas aurait ben fini par le tuer. »

* * *

Une brouille ! C'était bien ce que Pâquerette redoutait. La pauvre femme était atterrée de la tournure des événements. « On essaie de rendre service et on doit en payer le prix, se dit-elle. Maintenant, Violaine va m'en vouloir à mort. » Pourquoi Grégoire avait-il choisi de rebondir chez elle plutôt que chez ses autres tantes ? Pâquerette n'irait pas jusqu'à lui reprocher d'être venu, mais elle lui en voulait un peu de l'avoir placée sur un pied de guerre.

Les jours qui suivirent se ressemblaient tous. Grégoire aidait son oncle au train, sans jamais rechigner, contrairement à Émilien qui traînait les semelles. À la campagne, le travail aux champs poussait et Grégoire, en enfant appliqué et reconnaissant, aidait de son mieux.

Mais quelquefois, il s'enfermait dans un silence et son mutisme pouvait durer des heures. Pâquerette n'aimait pas ces moments-là. Elle s'assoyait près de lui et le forçait à causer. Ensuite, chaque fois que Grégoire reprenait ses rêveries, Pâquerette reprenait ses causeries.

Avec le temps, Grégoire se mit à stimuler Émilien. Il encourageait son cousin à se débarrasser de son ouvrage pour ensuite, fabriquer une charrette à laquelle ils pourraient atteler Berger, le grand chien noir de la ferme. Émilien protestait, s'indignait, criait très haut pour finir chaque fois par s'incliner devant les promesses de jeux de Grégoire. Cette bonne influence de son cousin eut pour résultat d'améliorer le comportement d'Émilien. Ainsi se nouèrent des liens solides entre les deux garçons. Avec Émilien, Grégoire réapprit à sourire et à rire. Il se détendit et ses nuits devinrent moins mouvementées.

Grégoire se surprenait de sentir chez les Dubé une ambiance chaleureuse et pleine d'entrain. Il observait les différences entre les deux familles : sa tante Pâquerette chantait tandis que sa mère était une personne déprimée. Grégoire ne se rappelait pas l'avoir entendue fredonner ou s'amuser et son comportement déteignait sur tous ses enfants abattus et nerveux. Cette comparaison rendait Grégoire morose. Les siens aussi méritaient le bonheur et sa place à lui aurait dû être avec eux.

Une fin d'après-midi, alors que les Dubé descendaient du champ, la pioche sur l'épaule, Grégoire entendit un coup de sifflet. Aussitôt, un rapide mouvement des yeux et de la bouche exprima sa joie intérieure.

Joséphine était là, au coin du poulailler.

L'adolescente avait voulu bien paraître ce jour-là, mais son corps de jeune fille changeait de forme et sa robe mal fagotée, avec des boutons prêts à péter, écrasait ses seins et la serrait de toute part. Toutefois, son sourire était resplendissant.

Grégoire courut au-devant. Il en avait tellement long à lui raconter, surtout ses doutes au sujet de Constant qui était peut-être son père. Il prit sa main.

– Viens, entre!

Une odeur de légumes et de fines herbes embaumait la cuisine et invitait au repas. Pâquerette ne se retourna pas. Face au poêle, elle secouait vigoureusement sa cuillère au fond de la marmite. Les enfants déjà attablés se querellaient au sujet du coin à bois à remplir. Les garçons devaient exécuter cette tâche déplaisante à tour de rôle, mais c'était à qui se déchargerait de sa besogne aux dépens de l'autre. Pâquerette dut ramener la cuisine au calme. Elle leva un regard méprisant sur Joséphine et, irritée de sa visite, ajouta un peu trop de thym au bouillon.

– Va dehors, toi! trancha-t-elle sèchement, comme c'est là, il y a assez de monde ici dedans, hein!

Grégoire sentit aussitôt l'aversion que Joséphine inspirait à sa tante et sa joie de sentir l'adolescente à ses côtés, s'évanouit. Plutôt que d'inviter Joséphine à souper, comme partout ailleurs les gens l'auraient fait, sa tante l'évinçait. Joséphine n'avait pourtant rien fait pour se mériter la haine de Pâquerette.

– Viens marcher, l'invita Grégoire.

– Toi, ajouta Pâquerette, qui fusillait Grégoire du regard, éloigne-toi pas. La soupe va être dans vos assiettes dans la minute.

– J'irai pas loin.

Les tourtereaux marchèrent lentement. Grégoire parla à Joséphine de sa nouvelle vie chez les Dubé, de sa chance d'être tombé sur des gens aussi accueillants.

Joséphine pensait tout le contraire, mais elle ne contredit pas Grégoire. Elle avait appris à respecter tout bienfaiteur qui ouvrait sa porte aux démunis. Et elle savait depuis belle lurette que personne n'aimait les mendiants, que les gens les recevaient strictement par charité. Ceux-ci donnaient pour l'amour de Dieu et non pour l'amour des quêteux. La fillette en avait vu d'autres et elle ne s'attendait pas à être traitée aux petits oignons. Joséphine avait appris à surmonter le dédain des gens, à fermer les yeux et au besoin, les oreilles avec. Il fallait bien survivre! Heureusement, elle n'était pas une fille à se replier sur elle-même. Elle changea de sujet.

– Ta mère a maigri. Si tu la voyais. La peau et les os! Mais elle est toujours aussi belle. Les gens disent que ton départ va la tuer.

– Si quelqu'un la tue, ce sera plutôt son chien de mari! Je tiens pas à étaler nos histoires de famille au grand jour, mais si je te disais que Gildas joue aux cennes, qu'il rentre à la maison éméché, quand il passe pas ses nuits ailleurs, je me demande où. Et les gens pensent que mon départ va la tuer? Et toi, qu'est-ce que t'en penses au juste?

Grégoire était en train de s'emporter et peut-être, de blesser Joséphine par ses ripostes agressives. Il baissa le ton.

– La dernière fois que je l'ai vue, c'était le lendemain de ma fuite. Elle avait l'air plus fâché que triste. Ma mère aime ben plus son Gildas que son enfant! Et pis, c'est pas moi qui la préoccupe le plus, c'est ce que les gens vont raconter dans leur dos. Moi, personne s'en fait à mon sujet.

– Dis pas ça, Grégoire ! Moi, je pense à toi et j'ai toujours hâte de te revoir. Souvent même, je rêve qu'on fait la *run* ensemble. Moi aussi, je vis séparée de ma famille et je devine ce que tu peux ressentir en dedans.

– Ah ça, non ! Personne peut imaginer.

– Ça semble toujours pire quand c'est nous. Je le sais, j'ai déjà pensé comme ça, mais heureusement, il y a eu toi et les Tremblay pour m'égayer la vie. Il faut ben continuer.

Grégoire ne dit rien. Du bout de son soulier, il traçait des cercles sur le sable du chemin.

Soudain, il sursauta en entendant son nom.

De la maison, Émilien l'appelait, la main placée en cornet au-dessus de la bouche.

– Bon, il faut que j'aille, dit-il. Si tu repasses dans le coin, siffle.

Joséphine fouilla dans la poche de sa jupe et exhiba devant les yeux de son copain, une petite flûte champêtre, toute boueuse.

– Regarde ! J'ai toujours ton pipeau au fond de ma poche.

Grégoire saisit le sifflet.

– Il est un peu sale, je vais t'en tailler un autre.

D'un geste aussi rapide que l'éclair, Joséphine arracha l'objet des mains du garçon.

– Non ! Je vais le laver au ruisseau. C'est ce sifflet-là que je veux garder. Celui de notre première rencontre.

Joséphine s'éloigna. Elle se retourna deux fois pour saluer de la main.

Grégoire sourit en lui rendant ses saluts et sitôt la fille disparue, son sourire s'estompa. Le garçon pressa le pas et rentra à la maison. Il s'attendait peu à l'accueil froid que lui ménageait sa tante.

La soupe avait un goût âcre, un peu comme l'était celle qui la servait. Tout le temps du repas, la femme demeura muette et distante. Que mijotait-elle à son endroit ? Grégoire vivait dans une crainte continuelle d'être mis à la porte.

Le soir venu, on récita le chapelet en famille et sitôt les enfants au lit, Pâquerette rappela Grégoire.

– Descends, j'ai à te parler.

Grégoire s'assit sur la dernière marche de l'escalier et, les coudes sur les genoux, il observait sa tante, l'air inquiet.

– Cette quêteuse est une mauvaise fréquentation pour toi. Je tiens à ce que tu t'en éloignes sans que je sois sans cesse obligée de revenir sur le sujet. C'est pour ton bien. Tu me comprends, hein ?

Mais Grégoire ne comprenait rien. Il ne reconnaissait plus sa tante, elle, habituellement si gentille et si tolérante.

– Pourquoi ? Joséphine est juste une amie avec qui je passe de bons moments. Si vous la connaissiez... elle est ben fine.

– Oui, mais c'est tout de même une quêteuse, hein !

Grégoire n'en revenait pas. Sa tante n'avait aucun motif valable de lui interdire la compagnie de Joséphine. Certes, la fillette était mendiante, mais elle était si belle, si attachante et surtout, elle était sa seule amie. Grégoire se tut. Ça servirait à quoi d'insister, sinon de se mettre Pâquerette à dos pour en fin de compte, peut-être se faire montrer la porte.

Grégoire monta se coucher, déçu de couper les seuls liens d'amitié qui lui donnaient une raison de se sentir quelqu'un.

Ce soir-là, de son lit, il entendit Pâquerette rapporter à son mari: «Je viens de mettre le holà aux petites visites de la quêteuse. Maintenant, Grégoire sait clairement ce que j'en pense. Il y a assez de ce Gildas qui est en train de salir le nom de notre famille!»

«Je vais quand même voir Joséphine en cachette, conclut Grégoire intérieurement. C'est moi qui décide de mes amis.»

À partir de ce jour, Grégoire résolut de partir, mais cette fois, il structurerait un départ sensé et en bons termes avec les Dubé.

Les mois filaient. À l'école, les notes de Grégoire et d'Émilien montaient graduellement. Les années précédentes, Pâquerette n'avait jamais vu son Émilien apprendre et réciter ses leçons sur le bout des doigts comme il le faisait maintenant avec Grégoire. L'étude devenait un jeu de compétition et c'était à qui des deux garçons retiendrait le plus rapidement sa leçon. À la fin du mois, c'était toujours avec orgueil et satisfaction que Gaspard signait le bulletin vert de son fils.

Grégoire s'intégrait à sa nouvelle famille, sauf que parfois au coucher, il échappait quelques soupirs d'ennui qu'Émilien rapportait à sa mère. Celui-ci redoutait le départ de son cousin qu'il considérait comme un frère.

Émilien était bien conscient de la situation irrégulière que Grégoire vivait. Il profita du fait d'être seul avec sa mère pour l'interroger sur les raisons nébuleuses qui avaient amené Grégoire chez lui. Pâquerette restait évasive.

– C'est ça ou ben c'est la guerre chez lui à longueur d'année. C'est difficile pour lui de vivre séparé des siens.

– Mon oncle est un écœurant !

– Chut ! C'est mal de dénigrer les autres.

– Peut-être ! Mais je peux quand même le penser !

– Tâche donc de faire comprendre à Grégoire que cette quêteuse, qui lui court après, est pas une fille à fréquenter.

– Pourquoi ça ?

Pâquerette réfléchit un moment.

– Grégoire descend d'une bonne famille et il mérite mieux qu'une mendiante. J'ai beau lui défendre...

– Moi, je me mêle pas de ça. Grégoire m'en voudrait.

Pâquerette vexée, retourna à ses chaudrons.

* * *

Deux ans plus tard, rien n'avait changé pour Grégoire.

L'automne agonisait. Maintenant que l'ouvrage laissait un peu de répit, Grégoire, concentrerait toute son énergie à retrouver son père. Comme personne ne voulait parler, il se creusait les méninges à chercher un moyen de rendre visite à Constant à l'insu des Dubé. Ce n'était pas rien ; l'infirme demeurait à Saint-Alexis et Grégoire devait rendre des comptes sur ses sorties. Pour ajouter, Émilien le suivait toujours comme un chien de poche.

Finalement, l'occasion se présenta d'elle-même. Pâquerette encourageait discrètement Grégoire à fréquenter Martha Perreault qui, selon ses dires, était une fille de bonne famille. Elle avait même poussé l'audace jusqu'à inviter Martha à sa table et fait asseoir son neveu à ses côtés. Grégoire avait bien sûr obéi, mais si Martha avait pu deviner la torture que sa présence lui avait causée, elle serait partie sur-le-champ.

Grégoire était un observateur subtil. Pâquerette, l'entremetteuse, lui refilait Martha en remplacement de Joséphine. Il avait joué à celui qui ne comprend rien et il n'avait pas desserré les lèvres du repas.

Dernièrement, Pâquerette s'entêtait dans son idée.

– Grégoire, ce serait dans les convenances que t'ailles rendre visite à Martha. Tu lui en dois ben une.

Grégoire accepta vivement. Ce n'était pas Martha qui l'intéressait; il voyait là, une belle occasion de se rendre chez Constant.

– Je peux prendre la voiture à un siège?

Pâquerette acquiesça et Grégoire courut enfiler des vêtements propres.

***

Cet automne-là, l'influenza, qu'on appelait la grippe espagnole, faisait des ravages dans tout le pays. On dénombrait les morts. Par mesure de sécurité, les gens n'entraient pas dans les maisons, mais rien n'arrêtait Grégoire. À quinze ans, les adolescents se considèrent comme des êtres immortels. Il ferait bien sûr une visite éclair à Martha Perreault, au cas où sa tante Pâquerette s'informerait et ensuite, il filerait directement chez Constant.

* * *

Chez les Perreault, Grégoire courut dans l'allée détrempée par la pluie de la veille et escalada les trois marches du perron. Il frappa quelques coups hésitants à la vitre et attendit. La gêne le gagnait. Pour la première fois, il allait fréquenter une fille. Qu'allait-il lui dire devant sa famille ? Peut-être devrait-il lui demander de passer au salon ? Il ne s'était pas arrêté une minute à préparer sa visite ; au long du trajet, son esprit était concentré sur l'infirme qu'il considérait déjà comme son père naturel. Maintenant, il se trouvait là, entre deux portes, à ne trop savoir comment agir. « Je vais avoir l'air d'un idiot ! Tiens, je lui dirai que je passe la saluer de la part de ma tante Pâquerette. »

Comme personne ne répondait, Grégoire étira le cou à la croisée. Rien ne bougeait dans cette maison. Il mijotait l'heureuse idée de repartir quand soudain, il eut une sorte d'éblouissement. Au lieu de Martha, ce fut Joséphine qu'il aperçut. Elle dévalait l'escalier en sautant des marches. Deux belles tresses dorées, aboutées de rubans blancs, battaient ses épaules.

Grégoire, stupéfié, resta bouche bée. Il était loin de s'attendre à pareille apparition ! Que pensera Joséphine de le voir là ? Qu'allait-il lui dire ? L'idée le prit de s'enfuir à toutes jambes, mais trop tard, à travers la vitre, Joséphine l'avait reconnu. Elle ouvrit, toute joyeuse.

Elle tenait encore la poignée de porte quand elle s'écria :

– Grégoire ? Toi ici ! Comment t'as fait pour me retrouver ?

Grégoire remarqua le visage émacié, l'air fatigué de Joséphine, mais elle souriait de toutes ses dents et ses yeux pétillaient de joie.

Devant la piètre allure de Grégoire, le sourire de Joséphine s'estompa.

– Je gage que tu viens m'annoncer un décès. Encore cette grippe espagnole ? C'est qui cette fois ? Pas quelqu'un de ma famille ?

Grégoire se culpabilisait. Le temps passait et il n'arrivait pas à inventer une raison valable pour se sortir de son impasse.

– Non ! C'est pas ce que tu penses. Je passais juste comme ça, prendre des nouvelles de Martha. C'est ma tante Pâquer...

– De Martha ?

La physionomie de Joséphine se rembrunit. Son Grégoire

s'intéressait à Martha Perreault. Joséphine s'attendait à tout, sauf à une pareille vacherie. Si ce grand fendant de Beaupré pensait se servir d'elle pour la ridiculiser, il se trompait royalement. Elle camoufla sa peine en empruntant un air indifférent et, les lèvres dédaigneuses, elle marmonna :

– Martha va comme ci comme ça.

– Tu lui diras que je suis passé.

– C'est ça, je lui dirai !

Grégoire se retira et Joséphine donna un grand coup de pied sur la porte qui claqua sec derrière lui.

Grégoire s'attarda un moment sur le perron. Il venait de blesser Joséphine et peut-être de s'en faire une ennemie. Lui aussi avait le cœur serré. Si seulement Joséphine savait comme leur douleur s'apparentait !

Et s'il recommençait sa rentrée ? Cette fois, il prendrait Joséphine dans ses bras, la serrerait de toutes ses forces et lui avouerait son amour. L'occasion était belle ; ils étaient seuls dans la cuisine. Pourquoi ne l'avait-il pas fait, tantôt ? Cette rencontre était tellement inattendue qu'il en était resté stupéfait, imbécile.

Grégoire avait toujours su que Joséphine l'aimait, mais elle, est-ce qu'elle savait que lui aussi l'aimait ? Maintenant, la situation se compliquait. Il y avait cette Martha entre eux et Joséphine ne passerait jamais l'éponge sur cet affront.

La mort dans l'âme, Grégoire se rendit chez Constant, son seul lien solide. Durant tout le trajet, il revoyait Joséphine tour à tour, souriante, blessée, révoltée. Il en voulait à sa tante de lui jeter cette Martha Perreault dans les bras, mais c'était contre lui-même qu'il en avait davantage. Il avait été stupide. Certes, Pâquerette s'immisçait dans ses amours et lui dictait sa conduite, mais c'était à lui de se tenir debout. Il avait agi en poule mouillée et il le regrettait amèrement.

Maintenant, Joséphine devait lui en vouloir à mort.

* * *

Grégoire entra dans la chambre de Constant, l'air défait.

– Tout va de travers ! se plaignit le garçon.

– Viens remonter les oreillers dans mon dos que je te voie mieux, ensuite tu me diras ce qui va si mal pour toi.

Grégoire raconta en détail sa visite impromptue chez les Perreault.

– Vous allez dire que je suis trop jeune pour m'attacher et vous aurez raison, mais je veux pas perdre l'amitié de Joséphine. Après elle, j'ai plus personne. Pourtant, j'aurai jamais rien à lui offrir, pas d'argent, pas de travail, pas même un nom.

– Comment, un nom ?

Grégoire raconta son histoire depuis le début.

Constant l'écoutait attentif, attendri. Comme il le comprenait. Le récit terminé, il ajouta :

– Moi non plus, j'ai pas connu mon père. J'ai passé mon enfance à la crèche et ma jeunesse à courir les bois. Ça fait que de l'affection, j'en ai jamais eue. J'ai appris le nom de mon père seulement après sa mort. Le notaire m'a fait rechercher parce qu'il m'avait couché sur son testament. Ma première visite à mon père a été au cimetière. C'est ainsi que j'ai retrouvé un frère pour qui j'étais un profiteur. À cause de moi, son héritage se trouvait divisé en deux. Ensuite, je suis devenu une lourde charge pour mon frère. On vivait dans la même maison, mais on se parlait pas. Heureusement, Lucia était une sainte femme. Tu vois Grégoire, nous, on est pareil, deux orphelins !

– Oui, sauf que moi, je cherche encore. Vous auriez pas connu ma mère, Violaine Larivière ?

Le visage de l'infirme s'illumina.

– Si je connais Violaine Larivière ? Ben sûr ! Qui la connaît pas ?

Constant examinait le garçon. Il avait les yeux de sa mère.

– La belle Violaine a une sœur qui habite près d'ici.

– Je sais, on venait tous les hivers à son fricot des fêtes. Un jour, à l'église, j'ai rencontré Joséphine qui demeurait ici.

Que tous les hommes connaissent Violaine, humiliait bassement Grégoire. Sa mère était un peu trop populaire à son goût. Et chaque fois qu'on ajoutait « la belle » à son prénom, Grégoire se sentait attaqué, blessé, rabaissé. Sa mère était une femme respectable. Elle se donnait corps et âme à sa famille, mais, de ça, personne n'en parlait. Grégoire hésita un moment avant de poursuivre :

– Avant son mariage, ma mère a eu un amoureux qui se nommait Constant, mais je connais pas son nom de famille.

– C'est pas moi, si c'est ce que tu veux savoir ! J'ai jamais eu d'enfants, mais je peux te dire que j'aurais pas haï être l'amoureux de la belle et le père d'un beau gars comme toi. Si mon petit catéchisme m'avait pas défendu ces choses… Écoute ! Je pourrais peut-être te donner quelques indices, mais avant, t'aurais pas une bonne bière à m'offrir ? J'ai la gorge un peu sèche.

– Attendez ! J'en ai deux, juste pour vous ! Je cours les chercher dans la voiture.

Constant riait et frottait ses mains l'une contre l'autre en signe de satisfaction. Ça faisait un bon bout de temps qu'il avait la gorge sèche.

Grégoire revenu, l'infirme lui arracha la bouteille des mains et but à même le goulot.

– Avec un peu de jus, ça jasera mieux. Maintenant, je peux te nommer les deux Constant dont je connais les noms de famille. Il y a Constant Prud'Homme, lui, oublie-le tout de suite, c'est un tout jeune vicaire. L'autre, c'est Constant Valois, de celui-là, je sais rien du tout.

Grégoire associa son nom au sien et murmura :

– Grégoire Valois !

– Saute pas trop vite aux conclusions. Tu risquerais de te faire souffrir.

– Il demeure où ? s'enquit le garçon.

– Je pourrais pas dire. Je connais seulement ce nom pour l'avoir entendu. Et si je m'en souviens, c'est parce que c'est mon prénom et le nom du maire de la place. Si j'avais un conseil à te donner, je te dirais de t'informer aux curés et aux médecins des paroisses alentour. Ce sont eux les mieux placés pour t'éclairer. Il y a aussi les annuaires de téléphone de la ville de Montréal, mais c'est seulement les riches et les commerçants qui peuvent se permettre ce luxe. Si par hasard, ton père se trouvait un de ceux-là…

– Les annuaires ? Faudrait d'abord connaître son nom. Et si les curés et les médecins veulent pas parler ? Il y a jamais personne qui veut parler !

– Ça, c'est leur droit. Si ton père a une famille, il va probablement refuser de te reconnaître pour protéger les siens. Tu dois t'attendre à tout, même à un père très différent de l'idée que tu te fais de lui. Mais je t'encourage tout de même à chercher. Si tu le trouves et qu'il refuse de te parler, il sera toujours temps de te retirer, mais au moins, t'en aurais le cœur net.

– Je sens que ce sera pas facile. Pendant tout ce temps, je suis chez moi nulle part; j'ai l'impression d'errer.

Grégoire ajouta:

– J'ai le don de me mettre les gens à dos. On vit dans un monde de salauds.

– Apprends à regarder en avant. T'as tous tes membres, toi!

– Si j'avais des sous, j'irais à la ville. J'ai entendu dire qu'on engageait des jeunes de mon âge dans les tanneries, mais c'est grand, la ville et je m'y perdrais peut-être. Et pis non! Je me déciderais pas à laisser les miens.

– Quels tiens?

Grégoire resta un moment silencieux:

– Il y a vous!

Ce fut au tour de l'infirme de rester bouche bée. Grégoire remarqua sa lèvre du bas qui tremblait.

Le garçon se leva et ramassa les bouteilles vides. Constant le regardait de ses grands yeux creux.

– J'aimerais ben connaître la suite des événements. Si tu veux me tenir au courant de tes recherches, évidemment.

– J'aurais tant aimé que vous soyez mon vrai père!

Constant figea de nouveau. Ces mots, lancés par surprise, le saisirent aux tripes. Grégoire le gratifiait d'un bonheur auquel il ne s'attendait pas. Quel réconfort de se sentir quelqu'un, lui qui se trouvait déformé, diminué physiquement, dédaigné de tous. L'émotion le gagnait, sa gorge se contractait et il dut mordre ses lèvres comme on le fait pour s'empêcher de pleurer.

Grégoire restait silencieux, le regard fixé sur Constant. Le garçon ne réalisait pas à quel point ses mots avaient eu un effet marquant sur l'infirme.

– Je sais pas quand je reviendrai. Je dois quémander l'attelage de mon oncle chaque fois que je mets le nez dehors !

Sitôt dit, Grégoire se ressaisit.

– J'ai pas raison de me plaindre, mon oncle me doit rien.

Grégoire serra la main de Constant et sortit. Il laissait derrière lui, un homme en pleine euphorie qui se répétait à lui seul : « Il aurait aimé que ce soit moi ! Sacré Grégoire ! »

* * *

Dans l'écurie du camp de bûcherons, Jean-Valère posa une main compatissante sur l'épaule de Grégoire.

– Viens, la nuit achève.

– Ça m'a fait grand bien de vous parler.

Jean-Valère éteignit le fanal et ils retournèrent dans le camp.

Grégoire monta sur sa couche, le cœur léger d'avoir parlé. Maintenant, Jean-Valère connaissait presque tout de sa jeune vie. Grégoire le considérait comme un ami. Il s'endormit en pensant à Émilien, à sa chance d'être retourné chez lui. Que faisait-il en ce moment ?

# IV

La cabane à Japhet était une vraie cellule d'ermite, au plancher en terre battue, tapissée de papier journal jauni et meublée d'une table laide et d'un lit assez haut à cause de la chaleur qui monte. Un froc déchiré, un fusil et un chapelet pendaient au mur. Une odeur de pipe empestait les lieux.

Le poêle était éteint et l'humidité, plus insupportable encore que le froid à l'extérieur, transperçait les arrivants jusqu'aux os. Depuis combien de temps la fournaise n'avait-elle pas chauffé ? Où donc se trouvait l'ermite ? Sans doute parti reconduire un voyageur. Et eux, qui les ramènerait à la maison ?

Les bras pendants et les jambes molles, Judith s'affala sur une chaise aux pieds rongés par l'humidité. Elle ne pouvait s'arrêter de claquer des dents. Était-ce à cause de la fatigue, du froid ou de l'énervement ? Elle n'aurait su le dire. Émilien ouvrit les clés du poêle et alluma un bon feu de bois. L'humidité formait une sorte de bouchon dans le tuyau et une fumée noire s'échappait autour des ronds. En un rien de temps, toute la cabane s'enfuma. La suie montait, picotait les yeux et donnait envie de tousser. Émilien ouvrit la porte à pleine grandeur.

– C'est de ma faute ! J'aurais d'abord dû enflammer un tampon de papier et le placer directement dans le tuyau, mais trop tard ! Ça me servira de leçon.

La pièce attiédie, Judith retira ses mitaines, déroula son foulard de laine, détacha son manteau, son gilet et finalement ses bottes. Elle enfourcha chaque vêtement humide sur un fil

de fer qui traversait la pièce sur toute sa longueur. Émilien entra, portant une chaudière remplie d'eau de source, claire comme du cristal, qu'il déposa sur le sol.

– Tenez, avec ça, on mourra pas de soif ! dit-il.

Il trébucha sur les bottes de Judith et s'étonna de la voir en pieds de bas.

– Le plancher est glacé. C'est comme ça qu'on s'enrhume. Venez ! Approchez-vous du poêle.

Judith tremblait, non plus de froid, mais d'autre chose peut-être. Émilien approcha la chaise du feu et la jeune fille allongea ses jambes sur la porte du four. Ses pieds, tantôt insensibles, devinrent douloureux et ce fut comme si des milliers d'aiguillons perçaient ses chairs.

Ils étaient seuls, à l'abri des regards, et un violent désir de toucher Judith s'empara d'Émilien.

Il lui retira ses bas et massa ses orteils. Elle avait les plus adorables pieds du monde. Émilien se retenait de les embrasser. Personne n'aurait pu deviner ce qui se passait au fond de son être en cet instant troublant. Il se produisait en lui une de ces émotions tel un tremblement de terre. Émilien rêvait de prendre Judith dans ses bras, mais il hésitait ; cette fille n'était faite que de vertu.

Il se risqua à appuyer sa tête sur les genoux de Judith et, à son étonnement, celle-ci effleura de sa main, sa joue, ses yeux, puis elle déposa un baiser sur son front. Émilien entendait sa respiration troublée.

– Vous m'embrassez comme une mère embrasse son enfant, s'exclama Émilien, mais vous pourriez peut-être faire mieux.

Judith ne dit rien. Elle y avait pensé toute la journée. Il y avait eu ces quelques heures d'isolement, aux confins de la terre et maintenant, ces quatre murs qui se refermaient sur eux, qui compressaient leurs émotions et réveillaient des sensations troublantes. Judith devait lutter contre elle-même pour ne pas se laisser choir d'émotion. Elle entendait une petite voix intérieure qui lui soufflait : « ne fais rien que tu pourrais ensuite regretter. »

Sa chaleur et ses forces récupérées, Judith fouina dans tous les coins et recoins. Il n'y avait qu'une seule chaise dans ce refuge. Elle remarqua un baril à couvercle de bois qui contenait des carrés de petit lard enterrés dans du gros sel. Elle le mesura du regard. La hauteur était bonne ; il pourrait servir de siège. Sur une tablette, se trouvait un bol rempli d'œufs bruns, baveux parce qu'ils commençaient à décongeler, des pots de pois, de fèves, et une cruche de caribou. La recette était sur le contenant. Cette boisson alcoolisée était composée d'une pinte de vin rouge pour dix onces de whisky, coupée d'eau d'érable tirée de la bouilleuse. Judith ne trouva pas un seul morceau de pain. Heureusement, il lui restait quelques croûtons dans sa besace.

Elle sentait le regard d'Émilien dans son dos.

– On va devoir vivre comme si on était pauvre, dit-elle.

Elle approcha le baril sur le même côté de la table pour être assise près du garçon.

– Tiens ! Il te servira de siège.

Judith plaça devant eux, une assiette creuse et une écuelle.

– C'est tout ce que j'ai trouvé de vaisselle.

– Demain, je vais étendre des collets. Si on prend un lièvre, avec un peu de bines, on aura de quoi bouffer pour un bon deux jours.

Après toutes ces heures de marche épuisante et un souper frugal, Judith et Émilien tombaient de sommeil. Il n'y avait qu'un lit, ou plutôt une boîte de branches d'épinette surélevée à cause du plancher en terre battue qui restait toujours froid. Judith laissa le lit à Émilien.

– Nous allons dormir à tour de rôle. Commence le premier. Moi, je vais m'occuper d'entretenir le feu qui baisse.

Peu de temps après, le poêle ronflait. La pièce réchauffée, Émilien s'endormit profondément. Judith sortit un pain de savon du pays de son sac et se fit un brin de toilette.

Avec la nuit vint un lugubre et effrayant silence. Judith apeurée marchait de la porte au poêle, surveillant un souffle, une ombre, un rien. Finalement, esquintée, elle se jeta sur la chaise, un chapelet à la main et la tête couchée sur la table, elle se mit à prier. Près d'elle, une chandelle tremblotante semblait veiller un mort. Judith, les doigts soudés à la première dizaine de son rosaire, sombra dans un sommeil de plomb. Une heure plus tard, la cabane était devenue une vraie glacière. L'air froid entrait par les interstices des planches mal équarries et il ne restait sur la table qu'un bout de chandelle foireuse sur le point de s'éteindre. Judith claquait des dents.

Au plus fort de son sommeil, la jeune fille dut faire un effort surhumain pour sortir de sa léthargie, décroiser les bras et quitter sa chaise inconfortable qui lui servait de lit. Il fallait bien chauffer la cabane si elle ne voulait pas mourir congelée.

Elle croisa quelques copeaux sur les braises restantes, les recouvrit de gros quartiers de bois et attisa la flamme. En peu de temps, l'eau se mit à frémir dans le ventre de la bouilloire posée sur le poêle. Judith pensa à se préparer un thé. Et si plutôt, elle buvait un peu de caribou, histoire de se réchauffer les intérieurs ? Pour la toute première fois de sa vie, Judith but au goulot, trois ou quatre gorgées et, comme elle ne savait pas doser raisonnablement, elle continua de lever le coude. En peu de temps, elle se retrouva pompette. Elle riait toute seule.

Émilien, lui, était bien là-haut à la chaleur, sous une peau de buffle. Judith le regardait avec envie. Émilien bénéficiait de tout le confort, tandis qu'elle se tapait seule, le chauffage et la fatigue. Et si elle le réveillait ? Ce serait bien à son tour d'entretenir le feu. Judith, éméchée, essaya de grimper sur le lit de branchages et, comme elle allait réussir sa montée, elle dérapa, remonta, perdit pied pour finalement y arriver. Là-haut, elle se campa à califourchon sur Émilien et le secoua fortement. Le garçon dormait comme un mort, ou du moins, le laissait-il voir. Elle continua de le secouer. Finalement, à bout de patience et de fatigue, Judith se glissa sous la peau de fourrure et, les membres lourds, elle s'aplatit sur son compagnon. Comme une marmotte, elle s'endormit profondément.

Émilien se retournait et l'écoutait respirer. Il avait peur qu'elle se réveille et que cesse son bonheur de la désirer.

Le jour pointait quand Judith ouvrit les yeux. Émilien la regardait d'un œil tranquille. Un bras musclé entourait sa taille et une jambe ferme chevauchait sa cuisse potelée sous sa robe retroussée. Judith sentait l'haleine tiède du garçon sur sa joue, son cou, son oreille. Elle ne bougeait pas. Elle ne se rappelait plus rien de cette nuit

Une brusque risée frappait une branche au carreau. Judith sursauta. « Si on la surprenait au lit avec un garçon… » Elle fit un mouvement pour s'échapper, mais Émilien l'attrapa par un bras et la retint fermement. Elle se débattit comme un beau diable et murmura :

– On cogne à la porte !

– Non ! Il y a personne ! À cette heure, les gens dorment. Ce doit être le vent qui veut entrer ou encore une branche qui frappe la tôle ! Avec toutes ces rafales…

– Et si c'était quelqu'un ? Peut-être l'ermite.

– Mais non ! le père Japhet entrerait chez lui sans frapper. Dormez !

# V

Depuis trois semaines, Judith et Émilien vivaient une étourdissante extase à laquelle leur corps se livrait sans retenue. Que ce soit le jour ou la nuit, le temps leur était étranger.

Émilien ne se lassait pas d'entendre Judith aller et venir, rentrer et sortir, chanter et rire. Il devenait le centre autour duquel rôdaillait un ange. Les tourtereaux se retrouvaient chaque nuit sur la même paillasse où Judith s'abandonnait sans songer aux conséquences. Le matin lui donnait toujours une envie de rire et la malice faisait briller ses yeux. Le troisième soir, Émilien lui avoua son amour et Judith restait là, extasiée, le visage fendu d'un sourire radieux. Il était le premier à lui dire qu'elle était belle.

L'espace de quelques jours, leur vie passait de l'enfance au paradis. Au lever, Judith lui dit: «J'ai encore molli!» et les amants sautèrent du lit, allumèrent le feu. Ils déjeunèrent, espiègles, excités par l'humeur folâtre de leur nuit. À toute heure du jour, ils s'embrassaient, se caressaient et, emportés par la passion, leurs corps soudés titubaient jusque sur la paillasse où ils se laissaient choir. Personne ne venait les déranger. Dehors, jamais aucune traces de traîneau, aucun pas, sauf bien sûr quelques zigzags de lièvres sur la neige qui ressemblaient drôlement à des pas d'ivrogne.

Les jours coulaient, doux comme du miel. Quelques rares fois, les jouvenceaux redevenaient sérieux. Judith surtout.

Pour quelques heures de plaisir et de frissons suivaient des jours d'inquiétude, d'attente, de malaise, de remords. Quand il ne restait que l'odeur de l'amour, Judith se disait qu'elle avait péché et elle vivait son abandon lascif comme un crime.

Dans le temps, à la petite école du rang, un calendrier affichait une représentation affreuse où Satan transperçait les damnés avec sa longue fourche noire. Ce souvenir lui donnait des frissons d'angoisse.

Dehors, le vent hurlait comme un loup.

– Il faudrait ben partir, bientôt, l'ermite reviendra.

– Alors, il nous faudra oublier ces semaines merveilleuses.

– Pourquoi oublier ?

– C'est à cause de notre âge. On peut rien espérer.

Émilien se précipita à ses genoux et les entoura de ses bras solides.

– Comment peut-on se battre contre l'âge ? Dis-moi, ma belle Judith, qu'est-ce qu'on va devenir tous les deux ? Je veux plus retourner chez moi et reprendre ma vie d'avant, sans toi, comme un gamin. Après deux ou trois semaines, tu m'aurais oublié !

– On doit pas être les seuls dans cette situation. Mais rappelle-toi une chose, quoiqu'il arrive, je t'oublierai jamais. Maintenant, partons !

– Si on part d'ici, on va se perdre. Avec la tempête, on voit ni ciel ni terre. Si plutôt, on s'aimait pour une dernière fois ?

Judith fit semblant d'avoir un scrupule.

– Est-ce que c'est permis ce que nous avons fait?

Émilien caressa sa main un long moment, puis il répondit:

– Tout est permis si personne sait rien. D'ailleurs, personne a intérêt à savoir.

Judith lui adressa un sourire reconnaissant et se pendit à son cou. Émilien s'arracha des bras de sa belle, la souleva de terre et la déposa tendrement sur la paillasse commune.

Après leurs ébats amoureux, Émilien ne se décidait plus à desserrer son étreinte, comme s'il sentait leur lune de miel tirer à sa fin. D'un mouvement rapide, Judith sauta sur ses pieds.

– Je vais préparer une soupe avec du lard bouilli.

Elle plongea la main dans le gros sel, à la recherche d'un carré de lard. Il n'en restait qu'un.

– Le saloir est vide. Les vivres diminuent.

– Demain, j'irai étendre des collets.

Ils s'attablèrent devant une soupe claire, de la vraie lavasse. Mais pour Émilien, tout ce que préparait Judith était succulent. Il se léchait les babines. Pour lui, être servi, c'était être caressé. Les petits soins, les petits riens étaient énormes dans ce coin isolé.

Il mangea comme s'il avait un trou dans l'estomac et Judith le regardait s'empiffrer pendant qu'elle se tourmentait. De plus en plus, elle s'inquiétait du manque de nourriture, de ses parents, de son inconduite. Devant elle, sa soupe refroidit et se couvrit d'yeux de gras.

****

Le garde-manger vide, il ne restait plus que des glands et des vieilles racines séchées. Judith dissimulait sa faiblesse et la faim qui la rongeaient.

Émilien s'évertuait à briser la glace, à pêcher, à étendre des collets, mais toujours rien. Les tourtereaux se laissaient aller à la lassitude, au découragement.

Il leur faudrait partir avant que la faiblesse ne les rive sur place jusqu'à ce que mort s'ensuive.

Très tôt le matin, Émilien se leva en douce, bourra le poêle et sortit. Il revint à la cabane avec un lièvre qu'il tenait d'une main et de l'autre, trois petits poissons. Ce fut un jour de réjouissance. Judith apprêta le gibier à la manière du poulet, se demandant si c'était la bonne façon.

– Bon, pas bon, ça nous empêchera de mourir de faim, dit-elle.

– Vous garderez le reste pour les jours de famine.

Il n'y eut pas de restes. Peut-être, était-ce le temps de vider les lieux !

– Si le père Japhet nous trouve ici, il va deviner des choses. Tu sais, un ermite c'est un homme ben proche du Bon Dieu. C'est presque un prêtre. Il nous dénoncera, nous condamnera.

– On lui dira qu'il fallait ben sécher les bottes et les mitaines.

– On repartira dès qu'une occasion se présentera.

Aussitôt, leur joie pâlit. Chaque fois, que Judith parlait de départ, Émilien la retenait et Judith remettait du feu dans l'âtre.

Ils s'attablèrent devant un reste de cruchon. Émilien caressait amoureusement la joue satinée de Judith et une même langueur les envahissait tous les deux. Au bout d'un long moment de douce mélancolie, elle leva des yeux inquiets sur lui.

– S'il fallait que je tombe en famille, dit-elle, on serait ben avancé, hein !

Émilien secoua les épaules.

– Il y a pas de danger ! C'est pas pour deux ou trois petites fois !

– Tu veux dire quinze à vingt petites fois ! J'ai déjà entendu dire qu'une seule fois suffit.

Émilien sourit. Judith y allait quand même un peu fort.

Avec un peu d'alcool, Judith s'égayait. Il inclina le cruchon de caribou et versa quelques onces du précieux breuvage au fond de deux gobelets.

Judith prit la tasse de faïence et tâtonna en glissant le pouce contre le rebord écaillé.

– Encore du caribou ? T'es fou ! Si on continue de même, on va en prendre l'habitude.

Émilien leva à bout de bras, la petite cruche brune qu'il tenait le bec en bas.

– Vous voyez, il en reste plus une goutte !

Ils burent à petits coups. Leur bouche et leurs yeux riaient sans raison, parce que la raison leur échappait. Puis Émilien tira Judith par la main et elle le suivit docilement, comme un petit chien suit son maître. Ils se couchèrent côte à côte sur le même grabat. L'alcool raccourcissait de moitié la route que chacun d'eux avait à faire pour se rejoindre.

Émilien sentit la chaleur de l'épaule, des seins, de la cuisse de Judith et il ne résista plus. Que ce fût le froid ou la chaleur, tout ce qui était sa chair l'excitait. Cette fille l'aurait mené au bout du monde. Encore une fois, Judith succomba.

Le lendemain, Émilien proposa de se rendre au chantier du frère de Sauvageau.

– Il a peut-être besoin de cuisiniers pour remplacer le couple que le boss a ramené. Je pourrais vous aider à la cookerie.

Judith rit.

– Toi qui chantais sur tous les tons que tu détestais les chantiers !

– Avec l'amour, le travail devient un agrément. Vous savez, quand on a des ambitions, c'est plus pareil. Un jour je serai père de famille et ça prendra de l'argent.

Judith devint pensive. Malgré son jeune âge, Émilien pensait à une famille. Ça faisait drôle d'entendre un garçon de seize ans parler de même. Ses paroles l'émurent jusqu'à l'âme. Elle sourit pour s'exempter de parler et de s'obstiner.

Plus Émilien aimait, plus il devenait fort, comme si Judith était son point d'appui. Elle prit sa main et resta quelques secondes sans parler. Finalement, elle lui dit :

– T'es plutôt précoce pour un garçon de ton âge !

Était-ce à son instinct sexuel que Judith faisait allusion ?

Émilien était ravi que sa maturité s'affirme d'une façon ou d'une autre. Toutefois, il demeura sérieux. Judith ne voyait pas qu'il se cherchait une raison de rester près d'elle.

Elle lui sourit avec une flamme au fond des yeux. Elle aussi tenait à sa présence, elle non plus n'aurait pu se passer de lui. Quand le bonheur est trop grand, on craint que quelqu'un ou quelque chose le brise. Émilien était devenu le centre de sa vie, mais malheureusement personne, en dehors de cette cabane, ne comprendrait ni ne partagerait sa manière de penser et de se comporter qu'on jugerait illicite. L'amour avait-il vraiment besoin de lois, de raisons, d'âges et de conditions ?

Judith coupa une boucle de sa chevelure et la déposa dans la poche de mackinaw d'Émilien.

– Tiens ! Je te laisse un peu de moi, pour le jour où on s'éloignera l'un de l'autre, pour que tu m'oublies pas. Notre séjour ici pourra pas être éternel.

La jeune fille posa sa main rassurante sur celle d'Émilien. Celui-ci fut attendri par ce geste. Jamais, il n'avait été si heureux. Judith le couvait, quand il parlait, quand il mangeait, quand il dormait.

– Si on pouvait vivre au grand jour notre vie cachée au fond des bois !

Émilien se mit à aller et venir, de long en large dans la cabane. Soudain, il s'arrêta net, évitant le regard de Judith, comme s'il craignait d'y lire un refus. Il oublia de la vouvoyer :

– Je veux te marier !

Judith resta muette de surprise. Un attendrissement soudain mouilla ses yeux. Elle cacha son visage dans ses mains, ne sachant si ses larmes étaient de tristesse ou de trop grand bonheur. Même s'ils marchaient sur leurs dix-sept ans, ils seraient trop jeunes aux yeux des parents. Pourtant, en l'espace d'un instant, d'une petite phrase, « Je veux te marier ! », les tourtereaux considéraient qu'ils étaient adultes.

Une joie intense envahit Judith et elle ressentit le désir ardent de se jeter dans les bras d'Émilien. Elle dut refréner ses élans pour s'empêcher de répondre « Moi aussi. »

Émilien saisit les mains de Judith, les écarta de sa figure et essuya ses yeux humides.

Une inflexion dans la voix, Judith murmura :

– Allons-nous-en d'ici !

Son regard se faisait plus froid, plus distant. Pourquoi ce changement soudain ? Judith ne l'aimait plus ?

Émilien ne dit pas un mot ni ne fit un mouvement. Il était inutile de discuter avec elle ; dès l'instant qu'elle avait pris une décision, Judith était entêtée comme une mule. Il lui sembla alors que le monde s'écroulait. Qu'est-ce que Judith pouvait bien cacher derrière ce regard profond, ces tempes creuses, cette bouche rose aux lèvres harmonieuses et ces narines pincées ? Tout chez elle l'ensorcelait, mais cette fille était si mystérieuse. Deux minutes plus tôt, Judith se donnait à lui corps et âme et soudain, elle redevenait étrangère. Pourquoi ce revirement inexplicable ?

Judith demeurait silencieuse. Elle semblait se parler à elle-même. Soudain, les questions se mirent à fuser, sans attendre les réponses.

– Es-tu sûr de tes sentiments ? On se connaît à peine. As-tu fait fortune ? De quoi on vivrait ? Sans argent, comment peut-on faire marcher une maison ? Et nos parents, qu'est-ce qu'ils en diraient ?

Devant tant de questions précipitées, Émilien ne suivait plus du tout. Judith n'était certes pas dans son assiette. Il devait commencer à l'ennuyer. Il perdait tout espoir. Il laissa Judith se défouler, sans se rendre compte qu'elle pensait comme lui, et qu'au fin fond de son âme, elle aussi nourrissait les mêmes espoirs ou plutôt, le même désespoir. À seize ans, personne ne prendrait leurs sentiments au sérieux. « Seul notre âge nous condamne, pensait Émilien désemparé, même Judith me considère comme un gamin. » Et pourtant, des craintes, des espoirs, des élans prenaient forme la nuit et se confrontaient le jour venu.

Émilien s'approcha d'elle. Le feu de la cheminée éclairait le visage de Judith et devant la flamme, sa crinière noire se changeait en un rouge ardent, ardent comme ses sentiments. Il lui chuchota :

– Non, j'ai pas fait fortune, mais c'est encore mieux, je t'aime Judith !

– Tais-toi ! Je te défends d'aller plus loin, d'en dire plus.

Pourquoi avait-elle l'air fâché ? Il ne lui avait rien dit qui puisse l'offenser ni même l'embarrasser.

Assuré que tout était terminé, que Judith ne l'aimait plus, qu'il n'avait été qu'une passade pour elle, Émilien, aussi indigné qu'amoureux, ramassa ses effets.

Judith le regardait préparer son départ. Cela dura une éternité. Il restait silencieux, hésitant à faire un pas dans un sens ou dans l'autre.

Émilien ressemblait plus à quelqu'un qui se laisse mourir qu'à quelqu'un qui va reprendre le chemin. Il se tourna vers elle.

– Je t'oublierai jamais. J'ai peur de ce qui va se passer demain et les jours d'après.

– Moi aussi, dit-elle.

– Et si on avait peur ensemble ?

Judith chercha sa main. Prise par les sentiments, son cœur flanchait.

– Reste ! dit-elle.

Au fond, Judith ne cherchait qu'à mettre Émilien au défi pour mesurer ses sentiments.

– Je t'aime tant !

Elle appuya sa tête sur la poitrine d'Émilien et pleura toutes les larmes de son corps. Ses larmes taries, elle sourit.

– On va faire confiance à la Providence. On peut rien d'autre.

Le lendemain, Judith cousait un bouton de chemise avec un crin de cheval quand elle entendit un tintement de grelots. Elle tressaillit. Le moindre bruit lui était suspect. Elle courut à la croisée et vit un *bobsleigh* qui s'approchait. Judith était plus fragile qu'elle ne le laissait voir ; elle se faisait une montagne de tout et de rien. « Qui ça peut bien être ? » se dit-elle.

– On dirait la voiture de Sauvageau. Je le savais qu'on se ferait prendre ! Vite, cachons-nous !

Émilien regardait Judith perdre son contrôle. Tout excitée, elle allait à gauche, à droite, pour finalement se glisser sous la table. Ils riaient encore aux éclats quand la porte s'ouvrit sur Grégoire.

* * *

Plus tôt le matin, Grégoire, emballé à l'idée de se rendre au village, se débarrassait à la hâte de ses corvées.

Quel plaisir il goûterait à se promener à travers les vallées blanches et glacées.

Il sortit atteler la Bleue au boghei et s'arrêta devant le camp. Il entrouvrit la porte et étira le cou à l'intérieur.

Tout semblait mort dans la cookerie. Comme le *chore-boy* n'aperçut pas âme qui vive, il appela :

– Il y a quelqu'un ? Je viens prendre la liste des achats. C'est prêt ?

Madame Brochu, cachée derrière la porte de chambre, donnait le bain à Lorenzo. Elle sursauta, échappa le savon dans la cuve et s'écria :

– Non ! Attends le *cho-boy* ! La commande est sur la table, mais il faut y ajouter des œufs et du sel.

– J'en prends note et je file.

– Surtout, va pas t'amuser au village si tu veux revenir avant la nuit.

Déjà Grégoire n'était plus là.

La fille des cuisiniers, vibrante et surexcitée, profitait du fait que sa mère soit occupée pour rôdailler à l'extérieur et surveiller Grégoire de plus près. Son foulard de laine, enroulé autour de sa tête, cachait la moitié de son visage. Elle supplia Grégoire :

– Amène-moi avec toi !

– Tu sais ben que non. Tes parents ne l'entendraient pas de la même oreille !

La fille avait du caractère. Elle sauta dans la voiture et, le corps raide, s'assit près de Grégoire. Celui-ci attendit avant de commander la Bleue.

– Descends, je suis pressé de partir.

– Je vais avec toi, insista la fille. Je me fiche ben d'eux.

– Moi, je m'en fiche pas ! Va demander la permission à ta mère.

Sa mère ! Elle lui défendait de parler aux hommes, jeunes ou vieux et elle la tenait à l'œil.

– Tu sais comment elle est ! Je vais encore me faire engueuler. Ici, c'est toujours du pareil au même, on me crie par la tête pour tout et pour rien, ben cette fois, ce sera pour tout ! Et pis dis-le que tu vas en profiter pour lever le camp et que je te reverrai plus.

Grégoire s'impatientait. Il n'allait pas bousculer la fille, mais le temps pressait et il lui fallait revenir avant la nuit. Il sauta de voiture.

– Si c'est comme ça, je vais lui demander, moi, à ta mère si elle accepte que tu m'accompagnes.

– Non ! Laisse faire le *cho-boy* et merci ben ! murmura-t-elle d'un ton sec.

La maigrichonne, la bouche boudeuse, le regard triste, mit lentement le pied au sol. Grégoire crut un moment qu'elle allait pleurer. Il en eut pitié et lui dit doucement :

– Je pars pas pour longtemps. Je vais revenir ce soir.

La porte claqua et coupa sa riposte en deux, sans que la fille ne lui accorde le moindre regard.

Grégoire se rassit sur la banquette, remonta la robe de carriole sur ses genoux et la ramena sous ses cuisses. « Un drôle de pistolet, se dit-il. Cette fille qui a l'air si fragile, n'a donc peur de rien ! »

Devant le camp, un homme appuyé à un arbre fumait lentement sa pipe. Il avait écouté toute la discussion des adolescents, sans broncher. Celui-là, Grégoire n'en avait pas peur, mais c'était l'autre, le grand roux là-bas qui lui faisait toujours un air redoutable depuis qu'il avait fait disparaître la page des soutiens-gorges dans les toilettes.

Grégoire avait cru un moment que le grand roux allait lui casser la gueule.

Le catalogue d'Eaton remplaçait le papier de soie dans les cabinets et, en manque de femme, les bûcherons les plus grossiers, fantasmaient à la vue de ces sous-vêtements.

Le *chore-boy* secoua les rênes sur la croupe de sa bête. Il trouvait un peu de bonheur à se promener en pleine forêt où il retrouvait le silence et la paix.

Le sol ondulait en collines qui soulevaient le chemin et le laissaient retomber comme des vagues. Dans les clairières, Grégoire cillait des yeux à cause de la blancheur trop éclatante de la neige, mais après quelques arpents d'éblouissement, la forêt reprenait ses droits. Un soleil froid s'infiltrait et jouait entre les arbres et, ici et là, une branche rompue, des pistes de lièvres brisaient la monotonie du décor. Le paysage était tellement prenant que Grégoire se demandait si cette grandeur venait du ciel ou de la terre.

Le *chore-boy* pensa à Émilien et Judith qui avaient parcouru ce trajet à pied. Que devenaient-ils ?

Au loin, dans une éclaircie, se dessinait le refuge à Japhet.

Un vieux tuyau rouillé sortait d'un mur et crachait une grosse fumée noire qui retournait à la terre. Grégoire arrêta son cheval, comme les rares passants le faisaient au cas où le vieil ermite aurait besoin de provisions ou de soins. Il accrocha les rênes à un arbre. Une bouffée de voix gaies et bavardes venue de l'intérieur, intrigua Grégoire.

En entrant dans la cabane, le *chore-boy* tomba, non pas sur le vieux Japhet, mais bien sur Judith et Émilien.

Judith, gênée de regarder Grégoire en face, se pencha sous la table et fit semblant de ramasser un objet sur le sol.

Grégoire restait planté là, interdit. La surprise passée, il s'informa :

– Le vieux est pas là ?

Émilien s'empressa d'expliquer :

– On a regardé autour et on n'a pas vu âme qui vive. L'ermite est sans doute en bas, chez sa parenté. Il s'absente parfois pendant des semaines.

– Et vous deux, qu'est-ce que vous faites ici ? Vous êtes pas retournés chez vous ?

– On attendait une occasion, mais comme il passait personne, on n'a pas eu d'autre choix que d'attendre. Comme la cabane était vide, on est resté.

– Depuis trois semaines ? Aviez-vous de quoi vous nourrir ?

– On s'est servi dans le petit lard et les bines du vieux Japhet, sinon, on serait mort de faim.

Grégoire ne voyait qu'un lit de branchages.

– Vous dormez ici depuis votre départ ? Couchez-vous tous les deux dans le même lit ? J'en vois qu'un ! Vous vivez ensemble comme des gens mariés ?

Émilien sourit. Judith rougit. Gênée d'être prise en défaut, la jeune fille entreprit la lessive. Sur un fil de fer qui traversait la pièce, des pantalons et des chemises raides et secs étaient écartelés. Elle les enleva et les remplaça par les siens.

Puis elle étendit un pantalon sur la table et le pressa de la main, mais comme elle ne parvenait pas à le défriper, elle renonça et déposa le vêtement sur le dossier de chaise.

Elle se tourna ensuite vers la cuve et se mit à frotter des pieds de bas qui, depuis la veille, trempaient dans l'eau tiède. L'échine courbée sur son travail, Judith lambinait, comme si elle avait toute la vie devant elle.

Grégoire la voyait seulement de dos, sans doute, Judith se sentait-elle incapable de faire front, à cause de ses agissements honteux. Grégoire devinait qu'il se passait des choses pas très catholiques entre elle et Émilien. Son cousin, que la tante Pâquerette tenait à l'abri des secrets de la vie, en était rendu à se permettre des choses défendues par l'Église. Si tante Pâquerette savait ce qui se passe dans cette cabane, son Émilien se ferait crêper le chignon ! Et elle, une fille sans scrupules, une fofolle ! C'était elle la responsable de la conduite douteuse d'Émilien.

Personne ne parlait et Grégoire se sentait mal à l'aise d'être témoin du comportement répréhensible des tourtereaux. Il aurait préféré n'avoir rien vu et rien su.

– Ben là, il faut que j'aille ! dit-il. Embarquez ! Je peux vous conduire jusqu'au village. Rendus là, vous tâcherez de trouver un autre moyen pour rentrer chez vous.

Judith se tenait raide et immobile. Émilien non plus ne bougeait pas d'un poil. Grégoire avait l'impression de parler une langue étrangère. Ils échangèrent un regard rapide pour marquer leur désapprobation qui ne pouvait être qu'indirecte et muette. Judith souleva le rond du poêle et déposa trois quartiers de bois sur les braises. À la voir alimenter le feu, Grégoire comprit qu'ils avaient tous deux la ferme intention de rester dans la cabane de l'ermite. Il trouvait indécent de laisser passer leurs agissements suspects, les yeux fermés. Il se sentait complice et coupable. Mais qui était-il pour les condamner et quel pouvoir exerçait-il sur eux? «Si je moucharde, se dit-il, Émilien m'accusera d'avoir trahi sa confiance et il ne m'adressera plus jamais la parole.»

Finalement, Judith tourna le regard vers lui.

– Au retour, on aimerait que tu nous apportes un peu de nourriture. Des œufs et de la farine surtout. On pourra pas se passer de pain très longtemps. Tu sais, ce sera pas volé. Sauvageau me doit une jolie petite somme et, sur la quantité de nourriture, le boss s'apercevra pas d'un petit manque.

– Je veux pas être mêlé à vos trucs. Si l'affaire en vient aux oreilles du boss, il me fera plus jamais confiance.

– T'as pas à te gêner, tu sais. Tu seras le prochain sur la liste à pas être payé. Sauvageau vole de l'argent à tout le monde; donc pour la confiance, on repassera!

Puis Judith fit une tentative dans le but d'intercepter toute correspondance diffamatoire entre les chantiers et la maison.

– Tu transportes sûrement du courrier pour les gens d'en bas? Va le chercher. Je veux m'assurer que mon père parlera pas de mon départ. Si maman l'apprend, elle va paniquer et elle va me faire rechercher. Si elle me met la main au collet, je serai pas mieux que morte!

Grégoire refusa net de tremper dans les combines de Judith. Il refusa d'intercepter les lettres. Mais Judith ne démordait pas.

– D'abord, vas-y, Émilien!

Émilien obéit. Il était prêt à tout pour retarder le jour de la séparation. Judith et lui venaient tout juste de découvrir qu'ils étaient amoureux et, ni l'un ni l'autre ne supporterait une entrave à leur fragile liberté. S'ils avaient pu briser les horloges et brûler les calendriers pour arrêter le temps, ils n'auraient pas hésité une seule seconde, donc, le fait d'intercepter les lettres ne les gênait aucunement.

Émilien reparut avec le courrier qu'il jeta sur la table devant Judith qui fit le tri.

– Tu le rattacheras comme il faut.

– Crains pas !

Grégoire ajouta, offensé.

– Moi, je m'en lave les mains.

Comme le *chore-boy* quittait les lieux, Judith lui rappela :

– T'oublieras rien de ce que je t'ai demandé. Tu feras ben tout ?

– Tu peux être tranquille, sauf pour le courrier. Là, je marche pas.

Grégoire se retira et Émilien se précipita derrière lui. Une fois dehors, à l'insu de Judith, il lui raconta sans pudeur sa liaison avec la petite cuisinière. Grégoire se demandait si Émilien lui disait la vérité crue ou s'il n'était pas en train de crémer un peu trop le gâteau pour se payer sa gueule.

– Cette fille, je la croyais pédante.

– Figure-toi que le premier jour, je l'ai traitée de pet-sec.

Ce qualificatif insipide fit rire les garçons.

Derrière la porte Judith les écoutait. Elle-même dut mettre sa main sur la bouche pour étouffer son rire.

Émilien parlait vite avec le souffle court et le rire nerveux de quelqu'un de très ébranlé.

Grégoire regardait les quelques poils follets qui perçaient les joues d'Émilien. Le gamin couchait avec une fille avant même d'apprendre à se raser. Son cousin ignorait totalement la portée de ses comportements et de ses décisions. Émilien, inconséquent avec lui-même se laissait embobiner par Judith et oubliait ses principes. Son manque de retenue et ses gestes irréfléchis risquaient de lui coûter cher.

Grégoire l'observait et le trouvait misérable de se conduire de la sorte.

Après avoir confié ses fredaines à Grégoire, Émilien semblait pressé de retourner dans la cabane, de se débarrasser de son visiteur qui empiétait sur sa lune de miel.

– Va ! Et pas un mot à personne de ce que t'as vu et entendu ici, O.K ?

– Sois sans crainte. Je le dirais qu'on me croirait pas. Mais si par malheur le boss apprend que vous avez fouiné dans le courrier, il va me rendre responsable de vos actes et c'est moi qui en subirai les conséquences. Il va me renvoyer.

– Ben non ! Personne parlera.

Grégoire s'installa confortablement dans la voiture et le frémissement des grelots reprit sa musique.

Le garçon était troublé par le comportement de son cousin. Tout le reste du voyage, l'aventure de Judith et Émilien le poursuivit. Il s'imaginait à leur place, dans la cabane avec Joséphine et il ressentait un brin de jalousie envers son cousin. Puis il songea aux conséquences de leur inconduite et se ressaisit. Joséphine et lui se connaissaient depuis trois ans tandis que Judith et Émilien ne s'étaient octroyé que quelques jours pour s'amouracher. Et puis, Joséphine aurait certainement résisté. Il se rappela la vacherie qu'il lui avait faite en allant voir Martha. À la façon dont Joséphine lui avait claqué la porte, il se dit qu'elle ne devait plus l'aimer. Au fin fond de son âme, une certaine décence retenait Grégoire d'envier les tourtereaux. Toutefois, il n'était pas sans se demander comment tournerait cette histoire farfelue. Qui sait ? Peut-être avec un enfant qui, plus tard, sera comme lui à la recherche d'un père.

* * *

La Brochu tardait à se coucher. Du bout des ongles, elle grattait dans le givre de la vitre, un petit carré d'où elle surveillait le retour du *chore-boy*. Toujours rien !

Au firmament, la lune brisée ressemblait à un quartier d'orange qui s'appuyait au faîte d'un arbre. Aucun bruit ne traversait la forêt immobile. Tout semblait mort, tué par le gel.

La cuisinière allait et venait. Elle ne parviendrait pas à fermer l'œil en sachant que ses provisions traîneraient toute la nuit sur table. Dans l'attente interminable, elle dut arpenter cent fois la distance de la fenêtre à la berçante et, plus les minutes passaient, plus elle grillait d'impatience.

Finalement, elle entendit le son des grelots. Elle quitta promptement sa chaise. L'attelage se tenait près du camp, le cheval était blanc de frimas. Grégoire transporta des boîtes de provisions dans la cache, puis en rapporta quelques autres dans la cookerie. Madame Brochu rangeait les denrées sur les longues tablettes qui servaient de garde-manger.

Grégoire se pressait. Après maints allers et retours, il ne restait plus que les caisses les plus lourdes et celles-ci exigeaient de l'aide. Il lui en coûtait de réveiller, en plein sommeil, un bûcheron rompu de fatigue, mais avait-il un autre choix ? Il se rendit au chevet de Jean-Valère Chalifoux qui dormait profondément et le secoua.

– Je regrette de vous réveiller au beau milieu de la nuit, mais j'aurais besoin de bras pour transporter des caisses d'œufs. J'en rapporte quatre caisses de trente douzaines chacune.

Jean-Valère se redressa péniblement sur sa paillasse, frotta ses yeux et tâta du pied, à la recherche de ses bottes qui lui tenaient lieu à la fois, de pantoufles et de souliers. Un coup bien réveillé, Jean-Valère sonna l'heure du lever.

Grégoire était abasourdi. Chalifoux devait, soit rêver, soit être complètement égaré. Il était en train de couper la nuit de sommeil de tout le camp. Il fallait l'en empêcher. Grégoire s'acharna à le modérer, à lui répéter : « Arrêtez ! Il est minuit ! Seulement minuit. » Mais l'homme l'ignorait et Grégoire se désolait.

– Tout le monde debout ! cria-t-il, et que le plus rapide aille réveiller le cuisinier. Quatre caisses ? On rit pas ! On va réveillonner comme si c'était Noël.

En temps ordinaire, on réservait les œufs pour les crêpes et les pâtisseries, mais cette fois, cent vingt douzaines, c'était bien trop tentant pour laisser passer la belle occasion de s'empiffrer. La proposition fut reçue à l'unanimité. Comme des fourmis, les hommes approchaient en bâillant, en se frottant les yeux. Grégoire ne pouvait s'empêcher de les admirer; ces bûcherons risquaient une réduction de leur paie. Ils avaient un sacré culot que lui n'aurait jamais eu.

La nuit ressemblait au matin. On venait d'allumer un deuxième fanal et le mouvement de la flamme faisait danser la lumière sur la table.

Brochu se leva bourru. Une grimace enlaidissait sa figure. Ce réveil se distinguait par sa brutalité. Toutefois, le cuisinier était souple à toutes les volontés des hommes. Il se présenta à la cuisine, en combinaison et enveloppé dans un grand tablier blanc qui flottait sur ses hanches.

– Bande de *malvas* ! dit-il. Si le boss nous surprend, je lui dirai que vous m'avez obligé !

Puis il ajouta, le ton plus doux :

– Il me reste un fond de sirop d'érable pour ceux qui aimeraient se sucrer le bec.

Grégoire n'avait jamais rien vu de tel. Toutefois, il sourit de l'idée farfelue de Jean-Valère et se joignit au groupe. En pleine nuit, les hommes se gavèrent comme des ogres. Deux estomacs davantage gourmands engloutirent même une douzaine d'œufs à eux seuls.

Heureusement, Sauvageau ne s'aperçut de rien. Il dormait dans une bâtisse avoisinante avec le mesureur et l'entrepreneur.

# VI

Avec le temps, Grégoire réussit à affûter les scies mieux que tout aiguiseur spécialisé. La justesse du coup d'œil et la fermeté de la main étaient ses principaux atouts. Mais un aiguisage par jour ne suffisait pas. Pendant l'abattage des arbres, les bûcherons devaient s'arrêter à tout moment et redonner un coup de lime.

Tout le temps de l'affûtage, la maigrichonne se tenait là, appuyée dos au mur, les bras croisés sur sa poitrine. Sans un mot, elle regardait Grégoire redonner du chemin aux dents de scie et, doucement, elle enregistrait les traits du garçon dans son esprit.

Grégoire la savait là. Elle était toujours sur ses talons à l'épier, mais il n'en faisait aucun cas. Son travail terminé, il se retourna. L'adolescente avait disparu. Il se rendit à l'écurie tailler les sabots de la Bleue. La pouliche aussi avait disparu.

La taille des sabots terminée, Grégoire monta la Bleue. Son intention était de retrouver la fille et sa monture. Il suivit les pas de la bête imprimés dans la neige et ceux-ci le conduisirent au sentier qui menait au lac Clair, un site incomparable. Il trouva la fille assise sur une souche.

– Où est passée ta pouliche ?

– Je sais pas. J'avais à peine touché le sol quand ma bête a déguerpi.

– Tu prends de gros risques à te promener seule en pleine forêt.

– Si je rentre au camp sans ma pouliche, je vais me faire tuer.

– Mais non, attends un peu ! Tantôt, elle va revenir, sinon, on ira la chercher.

Ils s'appuyèrent dos à un arbre et la fille sentit l'épaule de Grégoire toucher la sienne.

Il se pencha vers elle.

– Je sais ton petit nom, tu sais. C'est Bethléem. C'est un vrai nom ?

Pour la première fois, Grégoire remarqua un air de satisfaction sur ses traits.

– Je l'aime pas ! Il est trop rare, mais comme je suis née le jour de Noël, ma mère m'a affublée du nom d'une ville.

– Toi non plus, t'es pas une fille comme les autres.

Bethléem baissa ses longs cils pleins de pudeur sur ses yeux bleus. La remarque de Grégoire était-elle à son avantage ou en sa défaveur ? Elle préféra ne pas pousser plus loin son investigation et croire à un compliment.

Grégoire insistait.

– Bethléem, c'est beau ! Ça ressemble à une douce nuit de Noël.

Le *chore-boy* vit un peu de joie sur son visage et ce petit quelque chose rendait la fille presque agréable.

Bethléem resta un moment sans pouvoir parler. Pour la première fois, elle aima son prénom. Grégoire savait si bien le faire tinter. Le *chore-boy* était gentil. Si elle s'était laissée aller, elle l'aurait embrassé.

Grégoire parla de sa famille. Il n'en sortit que du bon, se donnant ainsi une image embellie du bonheur dont on l'avait privé et auquel il avait droit. Bethléem l'écoutait, penchait la tête de côté, démontrant un vif intérêt.

– T'es heureux?

– Non!

Sans qu'ils sachent pourquoi, la réponse déclencha un rire, peut-être pour ne pas assombrir leur joyeuse échappée. Puis comme Bethléem insistait pour en savoir davantage sur sa vie, Grégoire lui raconta son triste départ de la maison.

* * *

Non loin, deux abatteurs d'arbres reconnurent la monture de Bethléem. L'un d'eux attrapa la bête par la bride dans le but de la rendre à Bethléem, mais comme il s'approchait, il constata que la fille n'était pas seule. Il fit signe à son compagnon de le suivre. Sans bruit, les hommes se retirèrent derrière un bosquet où, la tête entre les broussailles, ils pouvaient épier les regards, allures et gestes équivoques, tout en usant de mille précautions pour ne pas être vus.

Grégoire parlait de son grand Saint-Jacques et elle, de son petit Saint-Liguori. Les tourtereaux avaient l'air d'être en congé; ils riaient et s'ébattaient. C'était une joie, pour les bûcherons, de les croire amoureux. Les amours naissantes sont toujours si tendres. C'était la vie, tout ça: le *chore-boy* qui enlevait des brindilles sur le foulard de laine, l'adoration dans les yeux de la fille des cuisiniers. Malheureusement, la bête frémissante oubliée en pleine nature se dirigea doucement vers le jeune couple et mit fin au doux spectacle.

Grégoire tendit le bras.

– Regarde là-bas! Ça ressemble à ta monture.

– Ouf! Quel soulagement!

Mais la fille ne se pressait pas, comme si elle avait toute la vie devant elle. Grégoire s'approcha de la pouliche et attrapa une guide.

– Monte, dit-il.

Bethléem, embarrassée par son manteau et tout le tralala, retroussa ses vêtements un peu haut. Elle posa un pied sur les mains de Grégoire qui lui servaient d'étrier et sa longue jambe enfourcha le dos de la bête. Grégoire put voir la chair ferme de ses cuisses entre ses bas de laine et ses dessous ravissants. Bethléem ramassa ses vêtements en vitesse, ce qui avait beaucoup de charme et d'agacerie. L'adolescente était tout à la fois provocante et décente à montrer et cacher ainsi ses charmes. Ce déploiement n'était qu'un geste de coquetterie dans le but de faire la cour au garçon. Sa séduction s'arrêta là. Bethléem était chaste et pure. On le voyait à ses yeux pleins de pudeur.

Rien n'échappait à l'intérêt des deux hommes qui les surveillaient encore pour en apprendre davantage sur leurs sentiments, histoire d'encourager et augmenter les paris des bûcherons au sujet du *chore-boy* et de la fille des Brochu.

Côte à côte, les adolescents entamèrent une longue et lente promenade sous un soleil tiède. Bethléem entretint Grégoire de sa vie dans les bois où elle était, pour ainsi dire, presque née. Elle parla aussi des bûcherons avec qui elle n'avait aucun rapport, puis de son frère Lorenzo, un petit trisomique attachant.

Bethléem, qui n'avait pas eu la chance de fréquenter l'école, n'avait pas connu l'attrait de la camaraderie qui mène à l'amitié. Avec Grégoire, sa vie s'égayait. Pour la première fois, elle sentait une douceur l'envelopper. Jusqu'à ce jour, tous les gamins qui lui avaient porté une attention quelconque l'avaient bêtement traitée de laideronne et elle avait réagi chaque fois en tirant la langue. Grégoire, lui, était différent.

La promenade fut si agréable que Bethléem se fichait éperdument du reste du monde. Ainsi, les minutes s'égrenaient, les heures passaient, le jour fuyait.

Les tourtereaux avaient oublié le souper et, quand ils s'en aperçurent, il était six heures; dans la baraque, on soupait à cinq.

Ils rentrèrent au camp en pleine noirceur, juste au moment où les hommes allaient sortir de table. Jean-Valère regardait les adolescents avec une tendresse dans le regard, mais les autres observaient les tourtereaux d'une façon insinuante qui agaçait Grégoire.

Bethléem enleva son manteau et traversa en vitesse dans la pièce d'à côté. À la vue de sa mère en furie, une peur irraisonnée la saisit et elle se mit à claquer des dents. Dès qu'elle s'attardait de quelques minutes, Bethléem se voyait morte.

Grégoire se pressa de charrier l'eau du lac à la cuisine. En entrant, il surprit des cris et des pleurs derrière la cloison. Encore une fois, la cuisinière frappait Bethléem. Quand la femme réapparut à la cuisine, Grégoire intervint et prit la faute à sa charge, mais la Brochu déchaînée, le traita avec mépris de profiteur, de voyou, d'irresponsable en présence des bûcherons. Ces derniers s'attardaient aux tables pour ne rien manquer.

L'opinion, sans doute défavorable, de ces quarante hommes silencieux faisait souffrir Grégoire encore plus cruellement que les mauvais sentiments de la Brochu à son égard.

Il se retira, humilié du traitement que la Brochu lui avait servi. À partir de ce jour, le *chore-boy* évita le regard de madame Gustave. « Elle perd rien pour attendre ; je lui ferai ravaler ses paroles », se dit-il, amer.

# VII

L'arrivée du courrier était un de ces moments excitants où le cœur battait à grande vitesse. L'espoir et l'angoisse s'emmêlaient sur les visages impatients d'entendre leur nom.

Sauvageau se réservait la tâche de la distribution. Ce jour-là, particulièrement, la quantité de dépêches était impressionnante ; il devait y en avoir pour tout le monde. Chacun attendait l'appel, la main prête à saisir sa petite correspondance. Seul Grégoire n'espérait rien. Il se tenait derrière le groupe.

Sauvageau coupa la ficelle et appela :

– Chagnon ! Martineau ! Beaupré !… Beaupré !

Grégoire crut à une erreur ; jamais personne ne lui écrivait. Le géant le dévisageait en secouant la missive rose en l'air.

– Oui, oui, le *cho-boy* ! C'est pour toi.

Autour de lui, les hommes souriaient bonnement ; la couleur du papier fin parlait par elle-même.

Grégoire fendit le groupe et saisit la petite enveloppe plate. L'écriture était fine. « Cette lettre vient peut-être de Joséphine », pensa-t-il sur le coup de la surprise, puis il se ravisa. Joséphine savait-elle écrire ? Le cœur battant, le *chore-boy* courut à son lit où, ses doigts fébriles démaillotèrent de la petite enveloppe une seule feuille très peu noircie.

Plus Grégoire lisait, plus ses yeux s'agrandissaient. Au bas de la page, c'était signé: *Martha Perreault*. «Ah ben, elle!» échappa Grégoire tout haut. Il était déçu de ne pas tenir Joséphine au bout de ses doigts. Puis, il se ravisa. Au moins quelqu'un pensait à lui, et Martha lui donnerait des nouvelles de son patelin, ce qui est grandement apprécié quand on vit au *diable vert*. Martha lui proposait d'échanger une correspondance assidue.

Grégoire était tout de même content. Désormais, lui aussi recevrait du courrier. Déjà, il se sentait moins seul. Et puis, peut-être Martha lui parlerait-elle de Joséphine? Martha se tenait au courant de toutes les nouvelles de la paroisse. Rien ne lui échappait. Grégoire glissa sa lettre sous l'oreiller, se promettant d'y donner suite le dimanche suivant, quand les autres s'adonneraient à la lessive et à l'aiguisage des godendarts et des sciottes. Il revint à la cookerie où les hommes agités, rassemblés autour des longues tables, se donnaient l'accolade. Que se passait-il de spécial? Tout le monde s'enlaçait et virevoltait en criant: «La guerre est finie!» Une joie collective emplissait la pièce. Sous peu, les fils et les maris rentreraient à la maison.

Parmi les bûcherons, certains déserteurs de l'armée s'étaient réfugiés aux chantiers, sous un nom d'emprunt, dans le but d'échapper aux combats. Maintenant, malgré la fin des hostilités, les insoumis étaient toujours recherchés par la police militaire et passibles de deux ans de prison. Charron était de ceux-là.

– J'en ai ras le bol de me cacher. Je préfère me rendre et faire mes deux années de détention. J'ai eu la vie sauve, c'est tout ce que j'espérais pour ma femme et mes enfants. Comme ça, les M.P. vont cesser de rôdailler autour de la maison et de questionner mes petits.

– T'es fou! relança Robidoux. Patiente un peu, avec le temps, les M.P. vont se désintéresser des déserteurs.

– Non! Je veux qu'on me fiche la paix pour de bon. Je me rends.

Presque toutes les lettres parlaient de l'armistice et de l'épidémie d'influenza qui n'en finissait plus de tuer des gens de tout âge. Les conversations allaient bon train. On rapportait qu'à Montréal, on fêtait la victoire des Alliés et que les employés de bureau jetaient par les fenêtres toutes les paperasses inutiles et les pompiers avaient improvisé une parade dans les rues souillées. Maintenant que les canons s'étaient tus, les cinémas étaient autorisés à rouvrir et l'industrie rendait à l'agriculture les hommes que la guerre avait enlevés à la terre.

Les malheureux qui ne recevaient pas de courrier écoutaient les autres rapporter ce qui se passait en bas; les amours de jeunesse qui se nouaient, ceux qui se dénouaient, les nombreux décès de voisins et de connaissances que la grippe espagnole avait tués, les naissances, le nom d'un nouveau vicaire, les entrées en religion, etc.

Elzéar Leblanc était le seul à ne pas partager la joie collective qui emplissait la pièce basse. Après avoir écouté les nouvelles touchant le retour des troupes, il quitta le camp, l'air morose. Grégoire scrutait sa réaction et s'en faisait pour lui. Le pauvre homme devait se demander ce qui se passait chez lui pour que sa femme cesse net de lui écrire.

Grégoire se sentait honteusement coupable de couvrir les fredaines de Judith et Émilien. Il regrettait amèrement de ne pas avoir dénoncé leur mauvais plan au tout début. Maintenant, c'était un peu tard. On l'accuserait de complicité.

Les nouvelles épuisées, Grégoire ajouta :

– Tant qu'à y être ! Êtes-vous au courant que le veuf Dupuis fréquente la veuve Allard ? Et que les Venne du grand rang ont cédé leur ferme à leur aîné ? Les vieux vont déménager au village. Il y a aussi Jos Gaudet qui a démissionné de son poste de conseiller.

– On les savait pas celles-là ! Où tu prends tes nouvelles, toi ? s'informa Jean-Marie Ringuette. Ah mon petit venimeux ! T'as reçu une lettre, hein ?

Grégoire se contenta de sourire.

* * *

La correspondance entre Martha et Grégoire allait bon train. Quinze jours plus tard, une nouvelle missive arrivait, écrite à l'encre noire.

*Cher Grégoire,*

*Installée sur le chiffonnier vert, à la lueur de la chandelle, j'attendais impatiemment que mes petites sœurs dorment pour t'écrire en paix.*

*Nous avons déjà un pied de poudreuse et ça continue de tomber.*

*Maman a terminé ses tourtières et nous, les filles, on a roulé les boulettes de porc pour le ragoût. Deux cent trente en tout. On rit pas. J'en ai mal aux poignets !*

*À part ça, tout est tranquille. Pépère passe ses journées à dormir dans la berçante. Il baisse à vue d'œil. Maman pense qu'il fera pas vieux os.*

*J'aimerais bien gros que tu descendes pour les fêtes de Noël. J'aurai besoin d'un cavalier pour me faire danser. T'as beau dire que Saint-Michel n'est pas à la porte, c'est quand même pas l'Abitibi ! Ce sera bien dur de passer les fêtes sans toi. J'espère un miracle. Mes cousines Priscilla et Délima seront accompagnées.*

*Je vais étrenner une robe. Je ne te dirai pas la couleur, mais seulement qu'elle a un grand volant au bas de la manche et à la cheville.*

*Par ici, Aimé Dugâs va voir la grande Régine Desrochers au salon. Tu sais, la fille à Médéric à Louis, celle qui a l'air d'une sorcière ! Celle-là, il ne se la fera pas voler.*

*Pierrot Tremblay serait en amour par-dessus la tête avec Joséphine Jobé, la quêteuse, qui travaille chez le docteur Chénier. Je suis bien contente pour elle, Joséphine a été si bonne pour nous.*

*Dans la place, on parle d'un gros scandale qui, selon les dires, impliquerait ton cousin Émilien et une étrangère. Comme Émilien vient des grands bois, c'est peut-être une sauvagesse ! Je n'en sais pas plus long sur cette histoire. Quand papa en a fait allusion, maman a chassé les enfants de la cuisine, mais moi, je me suis cachée derrière la porte et j'ai écouté leur conversation. Paraîtrait qu'à force d'accumuler péché sur péché, ces deux-là vont se ramasser directement en enfer. C'est du moins ce qu'on raconte.*

*Il est temps d'aller dormir, maman a parlé de laver le linge demain. La journée sera fatigante.*

*Écris-moi plus souvent. Parle-moi des chantiers, de toi, de tes copains.*

*Une amie qui pense à toi,*

*Martha*

Grégoire rassembla papier, plume et encrier et se rendit à l'écurie. Cet endroit lui paraissait le plus propice pour écrire en paix. Les chevaux étant sortis travailler, le garçon choisit une stalle. Il déposa le petit encrier sur un entre-deux en bois grossier. L'espace plat était restreint, pas plus large que la main et Grégoire devait bien tenir sa feuille pour l'empêcher de tomber dans la litière et les déjections liquides. Il se concentra un moment et sa plume se mit à crier sur le papier blanc.

*Chère Martha,*

*Comme le laisse voir ta dernière lettre, les gens d'en bas ne s'ennuient pas. Consolez-vous de votre pauvre petit pied de poudreuse. Ici, il en tombe tous les jours et on doit marcher dans cinq pieds de neige par un froid de trente sous zéro.*

*Ta lettre est invitante ; elle sent la tourtière à plein nez. Toutefois, ne m'attends pas. Ici, le travail pousse dans le dos.*

*Mercredi, un bûcheron s'est ouvert la jambe d'un coup de hache. Le boss a rempli la plaie de coton ouaté trempé dans l'alcool et a recousu le tout avec du fil et une aiguille à laine. Je pouvais pas voir ça, je suis sorti. Sitôt l'opération terminée, le blessé est retourné au travail. Tu parles d'un dur à cuire !*

*Les amusements sont rares. Le dimanche, il faut laver notre linge et s'il reste un peu de temps, on joue aux cartes. Pour moi, Noël sera un jour ordinaire. Mon cœur sera à Saint-Jacques.*

*As-tu des nouvelles de ma famille ? Ma tante Pâquerette ne m'écrit jamais.*

*Je veux commencer à bûcher, mais le boss me retient aux commissions et aux soins des chevaux. La vie est dure par ici. Si je me trouvais un job en bas, je dirais adieu aux chantiers. J'aurais bien aimé retourner par chez nous avec Émilien, mais je me sentirais gêné de vivre aux crochets de mon oncle Gaspard. Ici, mon seul plaisir est de recevoir tes lettres.*

*Je veux que tu gardes pour toi ce qui va suivre. J'ai vu Émilien. La petite cuisinière avec qui il s'est collé s'appelle Judith Leblanc. Ce n'est pas une sauvagesse. Il en passe aucune par ici. Si tu vois Émilien, dis-lui de m'envoyer un mot, même si je suis certain qu'il ne le fera pas.*

*Excuse mon gribouillis, c'est que mon installation est mauvaise. Si tu me voyais, tu rirais.*

*Je te souhaite de joyeuses fêtes.*

*Amicalement, Grégoire*

# VIII

Le jour baissait. Les ombres noires des bouleaux défilaient devant le missionnaire et deux enfants de chœur.

Après des heures de chemins impraticables, secoué au gré des bosses et des cahots, le petit groupe aperçut les baraques coiffées de bérets blancs. Un filet de fumée révélait la vie cachée des bûcherons.

Ils avaient fait tout ce chemin, conduits par une haridelle boiteuse qui s'arrêtait enfin au bout du monde, essoufflée, à moitié morte.

* * *

Un frémissement de grelots attira Grégoire au carreau. Il ne se passait pas grand-chose d'intéressant dans ce coin reculé, ainsi les petits riens devenaient énormes dans l'uniformité.

Grégoire s'écria:

– L'aumônier!

Un silence se fit.

Le *chore-boy* observait les arrivants. L'aumônier était jeune, il n'accusait pas plus de trente ans et ses compagnons, un peu gauches et charmants, sortaient à peine de l'adolescence. Grégoire enfila sa canadienne et courut à leur rencontre. Il aida le prêtre à descendre de voiture, mais celui-ci s'attardait à rassembler les objets du culte qu'il remettait aux garçons avec vénération. Finalement, le *chore-boy* conduisit le petit groupe à la salle à manger et revint aussitôt dételer le cheval et lui servir une terrine d'avoine.

En apercevant le prêtre, l'assemblée, d'un élan respectueux, se leva et chacun passa une grosse main dans ses cheveux désordonnés.

Au fond de la pièce, Sauvageau, assis inconfortablement sur une caisse de bois, vérifiait une liasse de papiers. Il leva un instant le nez de ses factures, observa les trois visiteurs et se précipita au-devant d'eux. Il colla une chaise contre la fournaise et invita le prêtre à s'asseoir. Celui-ci demanda le nom et le lieu de chacun des hommes présents, puis il se leva.

– Je vais faire une sieste. Ensuite, je serai prêt à entendre les confessions. On m'a dit que vous êtes quarante ?

– Non, monsieur l'abbé. Quarante par camp, ce qui fait quatre-vingts au total. Et si vous ajoutez à ceux-ci, les cuisiniers, le *chore-boy*, les mesureurs et les entrepreneurs, ça fait près d'une centaine d'âmes à confesser.

– Alors, je n'ai pas de temps à perdre en sieste si je veux en finir avant la messe de minuit. Pouvez-vous me trouver un petit coin discret ?

Le confesseur suivit Sauvageau derrière la porte du dortoir et aussitôt, les hommes, les yeux baissés dans un grand recueillement, formèrent une longue file.

Bethléem, appuyée au mur de la cuisine, observait les étrangers. Quand le plus jeune des deux acolytes aperçut la gamine au teint frais, il se dirigea vers elle et lui donna une pichenette sur la joue.

– C'est quoi ton nom ?

Bethléem, insultée, fit un pas de côté, la main sur la figure.

– …

– Qu'est-ce que t'attends pour répondre ?

– …

– Tu vis ici ?

Elle fit oui de la tête.

– T'es muette ou quoi ?

Bethléem restait plantée devant le polisson, à le détailler de la tête aux pieds.

– J'ai pas la permission de parler aux hommes. Mes parents me le défendent.

– Viens dehors avec moi.

Non loin, Grégoire les surveillait. Sa figure s'assombrit. Il s'approcha d'eux et avisa l'insolent.

– C'est pas à toi de donner les ordres ici !

L'étranger se tourna vers Bethléem et pointa Grégoire du doigt.

– C'est qui celui-là ? C'est ton père ?

– Niaiseux, reprit Grégoire, je suis son grand-père !

Les rires complices de Bethléem et de l'autre acolyte coupèrent court aux fanfaronnades de l'effronté.

Grégoire fusilla le garçon du regard, posa les poings sur les hanches et bomba le torse dans une attitude provocatrice.

– Ici, tous les hommes se tiennent serrés, et malheur au petit malin qui toucherait à cette fille ! Tu laisses la paix à mademoiselle ou ben je leur fais signe.

Grégoire ressentait le besoin de démontrer son pouvoir et sa supériorité. Il ébouriffa les cheveux de l'acolyte, comme s'il l'eut pris pour un enfant. Ce geste mit le garçon en rogne. Il s'éloigna bredouille. Bethléem, l'air triomphant, retourna aux chaudrons.

* * *

L'extrémité de la longue table servait d'autel. Aux deux cierges, on ajouta un fanal. L'officiant revêtit une chasuble blanche sur sa soutane tachée de cire et coiffa la barrette. Les servants de messe portaient une soutane rouge et un surplis blanc en dentelle. Leur tenue ajoutait une note de fête qui égayait les lieux.

Aux douze coups de minuit, une centaine de voix entonnèrent en chœur le *Minuit, Chrétiens*. Puis toutes les âmes se recueillirent. La cantine ressemblait à un temple rempli de voix et de prières. Pendant tout l'office, Grégoire fut distrait. Que pouvaient bien demander dans leurs prières la centaine de personnes réunies ce soir-là, dans une baraque perdue au fond des bois ? L'émotion était palpable ; la nostalgie de ces exilés en mal de leur famille, provoquait des remous dans l'assistance. On entendait moucher, renifler. Les antiennes et les réponds sortaient d'un ton étouffé des gorges étranglées. Grégoire revoyait les fêtes familiales. Chez lui, comme à chaque Noël, les enfants devaient être rassemblés autour du sapin pour développer les cadeaux. Sa famille lui manquait, son cœur se serrait. Les cadeaux n'avaient plus d'importance pour lui. En cette nuit de Noël, Grégoire n'était plus qu'un petit garçon qui cherchait les bras de son père pour s'y réfugier. Il rêvait d'un jour prochain où on l'appellerait Grégoire, le fils, soit du shérif, du maire, du médecin ou d'un simple fermier, peut-être même d'un bûcheron ici présent. Il les passa tous en revue et colla son nom à chacun. La cérémonie se termina en même temps que son recensement.

L'odeur des pâtés et des épices chatouillait les muqueuses des fidèles à jeun. Sitôt la communion distribuée, les cuisiniers retournèrent en douce à la cuisine où mijotaient la dinde et le ragoût.

Les enfants de chœur recueillirent les objets du culte et les déposèrent respectueusement dans une petite malle noire.

Bethléem restait plantée dans la porte de la cookerie et surveillait le *chore-boy* qui transformait l'autel en table pour le réveillon.

Elle craignait que tout le monde connaisse les sentiments qu'elle portait à Grégoire. Mais en cette douce nuit de Noël, tout le camp en fête incitait Bethléem au bonheur : les odeurs épicées de ragoût et de tourtières, les joyeux refrains et surtout l'attention que Grégoire lui portait. Elle choisit un moment où personne ne la remarquait et, discrètement, elle envoya à Grégoire un baiser du bout des doigts, un baiser très doux avec un éclair dans le regard. Grégoire, un peu surpris, lui répondit par un sourire retenu.

La table libre, la cuisinière désigna une place de choix au missionnaire ; là, tout au bout où il pourrait bien voir ses interlocuteurs. À leur tour, les hommes s'approchèrent.

L'atmosphère était à la joie. Laverdure, le boute-en-train du groupe, fit rire toute la tablée. Toutefois, il respectait les ordres du contremaître qui avait sévèrement prévenu les gars les plus audacieux: aucune grossièreté ou grivoiserie devant le ministre du culte.

La Brochu approchait avec une marmite fumante.

– Enlevez-vous de mon chemin, sinon je risque de vous brûler. Avec les tourtières et le ragoût, je crains pas qu'on se prive.

– Et le vin? cria Thibodeau.

– Pas de vin! rétorqua la Brochu. En avez-vous seulement déjà vu ici? Qu'est-ce qui vous prend tout à coup?

– C'est Noël rien qu'une fois par année. Il faut du vin pour la visite.

– Inutile! Les invités mangeront comme nous. C'est pas moi qui encouragerais les bûcherons à boire. La nuit de Noël en est pas une pour exciter les esprits.

En attendant d'être servis, les hommes chantaient des refrains connus que tout le monde reprenait en chœur.

Grégoire regardait un émigré qui ne connaissait pas la langue du pays. L'homme, qui ne s'exprimait jamais et qui donnait l'impression d'être sourd-muet, se mit à siffler tout doux. Un silence éloquent lui laissa le temps d'aller jusqu'au bout de son air. À la fin, on s'exténua à applaudir et à crier pour l'encourager. Pour la première fois, on le vit sourire.

Les bûcherons, friands de gâteries, en avaient plein la vue: dinde en sauce, bûche de Noël, pâtés de foie gras, tourtières, tartes, beignets et biscuits aux amandes. Le chocolat et le sucre à la crème dur, venus des épouses et des fiancées, étaient partagés entre tous. Les plats déposés sur la table, les hommes avaient la permission de se servir à volonté.

Dans le coin où se trouvait le sucre à la crème, les plus jeunes racontaient des histoires qui ne tenaient pas debout et, à tout moment, une main pigeait dans la soucoupe qui tenait lieu de bonbonnière.

Au petit matin, Grégoire se retira. Alors seulement, Bethléem quitta le réfectoire.

Sur sa couche, les derniers événements défilaient dans son esprit. Elle analysait chaque mot, chaque réaction de Grégoire. Il était venu à sa rescousse. Éprouvait-il des sentiments à son égard ? Des sentiments pareils aux siens ? Elle cherchait des émotions dans les interventions du *chore-boy*, mais elle ne trouvait pas de réponse. Toutefois, elle se sentait renaître. Quelle satisfaction de savoir que Grégoire dormait non loin, de l'autre côté du mur de planches brutes ! Est-ce qu'il pensait à elle en cette nuit merveilleuse ? Bethléem s'endormit avec de belles pensées plein la tête qui toutes, bien sûr, rejoignaient Grégoire.

# XI

Toute la clique de bûcherons entourait Sauvageau, tels des moucherons qui dansent à hauteur d'homme.

– Du calme, tout le monde.!

De la cuisine, Bethléem surveillait étroitement la distribution du courrier. Elle vit Grégoire, les yeux brillants, saisir une enveloppe, blanche cette fois. Sa correspondante avait sans doute épuisé ses enveloppes roses! Bethléem sentit son cœur se serrer. À la simple vue d'un bout de papier, un étau se refermait sur son cœur. Si pour les autres, c'était jour béni, pour elle, c'était jour maudit. Ces lettres l'étouffaient, la tuaient.

Grégoire se plaça dos aux hommes, histoire de lire en paix.

« Encore cette fille! pensait Bethléem avec la plus amère des déceptions. Même au fond des bois, il y a pas moyen d'avoir un gars à moi toute seule! Après tout, j'étais là, la première! » Comme si pour Bethléem, les mois d'ancienneté lui octroyaient un privilège de possession.

Le regard amer, elle ne quittait pas Grégoire des yeux. Qu'est-ce que cette fille pouvait bien lui écrire?

Grégoire lisait.

*Mon cher fils,*

*Quand tu liras ces lignes, je ne serai plus là. Ne me cherchez pas, ce serait pour rien.*

*Mon passage en ce monde a été un enfer. Vous, mes chers enfants, avez été mes seules joies.*

Le message avait été griffonné d'une main agitée.

*Je ne veux pas partir sans te parler de ton père. Maintenant, plus rien ne m'en empêche.*

*C'était un homme intelligent et attachant. Un an avant ta naissance, il s'était engagé comme manœuvre chez nos voisins, les Aumont. Ces années-là, entre voisins, on échangeait du temps pour les récoltes. C'est pourquoi avec les Aumont, ton père dînait à notre table. Je le voyais tous les jours rôdailler aux alentours. Malheureusement, en mil neuf cent deux, ton père a été appelé à la guerre des Boers et il est parti au front avant de savoir que je portais son enfant. Je ne l'ai jamais revu. Peut-être a-t-il été tué au combat ? Son nom est Clément Gamache.*

*Conserve cette lettre au cas où tu le retrouverais, elle pourrait te servir de preuve. Si, pour quelque raison, cette lettre était détruite, un notaire de Montréal, maître Duguay, détient une déposition signée de ma main.*

*Ma dernière volonté est que tu fasses la paix avec Gildas afin de rétablir les liens avec tes frères et sœurs. Je pars inquiète à leur sujet. Dis-leur que de là-haut, je veillerai sur vous tous. Et surtout, ne me jugez pas. Je n'en peux plus de cette stupide vie. On se reverra de l'autre côté. En attendant, sois un bon fils et que ta vie soit meilleure que la mienne !*

*Bonne chance!*

*Je t'embrasse. Va vers tes frères et sœurs et dis-leur que je les embrasse tous.*

*Que Dieu me pardonne, ainsi que vous, mes chers enfants.*

*Ta mère aimante, Violaine*

Grégoire blêmit et sa figure se décomposa. Il restait debout devant sa dépêche ouverte, assommé par la nouvelle affligeante qu'il venait d'apprendre. « Si j'avais pu prévoir que quelque chose lui chiffonnait l'esprit, ce serait pas arrivé se dit-il. Elle est morte ou elle est partie ? »

Il lut une deuxième fois et tout devint clair dans son esprit. Il laissa tomber la feuille, comme si le contenu lui brûlait les doigts et prit sa tête à pleines mains.

De son coin, Bethléem surveillait les différentes expressions de son visage qui lui dévoileraient les pensées de Grégoire, son état affectif. Elle ressentait une soif, un vif désir de connaître ses secrets.

Grégoire ne bougeait pas. La souffrance se lisait sur ses traits.

Bethléem supposa que la fille avait changé la couleur de ses amours comme elle avait changé la couleur de ses enveloppes. Quelle mauvaise nouvelle pouvait lui arriver sinon que la fille le laisse tomber pour un autre amoureux?

Cette heureuse supposition aurait dû mettre Bethléem de belle humeur, mais il n'en fut rien. Son visage s'assombrit en pensant à la souffrance de Grégoire. Elle aurait voulu le consoler et ainsi, se l'approprier davantage.

Jean-Valère Chalifoux se tenait assis sur la table de douze pieds qui ployait sous sa charge. Il jeta un regard vers Grégoire, mais celui-ci restait figé. « Sans doute une mauvaise nouvelle d'en bas », se dit-il.

Quand Jean-Valère vit la feuille tomber par terre et Grégoire, le visage défait, il comprit que quelque chose de grave lui arrivait. L'homme s'approcha en douceur et posa une main sympathique sur son épaule.

Sitôt la mauvaise nouvelle assimilée, les nerfs de Grégoire se relâchèrent. En plein délire, le malheureux se mit à secouer sa tête de tous bords tous côtés et à crier: « Maman ! Non ! Pas maman ! C'est de sa faute ! C'est lui, c'est Gildas Beaupré le responsable de tout ce gâchis ! Si j'avais su... » Grégoire s'étouffa avec ses derniers mots.

Toutes les oreilles tendues vers le *chore-boy* l'écoutaient se lamenter. Personne ne parlait.

Jean-Valère trouvait les agissements et les réflexions de Grégoire plutôt bizarres et ses yeux égarés n'auguraient rien de bon. Si personne ne l'arrêtait, la tête du pauvre garçon allait faire un tour complet sur elle-même. Jean-Valère saisit Grégoire aux épaules et le secoua.

– Grégoire ! Qu'est-ce qui se passe ?

Jean-Valère ramassa la lettre et lut. Il connaissait une bonne partie de la vie de Grégoire et il savait que le garçon se sentait très seul. À son tour, il laissa tomber la feuille sur le sol et prit Grégoire dans ses bras, le serra très fort pour empêcher tout mouvement du corps et de la tête, jusqu'à ce que le malheureux, emprisonné, cesse de se débattre et éclate en sanglots. Alors seulement, Jean-Valère relâcha sa prise et ramassa la dépêche maudite. Après avoir pris connaissance des faits, il se tourna vers les bûcherons.

– C'est sa mère, dit-il la voix éteinte.

Chacun dut lire sur ses lèvres muettes « morte ».

À Bethléem, on ne dit rien.

L'un après l'autre, sans un mot, les hommes s'approchèrent et le serrèrent dans leurs bras, comme s'il était de l'or en barre, même le grand roux, que Grégoire évitait, lui fit l'accolade. Il était gêné, mais il le fallait bien, les autres le faisaient tous. Ces cœurs rudes étaient peu accessibles aux sentiments tendres, mais dans le malheur, une vive sympathie se développait et, à les voir partager la douleur du *chore-boy*, on aurait cru ce jour-là, que tous les gars du camp avaient perdu leur propre mère.

Jean-Valère pressa Grégoire.

– Viens, on va aller chercher ton linge et je vais te reconduire chez toi.

Grégoire suivit docilement Jean-Valère, le dos courbé, comme s'il portait une charge de deux tonnes sur ses épaules.

Dans son coin, Bethléem était atterrée. Quel malheur s'abattait sur Grégoire pour que les hommes l'entourent ainsi ? Peut-être une autre victime de l'influenza. Grégoire lui inspirait de la pitié. Bethléem eut honte de sa jalousie qui l'avait conduite à des suppositions gratuites.

Elle se tenait un peu à l'écart. Si ce n'eut été de la présence de tous ces hommes et de ses parents qui surveillaient ses moindres faits et gestes, c'est elle qui aurait consolé Grégoire. Bethléem ne pouvait même pas le serrer dans ses bras et sympathiser avec lui, comme les hommes l'avaient fait. Une tempête se déchaînait à l'intérieur de son âme emprisonnée dans un corps qui ne laissait sortir aucun sentiment. Elle n'avait pas le droit parce qu'une fille n'est rien qu'une fille, une laissée-pour-compte qui doit sans cesse s'effacer. Pourtant n'était-ce pas elle la plus proche ? Grégoire était tout pour elle et au fin fond de son cœur, il lui appartenait déjà. Mais il y avait les hommes, ses parents, les défenses, la retenue et tout ça.

Bethléem restait là, immobile comme une statue de bronze, à se retenir de consoler Grégoire, de qui, de quoi ? Elle ne savait pas au juste la raison de son départ. Personne ne disait rien d'autre que : « Il s'en va ! »

Elle se rendit à la cuisine préparer un peu de nourriture pour les voyageurs : des cretons, du pain, des grillades, du rôti de porc.

Encore une fois, Grégoire s'en allait, quand ce n'était pas aux commissions, c'était en bas. Bethléem entendit la porte du camp qui se refermait et elle ressentit une cruelle déception. Allait-il revenir ? Dommage qu'elle ne sache pas écrire. Elle lui aurait glissé un mot entre deux tranches de pain.

* * *

Le trajet de Saint-Michel à Saint-Jacques fut silencieux. On n'entendait que les sabots de la bête qui brisaient la couche de neige durcie. Les voyageurs s'arrêtèrent à une petite auberge sale et enfumée. Attablés devant une terrine de pâté de poulet, Jean-Valère et Grégoire se regardaient sans parler. Qu'auraient-ils eu à se dire ? Leurs sentiments différaient tellement. Jean-Valère se retenait de siffler en imaginant la lune de miel qui l'attendait à la maison. Il était presque gêné de côtoyer la souffrance de son compagnon de route. Grégoire n'était pas bête. Il reconnaissait à son air satisfait l'ivresse des retrouvailles qui, à chaque départ, égayait les bûcherons. Les deux hommes n'étaient pas sur la même longueur d'onde et c'était la raison de leur silence.

Grégoire essayait en vain d'imaginer son face à face avec Gildas. Ce dernier aurait des comptes à rendre sur le départ de sa mère. Grégoire ne le craignait plus depuis qu'il était devenu un homme. S'il le fallait, il emploierait la force pour lui faire cracher ce qui avait amené sa mère à disparaître. Puis Grégoire pensa aux petits orphelins qu'il reconnaîtrait à peine et à sa sœur Anne qui, à quatorze ans, devait hériter de la lourde charge de la famille.

* * *

Grégoire entra chez lui sans frapper. Il s'allouait le droit de visiter ses frères et sœurs, comme le stipulait l'implacable missive qu'il traînait au fond de sa poche. « Si Gildas me chasse, se dit-il, je me ferai accompagner du curé. »

Sitôt un pied dans la cuisine, sans un mot, Grégoire fusilla Gildas du regard. Celui-ci avait l'air défait, il avait sans doute perdu un gros morceau, une esclave qu'autrefois il avait violemment lancée par terre avec son bébé dans les bras. Grégoire n'arrivait pas à effacer cette scène de sa mémoire.

À la vue de Grégoire, Gildas quitta les lieux.

Grégoire respira mieux. Il jeta un coup d'œil rétrospectif autour de lui. La maison n'avait pas changé, sinon qu'il y manquait une âme, une mère. Elle ressemblait davantage à un établissement de détention qu'à un havre de paix.

Grégoire serra Anne dans ses bras et ce fut le déclenchement d'une crise de larmes. Grégoire n'arrivait plus à consoler sa sœur. Il la conduisit à la berçante et s'occupa des autres. Il s'acquitta de toutes les embrassades que sa mère l'avait prié de transmettre aux enfants et parla à chacun d'eux avec une émotion dans la voix. La petite Laura le regardait comme un étranger.

Grégoire s'approcha du berceau. Un enfant, insouciant du malheur qui habitait cette maison, dormait confiant. C'était Gabriel, un blondinet né après son départ.

– Je le connaissais pas, celui-là. C'est un beau bébé ! En haut, Filiatrault m'a dit un jour, que la famille s'était agrandie. Sinon, j'aurais pas su que j'avais un nouveau frère.

Grégoire revint vers Anne et prit ses mains. Ce geste bouleversa l'adolescente. Aussitôt une chaleur fraternelle lui monta au cœur. Anne ne se sentait plus seule. Son grand frère allait s'occuper d'elle ou du moins, allait-il l'épauler.

– Dis-moi, Anne, comment c'est arrivé pour maman ? Je sais encore rien de ce qui entoure sa mort.

– J'ai pas envie d'en parler, dit-elle sur le ton du secret. Papa pourrait m'entendre. Je serais pas surprise qu'il soit caché en quelque part pour tout écouter. Depuis que maman est plus là, il surveille toujours tout ce que je dis.

Anne était très émue. Chacune de ses phrases se terminait par un hoquet qui l'étouffait.

– Ton père doit se sentir responsable, s'il lui reste un peu de cœur, naturellement. Mais je suis convaincu qu'il reconnaîtra jamais ses torts envers maman. De toute façon, c'est trop tard.

Un silence traversa la pièce. Grégoire s'en voulait d'avoir blâmé Gildas devant Anne. Après tout, elle était sa fille et elle devait éprouver des sentiments pour son père.

Grégoire ressentait le besoin et s'attribuait le droit de tout savoir sur ce qui concernait la triste fin de sa mère. Il devait d'abord trouver le moyen de parler seul à seul avec sa sœur.

– Je t'amène chez Constant pour quelques minutes. Là-bas, on sera plus à l'aise pour discuter.

Anne n'avait pas mis un pied dehors depuis le service funèbre de sa mère. Elle courut chercher son manteau, quoiqu'abandonner les enfants dans cette cuisine l'attristait horriblement. Elle se tourna vers Isidore. À treize ans, le garçon était en mesure de prendre la responsabilité de la maison. Après tout, cette charge n'était que passagère ; d'une minute à l'autre, son père allait rappliquer.

– Peux-tu garder pour une heure ou deux ? Tu surveilleras l'escalier, que Laura aille pas le dégringoler, je me le pardonnerais pas.

– C'est pas à moi de garder les petits, j'aime mieux aller avec vous deux.

Anne lança un regard à Grégoire en pinçant les lèvres de déception.

– Je savais ben qu'il voudrait pas. C'est de même que ça marche depuis que maman est morte.

À force de patience, Grégoire persuada Isidore de laisser un répit à sa sœur. En retour, il promit de l'amener dès le lendemain chez sa tante Pâquerette.

– O.K. Mais pour une heure seulement.

– Je te dirai la même chose demain: «pour une heure seulement», répliqua Anne d'un ton dicté par la rancune. Je vous sers ben vos repas, moi, et je lave votre linge, et je vous torche tous!

Grégoire observait le comportement de sa sœur. Anne assumait pleinement son rôle de mère de famille, mais elle ergotait sur des vétilles, ce qui n'était pas surprenant. Elle n'avait que quatorze ans et une lourde tâche sur les épaules.

Anne se sentait surveillée. Grégoire était en train de déchiffrer ses réactions sur sa figure, de sonder le fond de son cœur. Elle eut honte de sa faiblesse et confessa ses sautes d'humeur irraisonnées.

– Je sais pas ce que j'ai, tout m'excède aujourd'hui. Pourtant, juste l'idée de te savoir là me réconforte.

– T'as une trop grosse besogne. Tu devrais déléguer une tâche ou deux à chacun des jeunes.

– Eux, ils ont pas le tour. Ça, tu l'as ou tu l'as pas. Et pis, ils écouteraient pas.

– Pourquoi on t'écouterait? rétorqua Isidore. T'es pas notre mère!

– Parce que papa l'a dit!

Grégoire intervint en douceur.

– Parce que Anne remplace maman.

Isidore bougonna:

– Elle, remplacer maman? Elle vaut même pas un pet!

– Tu l'entends, Grégoire? Si papa était là, il lui ferait ravaler ses vilains mots.

Grégoire ignora la boutade du gamin.

– C'est de ta santé qu'il s'agit et une décision serait à prendre avant que tu flanches toi aussi. Si ton père prenait une engagée ?

Anne sursauta, comme si elle avait reçu un coup d'épée en plein cœur. Grégoire se demandait si elle ne ressentait pas une lâcheté à confier une partie de son travail à une étrangère.

– Une engagée ? reprit-elle.

À son avis, n'importe qui croulerait sous le poids de la besogne. Toutefois, Anne admirait son frère ; il était le seul à y voir si clair. Elle l'idolâtrait en même temps qu'elle lui gardait une rancœur pour ses années d'éloignement.

– Qui, tu penses, voudrait prendre la responsabilité de onze enfants ?

– Ton père est un des gros riches de la place, il a les moyens de payer. En échange d'un peu d'argent, je connais des gens qui accepteraient n'importe quel travail, même si ce n'étaient que deux ou trois jours par semaine pour la lessive, les planchers et le raccommodage, ça te soulagerait un peu.

Anne demeura pensive.

– Je vais en parler à papa, mais il dit toujours qu'il a pas une cenne noire.

– Moi, je sais qu'il est en moyens !

Grégoire colla sa bouche à l'oreille de sa sœur pour ne pas être entendu des plus jeunes.

– T'as jamais fouillé dans le petit coffret sur la table du salon ? T'en apprendrais des choses. Ton père prête de l'argent à tout le monde à des taux exorbitants et ça lui rapporte gros. Mais c'est lui le décideur. À moins qu'il se remarie.

– Lui, se remarier? Tu blagues!

* * *

La jument partit au pas. Dans la carriole, Anne raconta à son frère les derniers moments de sa mère:

– La veille, on était couché et on entendait papa crier. C'était pas nouveau; il est toujours de mauvaise humeur. Je l'ai même jamais vu sourire. Pis, tout est redevenu calme et papa s'est couché. Maman était restée debout; je l'entendais fouiller dans l'armoire et déplacer une chaise. Je pense qu'elle a pris de la boisson, ça lui arrivait souvent ces derniers temps. Je me suis pas aperçue qu'elle soit sortie. Tôt le lendemain papa nous a réveillés en criant: «Levez-vous! Votre mère est morte.»

La voix d'Anne s'altéra et Grégoire vit ses yeux se mouiller. Il posa sa main sur celle de sa sœur. Tous deux partageaient la même peine.

– Quand je suis descendue à la cuisine, la maison était déjà remplie de gens vêtus de noir, presque tous de la famille. Pour la première fois, j'ai dû servir le déjeuner à mes frères et sœurs. Personne s'est avancé pour m'offrir son aide. C'est là que j'ai compris que, d'un coup sec, toute la maisonnée me tombait sur les bras. J'ai entendu papa raconter à tante Pâquerette que maman faisait une grosse déprime. À l'entendre, maman serait partie en pleine nuit, sans qu'il s'en rende compte, simplement vêtue d'une veste de laine et elle aurait marché dans le rang du Braillard jusqu'à la rivière Ouareau. Papa dit qu'elle était souvent somnambule, mais moi, je trouve ça un peu fort: déprime, somnambule, il devrait se faire un pis. Moi, je crois rien de tout ça. Tôt le matin, les tailleurs de blocs de glace l'ont aperçue tout près de l'endroit des coupes où une fine glace s'était formée, mais c'était trop tard. Elle était déjà morte. Elle a peut-être hésité à se jeter dans l'eau glacée ou ben, elle a préféré geler lentement. On le saura jamais. Pauvre maman! Comme elle a dû avoir froid!

– Maman a pris le temps de m'écrire avant de mourir, mais elle a pas daté sa lettre. Ce serait arrivé quand?

– Ça fait... ça fait... Anne comptait mentalement les yeux fermés, ça fait sept jours.

– Et personne a pensé de m'avertir ou m'envoyer chercher?

– Tout le monde était si énervé.

– Toi, t'es assez grande pour connaître la vérité, mais les petits, eux, ont pas besoin de savoir. Maman avait décidé de mettre fin à ses jours. Elle me l'a écrit noir sur blanc. J'ai remarqué que son écriture était tremblante, peut-être à cause de sa nervosité. Quand j'ai reçu sa lettre, elle était déjà morte. Si j'avais pu empêcher ça!

– Qu'est-ce qu'elle dit d'autre sur sa lettre? Je veux la lire.

– Je te la montrerai, mais je veux pas qu'elle tombe entre les mains de ton père. Après tout, c'est pas à lui qu'elle a écrit. Et pis, elle parle de mon propre père. Ça, ça le regarde pas.

– Tu détestes mon père?

– Disons que je l'aime pas, mais ça change rien pour nous deux.

Arrivé chez Constant, Grégoire ouvrit les grandes portes de la grange et fit entrer l'attelage au complet. Ils continuèrent à deviser assis sur la banquette de la carriole. La grange était le seul endroit où Anne et Grégoire pouvaient parler à l'aise de leurs secrets de famille.

Anne en avait gros sur le cœur depuis que sa mère était partie et Grégoire était le seul à qui elle pouvait se confier.

* * *

Du temps de Violaine, Gildas avait toujours été très exigeant sur la tenue de la maison et des enfants. Violaine se tuait à la tâche tandis que lui rechignait devant un papier qui traînait, une tache de doigts d'enfant sur un mur. Il n'endurait pas un grain de poussière et tous les jours, les cinq filles fréquentaient l'école endimanchées, les robes empesées, les souliers cirés et les garçons en cravate et chemise blanche. En plus, Gildas exigeait que les enfants soient sages comme des images.

Maintenant, Anne ne suffisait pas à la tâche. Déjà, le blanc des vêtements n'était plus éclatant. Après le souper, épuisée, elle cirait neuf paires de chaussures qu'elle rangeait dans l'escalier. Quand son père entrait, lui qui n'endurait pas une chaise déplacée, il tempêtait de voir déborder la machine à laver, la vaisselle sale traîner dans la cuvette d'un repas à l'autre et les chaudrons encroûtés qui avaient élu domicile sur le bout du poêle.

Depuis le départ de sa mère, Anne, que son père avait toujours surprotégée, était devenue sa bête de somme.

Le soir venu, épuisée à la tâche, l'adolescente s'endormait esquintée.

* * *

Dans la carriole, Anne frissonnait. Grégoire remonta la peau de bison dans son cou et l'invita à entrer se réchauffer dans la maison.

– Non, on est ben ici. On peut jaser en paix.

– Tu sais que Gildas est pas mon père ?

– Qui le saurait pas ? Avec la crise et tout ce qui a suivi. Il a failli tuer la petite Laura quand il a lancé notre mère par terre.

– Dans sa lettre, maman m'a appris qui était mon père. Je vais bientôt m'occuper de le retrouver.

– C'est qui ?

– Un certain Gamache ! Des Gamache, on en connaît aucun par ici. Il a servi à la guerre et il en est jamais revenu. Maman pense qu'il est mort au front. Ça m'enlève un peu le goût d'entreprendre des recherches si c'est pour, en fin de compte, trouver un mort.

– Je veux que tu me tiennes au courant de tout. Après ton départ, je pensais ben que tu rappliquerais. Maman aussi. Elle avait toujours le nez collé à la vitre, le regard perdu. Ton absence doit l'avoir tuée. Je pense que t'étais son préféré.

– Comme t'est la préférée de ton père ?

– Alors, on est quitte. Les temps ont ben changé ! La préférée est devenue l'esclave.

Ils finirent par sourire avant de rentrer à la maison.

Anne n'arrivait pas à imaginer la fin de sa promenade, de ses confidences. Le souper l'attendait. La réalité la rattrapait. Mais Grégoire revenu, la vie lui semblait plus supportable. Maintenant, si son père pouvait accepter d'engager une aide…

– Reste donc avec nous, puisque t'es là.

– Tu m'en demandes trop. La discorde reprendrait entre ton père et moi.

– Si tu savais comme je me suis ennuyée de toi !

Grégoire fut touché de cet aveu. Dire que tout ce temps, il s'était senti un moins que rien, abandonné des siens et dont personne ne se préoccupait. Sans le savoir, quelqu'un pensait à lui, Anne.

– Je reviendrai demain chercher Isidore. Oublie pas de le remercier d'avoir surveillé la marmaille. Il sera fier de lui. Efforce-toi d'être gentille avec lui, tu y gagneras au change. Qui sait si t'auras pas encore besoin de ses services ! Et pis, les petits doivent tous souffrir de l'absence de maman. Nous deux, on se reverra seulement à la fin des chantiers, mais d'ici là, je veux que tu m'écrives et que tu me racontes tout ce qui vous touche, toi et les enfants. De mon côté, je m'engage à répondre à chacune de tes lettres.

Grégoire embrassa sa sœur sur la joue et retourna aux chantiers.

# X

Les ténèbres couvraient la forêt. Dans le camp de bûcherons tombait la paix d'une fin de journée. Les hommes épuisés finissaient de manger en silence.

Grégoire traînait de grandes marmites d'eau. Il devait s'y prendre à deux mains pour arriver à les soulever et les déposer sur le feu. Bethléem allait et venait de l'armoire à la table qu'elle débarrassait en vitesse. À la fin du service, les Brochu avaient toujours grand-faim. C'était maintenant à leur tour de s'alimenter. La petite famille du cuisinier devait se contenter des fonds de chaudrons, mais ce soir-là, comme il ne restait que quelques tranches de pain rassis, le cuisinier les trempa dans l'œuf et le lait pour les faire frire.

Madame Brochu jeta un regard autour de la pièce. Pas de Lorenzo. Elle appela. L'enfant de quatre ans n'était plus là. Il devait pourtant être affamé. La femme chercha dans tous les coins. Rien ! Juste avant le souper, il était là, qui s'amusait tranquillement, au fond de la cuisine à échafauder des blocs de bois brut. Le petit s'était envolé mystérieusement et, elle, sa mère, prise dans le feu de l'action, n'avait rien vu. Depuis combien de temps Lorenzo était-il disparu ? L'enfant n'avait pas l'habitude de sortir seul, encore moins de s'éloigner. Elle courut à la penderie et ne trouva aucun de ses vêtements. La panique la saisit. Elle cria :

– Le petit est sorti, son manteau et ses bottes sont plus là. Que quelqu'un aille voir à l'écurie avant que les chevaux lui décochent une ruade.

Madame Brochu s'en prit aussitôt à sa fille.

– Tu pouvais pas t'en occuper ? C'est de ta faute ce qui arrive !

De sa faute ! Bethléem restait debout, assommée par l'accusation. Ses lèvres tremblaient. Elle inclina la tête. On lui attribuait la responsabilité de Lorenzo, comme si c'était elle, la mère. Bethléem se reprochait déjà assez de n'avoir pas su garder un œil attentif sur son petit frère, sans que sa mère en rajoute sur le tas. Cet enfant, Bethléem l'adorait.

– J'étais à desservir, se défendit l'adolescente, la bouche tordue de douleur.

– C'est ça ! Dessers ! rétorqua la mère, le ton méprisant, dans ce temps-là, ton petit frère traîne en pleine noirceur dans les grands bois.

Bethléem frissonna de terreur. Elle imaginait le pire pour Lorenzo.

Grégoire assistait à la confrontation tout en étirant une deuxième tasse de café. Il n'acceptait plus de s'incliner devant ces affrontements qui lui rappelaient ses anciennes querelles avec Gildas. Il jeta un regard compatissant à la fille et, sans se presser, il se dirigea directement vers la grosse femme et s'arrêta à deux pouces de son visage. Elle recula d'un pas et Grégoire avança d'un. Tout en soutenant son regard, le garçon leva l'index sous son nez.

– Bougez pas et ouvrez ben grandes vos oreilles pour écouter ce que j'ai à vous dire.

Grégoire parlait lentement et clairement, comme on le fait avec un jeune enfant.

– C'est pas la faute de votre fille si le petit a disparu. Vous me comprenez ? Je veux ben croire que vous êtes énervée, mais c'est pas une raison pour accuser Bethléem.

– Toi, le *cho-boy*, fourre ton nez dans tes affaires, tu m'entends ? Ma fille peut se passer de tes interventions.

Grégoire resta sourd à son commentaire.

Les hommes présents feignaient de ne rien écouter de leur engueulade, mais aucun mot ne leur échappait. Trois d'entre eux, dont Gustave Brochu, sortirent fureter autour du campement. Les autres attendirent silencieux le retour du petit. Puis l'inquiétude gagna les cœurs.

Qui d'entre ces coriaces n'avait pas bercé ce petit garçon handicapé. Chaque soir, avant le souper, Lorenzo avait l'habitude de monter sur les genoux de qui prenait la berceuse. L'enfant ne savait pas différencier les tendres des durs et jamais personne ne le repoussait.

Le petit groupe de chercheurs revint, silencieux. À leur mine basse, la Brochu comprit la gravité de la situation. Elle saisit son mari aux épaules et le secoua fortement en criant.

– Je veux mon petit ! T'entends ? Je veux mon petit !

– On va devoir pousser les recherches plus avant.

La mère éplorée relâcha sa prise. Elle imaginait déjà son petit garçon mort, gelé, noyé, mangé par les bêtes sauvages.

– Qu'on le retrouve ! N'importe comment, mais qu'on le retrouve !

Les hommes allumèrent une dizaine de fanaux pour mieux se diriger dans les ténèbres. Grégoire, le seul qui n'avait pas bougé, se leva et revêtit un manteau chaud.

– Il faut absolument le retrouver. Il y a les loups... Espérons qu'il est pas trop tard. Viens Bethléem.

– Non, pas elle ! s'écria la mère, catégorique.

– Oui, viens avec moi, reprit Grégoire sans lever le ton, et habille-toi chaudement. Vous, dit-il, en s'adressant à la mère, restez ici ! Comme ça, si le petit réapparaît il y aura quelqu'un pour l'attendre.

– De quel droit te permets-tu de donner des ordres ?

La question resta sans réponse.

Bethléem jeta un tas de vêtements sur une chaise et se pressa de les revêtir. Madame Gustave la foudroyait du regard et se lamentait dans le but d'inciter son mari à intervenir.

– Gustave ! Regarde ta fille ! Tu vois comment elle est ? Elle écoute jamais un mot de ce que je lui dis.

Gustave Brochu ne réagit pas. L'avait-il entendue ou ne voulait-il pas s'en mêler ? Peut-être l'émotion l'empêchait-il de parler ? L'homme sortait justement de sa chambre où, incapable de se contenir, il avait couru dissimuler de grands sanglots qui secouaient encore ses épaules.

Madame Gustave se tourna vers les bûcherons, attendant une approbation. Presque tous ces hommes avaient des enfants. Ils la comprendraient.

– Vous voyez ? Elle en fait qu'à sa tête !

Malheureusement pour la femme, nul ne prit parti en sa faveur. Qui aurait osé ? Bethléem et Grégoire étaient les seuls à apporter un peu de jeunesse et de fraîcheur dans ce camp perdu et ce, même si les tourtereaux laissaient voir qu'ils ne se connaissaient pas devant les bûcherons.

La cuisinière dut essuyer leur dédain.

Jean-Valère Chalifoux enfilait ses bottes.

– Je vais demander aux hommes de l'autre camp de nous aider aux recherches, dit-il. À quatre-vingts, on balayera une plus vaste étendue.

Bethléem enroula un long nuage autour de son cou et, fébrile, glissa en vitesse les mains dans ses mitaines. Grégoire savait qu'elle le suivrait. Il avait plus d'emprise sur elle que sa propre mère pouvait en avoir. Il décrocha un fanal du plafond, y ajouta une mesure d'huile et mit le feu à la mèche.

Bethléem attendait Grégoire près de la porte. Elle serrait une minuscule boussole dans sa mitaine. Elle se faufila devant le *chore-boy*, sans un regard vers sa mère. Dehors, Grégoire siffla le chien. Rien. Le cabot était toujours là quand ils n'en avaient pas besoin.

Les quarante hommes courbaturés par le travail de la journée, sortirent, falot à la main. Ils se placèrent de front, formant une même ligne. En peu de temps, le camp voisin se joignit au premier. Les hommes, montés sur leurs gros chevaux de trait, devancèrent vite ceux du premier camp.

Quand il s'agissait d'un enfant en danger, les cœurs les plus durs, les plus impitoyables pour leurs congénères, fondaient comme du métal en fusion.

Madame Gustave, restée seule, versait de grosses larmes derrière la porte de la cookerie. Le nez collé à la vitre, elle ne vit bientôt plus que des petites flammes danser, rapetisser et disparaître dans la nuit noire. Elle alla s'asseoir à la table, repoussa son assiette au contenu intact et, le chapelet en main, elle égrena quelques *Ave*, en surveillant l'horloge qui étirait ses minutes d'éternité.

Grégoire et Bethléem fouillèrent une dernière fois, tous les coins intérieurs et extérieurs des bâtiments. Ils se rendirent ensuite au lac, où Grégoire puisait l'eau qui servait à la cuisine. Une mince couche de glace couvrait le trou. C'était bon signe. Grégoire respira d'aise. À l'avenir, il se promit de couvrir l'ouverture d'une plateforme protectrice. Bethléem et Grégoire s'engagèrent à leur tour dans la forêt noire, derrière les quatre-vingts hommes positionnés de manière à balayer une bonne étendue de forêt.

* * *

Les bûcherons du premier camp marchaient en silence, l'oreille aux aguets. On n'entendait que leurs pas qui défonçaient la croûte de neige glacée et des bruits de branches brisées par le passage des hommes. De temps à autre, une voix criait à s'époumoner :

– Lorenzo !

Près du camp, il n'y avait que des arbres de faible dimension, issus de souches et de drageons qu'on coupait à intervalles rapprochés. Plus loin, la forêt était si luxuriante que l'on avait peine à circuler entre les arbrisseaux sauvages et les buissons épineux. Il fallait pour fouiller à fond, passer la tête dans les broussailles.

Au loin, des loups se mirent à hurler. Les hommes se regardèrent un moment. Ils partageaient tous la même frayeur. Il n'y avait aucun danger d'être assaillis, les loups ne s'attaquaient pas à un groupe. Par contre, c'était presque impossible pour un enfant seul d'échapper à une meute.

Après un temps qui sembla infiniment long, Elzéar Leblanc aperçut un petit objet foncé sur la neige. Il cria aux autres, la main placée en cornet au-dessus de la bouche.

– Ohé ! Le petit est passé par ici ; je viens de trouver une botte d'enfant.

Quelques pas plus loin, il en aperçut une deuxième. Un bas de laine se trouvait pris à l'intérieur. Leblanc frissonna pour Lorenzo. Ensuite, plus rien, que des arbres : des arbres morts, des blessés, d'autres qui poussaient en bouquets. Comme la neige croûtée supportait l'enfant, aucune trace de pas n'était visible.

À une bonne distance du groupe, Grégoire appelait :

– Lorenzo ! On est là !

Le *chore-boy* fouillait chaque recoin, chaque buisson, comme s'il cherchait une aiguille. Mais toujours rien. Le sol n'était que bosses et trous. Bethléem manqua le pied et tomba étendue de tout son long dans la neige. Elle resta là à attendre l'aide de Grégoire. Peut-être était-ce une feinte pour amener Grégoire à s'occuper d'elle. Le garçon déposa son fanal sur une petite surface plane et l'aida à se relever. Sur le coup, Bethléem lui plût et il entrevit la possibilité d'un bonheur passager. Il fit un mouvement en avant pour l'embrasser.

Bethléem recula. Avant, le *chore-boy* devrait la gagner et se donner du temps pour que les choses deviennent sérieuses. Pourtant, elle le voulait son Grégoire; il possédait un charme fou. Il avait un corps souple comme un coureur de bois, une peau et des dents magnifiques et une douceur émanait de sa voix grave. En bas, toutes les filles devaient subir son magnétisme, mais ici au camp, elle était la seule à le côtoyer. Elle finirait bien par l'avoir.

– Vois-tu des sauvagesses quelquefois, au cours de tes randonnées ?

– J'en ai jamais vues dans le bois, mais par chez nous, il y a un bûcheron qui en a ramassé une. Il l'a mariée pis ils ont eu des enfants. Elle allait jamais à la messe. C'était une païenne. Si quelqu'un frappait à sa porte, elle courait se cacher. Elle s'appelait Lyzzie Curie.

– *Les écuries*? reprit Bethléem étonnée.

– Oui!

Il y eut une explosion de rires et ils se retrouvèrent comme deux gamins couchés dans la neige à se tordre de leur espièglerie. Jamais Bethléem ne s'était autant laissée aller. Encore une fois, Grégoire ressentit le même désir de l'embrasser, sans doute une passade; il l'avait trouvée si moche à son arrivée. Qu'est-ce qui lui prenait ce jour-là, pour que cette fille l'excite à ce point? Était-ce l'occasion de se retrouver seuls, ou encore à la nuit noire? À un cheveu de lui donner de vains espoirs, il pensa à Joséphine, toujours dans sa ligne de tir. Il sauta sur ses pieds. Mais n'empêche que sous son bonnet, Bethléem avait les plus jolis yeux bleus.

Bethléem secoua ses mitaines et la neige collée à son manteau.

Comme il était beau Grégoire à rire à gorge déployée ! Il attirait Bethléem comme un aimant, mais pour la deuxième fois une retenue refrénait ses élans. Était-ce possible d'éprouver en quelques instants, toute une gamme d'émotions : allégresse, douleur, amour ? Même si son petit frère était introuvable, Bethléem était joyeuse. Y avait-il quelque mal à ça ? Quelqu'un qui n'a jamais aimé ne pourrait comprendre. Bethléem pressa le pas. Il fallait bien participer aux recherches.

Grégoire sourit de voir Bethléem marcher en dandinant des hanches. Dire qu'il pensait qu'au moindre signe, elle tomberait dans ses bras ! S'il existait une fille imprévisible, c'était bien Bethléem Brochu ! Grégoire se demandait comment aurait réagi Joséphine dans la même situation. Il supposa que toutes les filles étaient compliquées, impénétrables, inaccessibles, et il se refusa à pousser plus loin, à analyser les comportements féminins. Il fallait trouver Lorenzo.

Ils marchèrent encore un bon moment quand Grégoire aperçut une saillie sombre au bas d'un arbre, sans doute une déformation de croissance. Ces protubérances n'étaient pas rares dans les grands bois. Comme les hommes venaient de passer par là, Grégoire, à son tour, contourna les lieux pour ne pas retarder la marche. Soudain, un vague pressentiment, dont la justesse tenait du miracle, lui traversa l'esprit. Le *chore-boy* tira Bethléem par la manche de son manteau et retourna sur ses pas.

– Viens voir là ! On dirait une peau de bête.

L'enfant, recroquevillé au pied d'un gros pin, était pieds nus et le chien se tenait enroulé autour de son petit corps ; sans doute pour le réchauffer. Il ne bougeait pas. Bethléem s'élança sur le petit. Elle l'appela par son prénom, cria plus fort avec des sanglots dans la voix. L'enfant ne répondait pas. Prise de panique, elle se mit à le secouer pour le réveiller, mais le petit ne donnait aucun signe de vie. Grégoire lui enleva des bras et retourna sur ses pas.

Il courait et Bethléem avait peine à le suivre. Elle se mit à crier à l'intention des chercheurs :

– Lorenzo est retrouvé ! Ohé ! On a retrouvé le petit.

L'écho sautait d'arbre en arbre et revenait vers eux.

À toutes les dix minutes environ, un cavalier se détachait de la cavalcade et revenait exercer une surveillance auprès des marcheurs en cas de fatigue, blessures, chutes ou engelures. Au cri de Bethléem, les cavaliers firent demi-tour. Gustave Brochu, tout excité, fouettait sa jument. Arrivé à la hauteur de Grégoire, il sauta sur ses pieds et tâta le pouls de son fils. Le petit cœur battait faiblement. Il voulut le retirer des bras de Grégoire, mais celui-ci refusait de le rendre. Le garçon serrait Lorenzo contre lui. Il avait enfoui l'enfant à l'intérieur de son manteau et croisé ses petites jambes autour de ses reins afin de lui communiquer un peu de chaleur, mais c'était peine perdue ; les petits pieds nus pendaient et dépassaient sa canadienne.

– C'est moi qui l'ai trouvé, c'est moi qui le remettrai à sa mère.

Gustave se sentait redevable envers Grégoire. Ils venaient tous de passer par là et personne n'avait remarqué sa présence. L'important, c'était de ramener son fils vivant. Il abdiqua. On fit monter Grégoire et l'enfant à cheval. Le père retira son mackinaw et en recouvrit les jambes de Lorenzo.

Par son exploit, Grégoire espérait, sitôt arrivé au camp, faire comprendre à madame Gustave qu'elle lui en devait une. Il rêvait même d'excuses pour les reproches infligés et de félicitations en reconnaissance de son geste digne de bravoure. « Des excuses ! Tout de même, quelle prétention ! pensait Grégoire. La Brochu n'était pas du genre reconnaissant. » Le garçon retint un sourire. « Désormais, je la ferai manger dans le creux de ma main », se dit-il, satisfait.

Les hommes approchèrent du camp presque tous en même temps. En dedans, la mère était restée soudée au carreau, morte d'inquiétude. Le chapelet à la main, elle priait. Le géant Sauvageau lui cria à travers la vitre :

– On l'a ! Le *cho-boy* a trouvé le petit.

La femme sortit sans prendre la précaution de s'habiller. Elle se rua sur Grégoire, lui retira des bras, le petit corps tout ramolli et ne cessait de l'embrasser.

– C'est maman, mon petit ! Tout va ben aller maintenant.

La femme allongea son enfant sur la table et lui enleva ses vêtements, prenant soin d'envelopper le petit corps d'une couverture chaude qu'elle ramena sous ses jambes. Elle l'emporta dans la berçante placée contre la fournaise. Toute à sa joie d'avoir retrouvé son fils, madame Gustave allait oublier Grégoire. Elle lui sourit tristement, mais Grégoire restait de glace.

– Servez-vous donc un bon café pour vous réchauffer. Et elle ajouta à l'intention de Bethléem : Va, aide-le !

La porte se referma sur le dernier des quatre-vingts bûcherons. Tous voulaient s'assurer, avant d'aller dormir, que l'enfant s'en tirerait sans conséquences fâcheuses.

Sur le feu, la bouilloire dansait et chantait son éternel refrain qui se réduisait à une seule note monotone. Grégoire dut ajouter des bouillottes et des marmites. De son propre chef, il sortit des brioches à la cannelle qu'il déposa aux deux extrémités de la table. Bethléem sortit des gobelets et versa un café bouillant à chacun. Tous les yeux étaient rivés sur l'enfant.

Lorenzo geignait maintenant. Ses doigts commençaient à bouger.

La mère s'adressa à Bethléem :

– Va tout de suite faire chauffer une autre couverture.

Puis, chose surprenante, elle s'adressa à Grégoire sur un ton très différent.

– J'ai ben pensé mourir. Une mère se sent toujours responsable d'un malheur qui frappe son enfant.

Grégoire ne pouvait s'empêcher de penser à Bethléem qui, aussi était son enfant. Cesserait-elle un jour de la malmener ? Grégoire se demandait ce qui retenait Bethléem chez ses parents.

Le garçon ignorait que pour les filles, les choses se passaient différemment des garçons. Si l'une d'elles osait quitter le domicile familial, elle était sévèrement ramenée à la maison ou enfermée dans une école de réforme.

Une idée un peu fofolle traversa l'esprit de Grégoire : s'ils allaient, Bethléem et lui, s'engager comme cuisiniers dans un autre camp ? Bethléem savait si bien rouler les tartes ! Mais ce ne fut qu'un caprice passager. Aussitôt, l'image de Joséphine vint se superposer sur celle de Bethléem.

# XI

Puis un matin, la cloche ne sonna pas le réveil. C'était jour de départ. L'âme de la forêt faisait place à l'âme humaine. L'euphorie, qui régnait dans le dortoir, allait jusqu'à l'excitation.

Les bûcherons, en deuil passager, allaient retrouver fiancées, femmes et enfants. Parmi eux, quelques hommes ne pouvaient se passer de cette vie en forêt; sans doute ceux que personne n'attendait. Ceux-ci préféraient demeurer toute l'année aux chantiers à cause des chicanes de ménage. Ces malheureux cachaient leur peine comme une honte. Ils ne parlaient jamais de leur femme, mais la nuit, lorsque les corps malheureux étaient assoupis, des échos résonnaient et redisaient des noms.

Charpentier quitta le camp. Il était de ceux qui restaient dans le bois plutôt que de divorcer. Le pauvre n'était pas retourné chez lui depuis huit ans. Un jour, une méchante langue lui avait appris que sa femme le trompait avec son propre frère. Il l'aurait tuée. Depuis, Charpentier était muet. Il ne savait pas ce que ses enfants étaient devenus. Il les avait perdus, comme on perd son chapelet et il portait sa douleur comme on porte une armure. Incapable de partager la joie des autres, il disparut dans le bois pour aller vider sa peine.

Dans la baraque, les bûcherons s'interpellaient à grands cris, ils allaient, venaient, se bousculaient. À la fin de la saison, ils étaient tous maigres et tirés. On entendait des cris de joie, de colère et de désespoir, mais presque tous criaient leur hâte. Après des mois de continence, ces hommes redevenaient comme des jouvenceaux en mal de vivre une lune de miel. On sentait presque les battements de cœur sous leur peau cuivrée. Le jour du départ, ils n'étaient plus les mêmes. La dernière nuit les avait rajeunis de dix ans.

Le cuisinier tout excité criait :

– Aujourd'hui, c'est la sainte-touche ! Approchez ! Il y en a pour tout le monde.

Quand résonna l'appel, les hommes accoururent et s'agglutinèrent comme des mouches autour de Sauvageau.

Bethléem restait en retrait. Elle ne quittait pas Grégoire des yeux. Elle espérait une occasion pour lui parler avant son départ, mais Grégoire était affairé à vider le garde-manger. Est-ce qu'il lui réserverait un peu de temps ? Est-ce qu'il reviendrait à la prochaine saison de chantier ? Elle restait là, à se morfondre à l'idée de ne plus le revoir. En bas, Grégoire devait avoir un nombre incalculable de soupirantes. Une fille lui écrivait. Un jour, lui aussi se marierait. Elle avait été folle de penser qu'il puisse s'attacher à elle, une fille quelconque, moche et sans importance. Pourtant, quelque chose, au fin fond de son cœur, lui disait que tout n'était pas fini.

Sauvageau attendait, assis devant un tas de paperasse et une petite boîte de métal. Les yeux rivés sur une feuille, il rongeait ses ongles. Laliberté, le meilleur bûcheron, s'avança le premier, suivit de son compagnon de travail et demanda son dû.

– Papin pis moi, on a fait trois cent trente cordes de pitounes. Ce qui me fait quatre-vingts dollars pour la saison et autant pour Papin.

– Nous, relança Fortin, on a fait deux cents cordes, mais si tu nous avais fourni un meilleur cheval, on aurait fait deux cents de plus.

Laliberté ne supportait pas la compétition. Chaque concurrent devenait un rival pour lui.

– Ta gueule ! reprit Laliberté, plus fanfaron que courageux. Si tu te crois plus fin que nous, t'arrêteras Au Petit Canot et je vais te régler ton cas.

Sauvageau leva une main autoritaire.

– Assez, vous deux !

Il s'adressa à Laliberté.

– C'est curieux, le mesureur de la compagnie a pas les mêmes données que vous.

– Viens pas essayer de tricher, Sauvageau ! Toutes nos billes sont étampées, rétorqua Laliberté qui accompagnait ses phrases de jurons de taille à en faire trembler le camp.

– Ça va ! Ça va ! Je vais vous payer, mais quand j'aurai soustrait trente sous par jour de pension, les lames de scie, les manches de hache, les tiers-points, en bout de ligne, il restera pas grand-chose.

– Tes prix sont assez salés ! C'est pas trente mais vingt sous par jour, l'entente pour la nourriture.

– Oui, mais je t'ai nourri aux tartes. Tout se paie. C'est à prendre ou à laisser.

– J'ai une femme et des petits à nourrir à la maison.

Sauvageau se mit à calculer tout bas, puis il tendit une piètre rétribution de dix dollars à Laliberté. Celui-ci, en colère, leva un gros poing rude.

– Tu me reverras plus jamais, sinon pour t'étamper ça sur la gueule !

Laliberté, furieux, décampa à grands pas.

Le même manège reprit pour chaque bûcheron. Sauvageau était un habile profiteur qui traitait à mi-voix pour régler ses marchés à son avantage. C'était facile pour lui de tricher. Rares étaient les bûcherons qui savaient compter et mesurer leur bois.

Grégoire se demandait bien comment il s'en sortirait. À son arrivée aux chantiers, il n'avait pris aucun arrangement pécuniaire avec Sauvageau. Toutefois, le boss avait toujours été correct avec lui. Quand vint son tour, Sauvageau lui ordonna :

– Toi, je veux pas que tu soignes les chevaux à matin.

– Pourquoi ça ?

Le géant ne répondit pas à sa question.

– Va ! Termine ton travail. Ramasse ce qui reste de mangeaille et place tout ça dans la voiture.

– J'ai pas eu ma paie.

– Je te dois rien ! Les dettes contractées dépassent ton salaire. Je t'ai fait vivre tout un hiver et en plus, je t'ai rien promis. Tu sais mon garçon, personne est sorti riche d'ici. Si c'est ce que tu vises…

– Sans paie, je travaille pas.

Sauvageau sortit, satisfait de ses magouilles. Il en avait du toupet !

Grégoire déçu, se dirigea vers son lit, récupérer ses vêtements. C'est alors qu'il se rappela les paroles de Judith : « Tu seras le prochain sur la liste à pas être payé ! »

Arrivé dans le dortoir, Grégoire surprit Bethléem en train de retourner sa paillasse.

Bethléem tentait de découvrir la fameuse lettre. Elle contenait peut-être une photo de la fille. Si elle arrivait à mettre la main dessus, elle la déchirerait en quatre, sans pitié et la jetterait au feu.

En entendant du bruit, elle tenta de s'esquiver, mais trop tard, Grégoire l'attrapait par un bras.

– Qu'est-ce que tu fouilles ?

Bethléem ne dit rien, elle s'abandonna, langoureuse sous la poigne de Grégoire. Pas surprenant, le beau Grégoire ferait mollir une roche. Le regard de la fille allait de son bras prisonnier à la figure du garçon. Elle répondit en souriant gentiment.

– Si je te le disais, ça t'intéresserait pas.

– Si c'est de l'argent, j'en ai pas !

Son sourire s'estompa et, d'un brusque coup de coude, elle se dégagea de son emprise.

– Tu sauras, le *cho-boy*, que je suis pas une voleuse !

Grégoire eut un moment d'attendrissement et lui pardonna sa curiosité.

Bethléem se ressaisit et son ton se radoucit.

– Pars-tu pour de bon ou si tu reviens l'automne prochain ?

– Ça, c'est à voir ! Si je trouve un travail en bas, je vais y rester.

Bethléem baissa les yeux et détourna la tête, n'osant pas ouvrir la bouche au cas où les sanglots sortiraient à la place des mots. Ils restaient là, chacun de leur côté, à penser probablement les mêmes choses.

Grégoire s'attristait de la voir au bord des larmes.

– On s'écrira, dit-il.

– Je sais ni lire ni écrire. En tout cas, pas plus de deux ou trois mots, comme mon nom par exemple.

Grégoire la soupçonnait de mentir. Si elle cherchait sa lettre, c'était qu'elle devait lire un peu.

– Si un jour je reviens, je te montrerai, mais compte pas trop sur mon retour.

Bethléem mangea ses lèvres pour ne pas éclater en pleurs. À part Grégoire, elle n'avait plus aucun intérêt. Elle lui tourna le dos. Puis, le temps de se reprendre, elle le regarda en face et lui posa la question qui lui démangeait la langue :

– C'est qui la fille qui t'a écrit, l'autre jour ?

– C'est Martha, une amie !

– Une amoureuse ?

– Ça te regarde pas ! Et comment peux-tu savoir qu'une fille m'écrit si tu sais pas lire ?

Il y eut un silence.

Bethléem avait la manie de respirer profondément, les yeux au plafond pour montrer son désintéressement. Quand elle se décida à ouvrir la bouche, ce fut pour s'exclamer :

– Tu m'enrages, Grégoire Beaupré !

Elle tira la langue et tourna les talons.

« Il l'a ben mérité ! C'est fini et ça m'est égal, se dit-elle, la tête haute, le sourire amer. Encore deux ou trois mois et je l'aurai oublié ! » Mais tout ça était complètement faux ; au fond, Bethléem ne cherchait qu'à se convaincre pour s'aider à s'en détacher. Peut-être qu'à force de se le répéter, elle finirait par se croire. Depuis l'arrivée de Grégoire au camp, sa routine avait changé. Le garçon avait apporté du piquant dans sa vie. Bethléem se rappelait ses vertiges aux premiers contacts, si décents étaient-ils. Depuis que Grégoire était là, tout ce qu'elle pensait ou faisait était en regard de lui.

Pour Grégoire, Bethléem n'était qu'une gamine. Son comportement enfantin le démontrait bien. Il la regarda s'en aller avec sa petite robe jaune en percaline qui bougeait au déhanchement de son corps. Puis il sourit tout seul en pliant ses vêtements dans sa malle. « Elle cherchait ma lettre, la petite venimeuse », se dit-il.

Soudain, un coup de fusil claqua sec et le fit sursauter, puis un deuxième, et un autre. Sans doute des chasseurs. Mais c'était impossible ; la chasse était prohibée à ce temps-ci de l'année. Grégoire se rua à l'extérieur, curieux de voir ce qui se passait.

Derrière l'écurie, Sauvageau abattait les chevaux. Le garçon en avait les jambes coupées. Affolées par la peur, les pauvres bêtes bondissaient, se jetaient en avant, en arrière, se heurtaient, s'entrechoquaient et quelques-unes s'écrasaient mutuellement et périssaient avant qu'on les tire. Les chevaux comprenaient que leur tour venait. C'était triste de voir ces imposantes bêtes tomber raides mortes. Déjà,

Corneille, Castor et Patache, expiraient lentement au sol avec un trou dans la tête. Grégoire s'élança sur le géant, le saisit par le col, négligeant totalement le danger de l'arme à feu. Le *chore-boy* ne cherchait qu'à sauver les chevaux.

– Qu'est-ce que vous faites-là ? Vous avez pas le droit !

Sauvageau éloigna un moment la carabine de son corps, dirigea le canon vers le sol et recula d'un pas. Son visage était luisant, ferme et dur comme un masque de bronze.

– Ça coûte moins cher d'achever les chevaux et de laisser leur carcasse aux loups que de les ramener en bas et les nourrir tout l'été. Si tu me retardes, tu vas juste réussir à prolonger leur calvaire. Bon ! Là, débarrasse de sur mes talons.

– Si vous avez l'intention de les tuer, laissez-moi la Bleue. Je suis certain qu'elle pourra me servir.

– Arrange-toi avec et éloigne-toi d'ici. Mais je te défends ben de prendre mes harnais.

– Laissez-moi deux minutes, le temps de l'attraper. Je voudrais pas recevoir une balle dans le ventre.

Grégoire tenta de calmer la pauvre bête, mais celle-ci, trop énervée, craignait qu'on l'approche. Grégoire lui parla doucement, lui présenta une poignée d'avoine et recula lentement. La Bleue le suivit jusqu'à l'écurie.

Grégoire ne pouvait tolérer ce carnage. C'était inconcevable. En récompense de leurs efforts, les braves bêtes étaient payées d'un coup de fusil dans la tête !

Dans l'écurie, à chaque détonation, la Bleue se cambrait. Grégoire l'attacha et sortit. Il tenterait de faire appel aux bûcherons pour faire cesser cette tuerie. Il entra dans le camp, les yeux humides, mais avec la mort des chevaux, la cuisine était morte aussi. Les Brochu, retirés dans leur chambre, préparaient leur départ. Les hommes étaient tous partis. Aucun d'entre eux ne pouvait supporter ce massacre. Même au fond des bois, il n'existait pas de cœur, si insensible qu'il paraisse, qui ne soit susceptible de quelque sorte d'attachement.

« Tous savaient donc ! Ce n'est certes pas la première fois, se dit Grégoire. Sauvageau en avait pas assez de faire saigner les épinettes de la forêt, sans s'attaquer aux bêtes. Maudit pays de merde ! » lâcha tout haut Grégoire. Le *chore-boy* pleura comme un enfant la mort des chevaux.

Après avoir vidé sa peine, Grégoire se rendit à l'écurie. Il regardait avec envie les harnais accrochés au mur. Sauvageau avait refusé de le rémunérer pour son travail. « Comme Judith, je vais me faire justice moi-même, se dit-il. » Sans aucun scrupule, il décrocha mors, guides, sous-gorge, selle et sangles et harnacha sa jument en vitesse avant d'être découvert. Au son des tirs crapuleux, il posa la main au col de la bête et bondit en selle. Il frappa les flancs de la Bleue à coups de talons. Le cavalier et sa monture disparurent sous une pluie fine et serrée.

# XII

Dans un petit rang de Saint-Liguori, Judith paressait, blottie dans son lit de plume. Pelotonnée en boule, elle caressait de la main son ventre habité d'un tout petit être. Elle se languissait d'amour pour Émilien et s'ennuyait de ses tendresses, ses baisers, ses petits soins. Pourquoi, elle, Judith Leblanc, s'était-elle éprise d'Émilien Dubé, pauvre comme du sel et sans avenir ?

Le fait de ne pas dormir évoquait ses souvenirs. D'abord, l'éveil de l'amour dans une cabane à l'atmosphère doucette, ses premiers émois, Émilien qui massait ses pieds, ses étreintes qui l'empêchaient de respirer. Elle revoyait Émilien qui mettait une bûche dans le feu, puis la déplaçait à l'aide du tisonnier pour attiser la flamme, la boucane qui enfumait la pièce et la suie noire qui se déposait sur la table. Enfin, Émilien qui la prenait dans ses bras et lui faisait un enfant.

Judith s'assit sur son lit. Elle hésitait à descendre l'escalier. Tout ce qu'on lui avait enseigné tournait dans sa tête. « Je suis la honte de la famille, une mauvaise fille qui fait tout ce qu'on doit pas », se dit-elle.

Ce matin, elle annoncerait à sa mère la venue d'un enfant. Pour la première fois, elle ne voyait plus l'utilité de porter le corset qu'elle laçait par-devant, en tirant si fort que les petits œillets ronds et les fanons de baleines menaçaient de briser. Si elle ne se décidait pas à l'abandonner, elle mettrait la vie de son enfant en péril.

Judith choisit un moment propice pour parler. Le matin, les esprits sont plus calmes. Elle profita du fait que sa mère soit seule. Son père était à l'étable avec sa sœur aînée et les enfants partis pour l'école.

« Fais un effort, ma vieille ! » se dit-elle. Judith regardait la porte de chambre comme on regarde un ennemi redoutable. « Il faudrait ben que je me décide, pourtant. »

Elle demeurait dans une vieille maison salie par la suie à l'aspect un peu sévère, si ce n'était que deux jolies fenêtres à croisillons agrémentaient la façade décrépite. C'était une ferme où tout était calme, où on ne voyait personne, où il ne se passait jamais rien d'autre que la routine.

La nature ressuscitait, les oiseaux chantaient, la campagne était belle et riante, les verts plus tendres qu'en été. Et, bientôt, Judith Leblanc allait provoquer un tremblement de terre et tout s'écroulerait autour d'elle. Son milieu de vie ne serait plus jamais comme avant, même ses amies l'abandonneraient. Mais pour elle, rien ni personne au monde n'avait plus d'importance qu'Émilien et le bébé qu'elle portait dans son sein.

La pendule sonnait neuf heures. Le matin était clair. Plantée devant la fenêtre du deuxième, Judith avait vue sur la blancheur argentée des toits de tôle des bâtiments. Vêtue d'une robe de lin, elle refermait les plis indociles qui s'ouvraient sur son petit bedon. Les pas menus de sa mère montaient de la cuisine.

« Il faut que je lui dise ! »

Plus Judith remettait ses confidences, plus elle appréhendait une menace suspendue sur son bonheur coupable. Elle avait envie d'en finir avec cet aveu torturant avant même d'avoir commencé.

Bien sûr, elle essuierait des reproches et causerait une peine énorme à ses parents, mais à six mois de grossesse, Judith ne pouvait plus cacher son état. Avouer sa faute, surmonter sa gêne, décevoir ses parents, tout cela était le prix à payer pour s'être conduite en amoureuse passionnée. Sa pire crainte était qu'on lui enlève son enfant. Si au moins, Émilien était là pour la soutenir, pour tenir sa main. À deux, ce serait moins contraignant. Non, elle devrait assumer seule cette étape douloureuse.

Elle descendit lentement d'un pas mal assuré, avec ce lourd secret qu'elle portait dans son cœur et dans son corps.

Dans la cuisine, Judith promena un regard apeuré autour d'elle. Une Sainte Vierge reposait sur une corniche. Judith lui adressa intérieurement une ultime prière: «Vierge Marie, vous qui, comme moi, avez connu une maternité hors du commun, je vous en supplie, venez à mon aide.»

Madame Leblanc remarqua le regard de sa fille accroché à la statuette et sa robe serrée qui parlait par elle-même. La figure décontenancée de Judith accusait une infinie tristesse. Toute mère sait deviner et ressentir certaines choses quand il s'agit de son enfant. Elle avait beau redoubler de vigilance, mesurer de l'œil les seins et la taille de sa fille, un doute subsistait et chacune redoutait l'autre.

«Bon, il faut que je parle», se dit Judith.

Que dira son père, un homme à la carrure impressionnante ? Allait-il la frapper ? La mettre à la porte ? Devant cette éventualité, que ferait-elle ? Judith supposa que ses parents étaient moins miséricordieux que le Bon Dieu lui-même. Et elle restait là, presque sans vie, les lèvres soudées par une peur maladive. Si elle avait su comme sa mère la comprenait. Elle avait déjà été amoureuse, elle aussi, et avait connu les mêmes tentations, mais elle n'irait pas jusqu'à l'avouer. Ç'aurait été encourager ses filles à l'immoralité.

– Approche ! Je te verse un café.

Judith restait debout, sans bouger. La confusion l'emportait sur sa faim. Ses cheveux noirs dénoués retombaient en cascade sur ses frêles épaules. Elle gardait les mains ouvertes sur un dossier de chaise qui dissimulait son ventre rebondi. C'était le moment. Judith prit une profonde respiration et confessa du bout des lèvres :

– Maman, je suis comme ça !

Sa mère la dévisagea. Elle se montra intransigeante. Madame Leblanc avait ce regard profond qui vous pénètre jusqu'au tréfonds de l'âme. C'était une femme de comportement sévère sur le chapitre de la chasteté. Même ses pensées devaient suivre la ligne droite tracée par la doctrine morale.

– Si tu crois m'en apprendre ! Et c'est pour quand ?

– Je sais pas trop ! Peut-être en juin, peut-être en juillet.

Tout était dit. Après avoir vidé son sac, Judith se sentit libérée et il lui sembla que l'enfant s'allégeait dans son sein. Mais le rouge de la honte lui montait au front. Elle oublia sa tasse, s'assit devant le poêle et appuya ses pieds sur la barre chromée. Le regard fixe, elle croisa les bras dans une posture un peu frileuse.

La mère employa un ton sec.

– Veux-tu me dire où t'avais la tête ?

– C'est pas ce que vous pensez, maman. Après avoir marché des miles et des miles avec de la neige plein les bottes, gelés comme des glaçons, on pensait arrêter se réchauffer chez le père Japhet. Mais non, on est arrivé là, le poêle éteint, la cabane vide et froide. Émilien a allumé. On a bu du caribou pour se réchauffer un peu, mais je connaissais pas la dose. Ensuite, il y a eu la noirceur et la peur des loups. Une erreur de route et on était fait. On a dû y rester. Et comme on était un peu chaudasse…

– La belle affaire ! s'exclama sa mère d'un ton rancunier.

Madame Leblanc se leva et d'un geste sec, vida son reste de café dans la cuvette. Même le liquide ne passait pas dans sa gorge contractée.

De la façon dont les choses s'étaient passées, la mère comprenait mieux le comportement de deux jeunes gens abandonnés à eux-mêmes. Toutefois, elle ne laissa pas transparaître son indulgence.

– T'auras été la première à salir le nom des Leblanc. Je suppose qu'il en fallait une, mais j'aurais aimé que ce soit pas une des miennes ! Maintenant il va falloir te cacher pour sauver notre réputation. Il faudra aussi trouver une famille pour le petit.

Judith, l'âme arrachée, sentit ses jambes mollir et sa lèvre inférieure se mit à trembler. Donner son enfant ! Elle n'aurait pu imaginer pire.

– Ça, jamais ! Je veux le garder.

– Es-tu folle ? Tu peux t'enlever ça de la tête tout de suite.

Pour la première fois de sa vie, Judith détestait sa mère qui s'occupait davantage des qu'en-dira-t-on que de sa propre fille et d'un petit être innocent.

– L'affaire est réglée, trancha la mère. J'aime mieux qu'on en parle plus !

– Moi, j'aime mieux qu'on en parle, rétorqua Judith.

– Ben, t'en reparleras avec ton père.

– Avec papa ! s'exclama Judith, déconcertée. C'est ben nécessaire que ce soit moi ? J'ai peur maman, vous pouvez pas vous figurer. Peur de la réaction de papa, peur de mettre un enfant au monde, peur de m'en séparer, peur aussi de perdre Émilien. Je l'aime, maman ! Vous pouvez pas savoir comment ! Pis mon petit aussi !

Judith se mit à pleurer à chaudes larmes. Soudain elle hurla entre deux sanglots :

– Rien me fera changer d'idée, vous m'entendez ! Pas même le fouet.

– Tu demanderas à ton père ce qu'il en pense.

Tout le corps de Judith se rebiffait contre la décision de sa mère et elle était certaine que son père seconderait sa mère. Ce serait alors deux opinions contre une.

– Non, je lui demanderai rien. De toute façon, lui, il répond pas aux questions qui méritent pas de réponse, pis c'est ben correct de même. Je vais suivre la voie de ma conscience et assumer la conséquence de mes gestes. C'est ben ce que vous nous avez enseigné. Je m'arrangerai avec mes responsabilités.

Et Judith murmura, comme pour elle seule : « De toute façon, des parents, c'est juste bons à ramasser les honneurs ! Quand les enfants font honte, on les cache ou ben on les tue. »

– Qu'est-ce que tu racontes là ?

Judith cria à s'égosiller :

– J'ai juste dit que m'enlever mon enfant, c'est me tuer.

– Baisse le ton quand tu parles à ta mère !

Madame Leblanc réalisa soudain toute l'angoisse que pouvait vivre sa fille. Le jeune Émilien Dubé était descendant d'une famille de prêtres, sans doute un parti honorable pour sa fille. Elle s'approcha de Judith et passa une main maternelle dans ses cheveux bouclés.

– Pauvre toi ! Je peux rien faire pour l'enfant. Je sais ben que ça va t'arracher le cœur, mais tu pourras pas le garder parce que ça se fait pas !

– Ben cette fois, ça se fera ! insista Judith, la voix écorchée par le hurlement qui venait de sortir de sa gorge. Je suis prête à en payer le prix. Rien pourra être pire qu'une séparation.

Madame Leblanc était réduite à quia, toutefois, elle n'abdiqua pas. Sa fille ne tablait que sur ses sentiments et négligeait le fait qu'elle serait montrée du doigt, rejetée de la société et peut-être même excommuniée si elle s'affichait et donnait en modèle sa conduite immorale.

– Ce serait tout un scandale !

– Je vous croyais mieux aguerrie contre les on-dit. Moi, le scandale me fait pas peur, du moins, pas au prix de sacrifier mon enfant ; sa vie m'appartient et je vais le garder.

– Tu feras ce qu'on te dira en temps et lieu et sans rechigner. Je sais que c'est un gros sacrifice, mais c'est une faute grave que tu dois expier. Déjà que ton mauvais exemple peut entraîner tes petites sœurs au péché.

– Au péché ! reprit Judith indignée. Je trouve la religion ben sévère. Je suis pas certaine que le Bon Dieu me demande d'agir à l'encontre de mes sentiments. Et pis, je suis pas responsable de mes sœurs.

– Je te défends ben de critiquer l'Église et aussi de parler à tes sœurs de ton état. La famille de cet Émilien est-elle au courant de votre dévergondage ?

Le dernier mot choqua Judith. Elle mentit par crainte des représailles que sa mère pourrait exercer sur Émilien.

– Je pense pas.

– Tu penses pas ! Il sait ou ben il sait pas ?

– Il sait encore rien.

– Ben, dis-lui pas ! Les Dubé ont pas besoin de savoir que t'es comme ça !

– Mais Émilien, ça le regarde, lui itou. Après tout, c'est son enfant.

– Non ! Ça servira à rien d'autre que d'ébruiter le scandale dans une autre paroisse. Lui, il avait rien qu'à ben se tenir.

Judith supportait mal les jugements sévères dont Émilien était la cible.

– Bon. On va pas s'attarder toute notre vie là-dessus !

Judith, lasse de confronter, n'argumenta plus. Sa mère se donnait raison en tous points et toutes ses conjectures lui attribuaient des intentions blâmables.

– Regarde comme t'es provocante avec cette robe étriquée. Je vais t'en prêter une qui éveillera un peu moins les soupçons. Et porte aussi un bon corset baleiné.

– J'étouffe dans un corset.

– Au grenier, j'ai conservé des lingeries anciennes qui pourront t'être utiles.

Sur le fait, l'aînée, Mélina, entrait de l'étable suivie de son père, ce qui mit fin au débat.

Judith se leva.

– Je vais ajouter deux assiettes.

Monsieur Leblanc venait à peine d'entrer, ses mains sentaient encore le fumier, quand Judith vit sa mère échanger avec lui un regard entendu. Elle aurait juré être en cause. Mine de rien, Judith exerçait une surveillance assidue autour d'elle. Maintenant son père savait. Elle en était sûre. Il la regardait d'un air bizarre, comme s'il la voyait pour la première fois et ensuite il ne leva plus les yeux sur elle, comme si elle n'était plus rien qu'une vermine, une puanteur. Son père devait la classer dans la catégorie des vicieuses.

Judith redoutait son jugement et elle se trouvait gênée de lever les yeux sur lui, de le regarder en face.

L'homme prit place à la table. Il observa un silence qui parlait beaucoup; même ses manières laissaient croire qu'il ne s'intéressait plus à elle. Mais ses vieilles mains tremblaient légèrement. C'était à lui qu'il s'en prenait davantage. Il se sentait responsable d'avoir laissé partir sa fille sans personne pour la protéger. Ce jour-là, il aurait dû l'accompagner.

Comme Judith allait monter à sa chambre, sa mère la rappela.

– Tu manges pas ?

– J'ai pas faim !

– Depuis quelque temps, t'as mauvaise mine. Il faut que tu manges. C'est ta santé qui est en jeu.

Judith déplaça une chaise et l'orienta en biais de son père qui lui causait une gêne. Le front courbé, elle fixait son assiette.

– Ça va aller ! Vous voyez, je mange.

Les quelques bouchées qu'elle s'efforçait d'avaler lui restaient sur l'estomac.

Judith accusa sa fatigue dans le but de monter au deuxième où, ces dernières semaines, elle passait le plus clair de son temps. Mais sa mère la retint.

– Dessers la table avant de monter et balaie la place.

Le bébé frappa du pied dans le ventre de sa mère afin de faire remarquer sa présence. Judith, émue, toucha la bosselure. Elle hésitait entre se réjouir et pleurer. Si son enfant pouvait rester là, à l'abri de ceux qui cherchaient à le lui enlever jusqu'à ce qu'elle soit en mesure de contrer son triste sort.

Sitôt la table dégarnie, Judith monta en flèche dans sa chambre et s'affala sur son lit grinçant. Le jour, cette pièce était le seul endroit où elle se sentait libre soit de penser, soit de s'inquiéter ou même de pleurer. Le soir, elle devait contrôler ses débordements. Ses deux jeunes sœurs se partageaient le lit voisin. Judith aimait ce lieu intime où elle retrouvait la présence d'Émilien par la pensée. Elle resta là, à caresser son ventre, son enfant. Elle ne savait presque rien de la formation d'un bébé dans le sein de sa mère, mais une chose était incontestable, son enfant avait des bras et des jambes. Elle le sentait gigoter.

Mélina mettait de l'ordre dans la pièce voisine.

Du plus loin que Judith se rappelait, Mélina penchait du côté de sa mère, répondant toujours oui, comme si elle n'avait pas sa propre volonté. Judith avait jusqu'alors entretenu une réserve à son égard, mais ce jour-là, comme elle se sentait seule et bouleversée, elle fit taire son préjugé défavorable et frappa trois petits coups à sa porte.

Sitôt entrée, Judith referma doucement sur ses talons. Elle restait là, sans bouger, debout dans son coin, la tête appuyée au mur, le visage inexpressif. Elle cherchait une approbation de n'importe qui. Il lui fallait être bien désemparée pour recourir à Mélina qui était la soumission aveugle à l'autorité.

Mélina lui adressa un sourire. Elle appuya le balai au mur et donna une tape invitante sur le lit. Judith crut même percevoir un éclair dans l'œil pétillant de son aînée.

– Viens t'asseoir près de moi. On va se parler en secret, toutes les deux.

Décidément, Judith hésitait. Toutefois, elle resta.

Sa mère lui avait pourtant défendu de parler de son état à qui que ce soit, même Mélina, de deux ans son aînée, devait être évincée de ce sujet licencieux.

Mélina regardait sa sœur dont les yeux rougis et la bouche tremblotante se tordaient en une grimace de douleur.

Les deux sœurs causèrent avec une familiarité charmante et, Judith en confiance, lui confia ses inquiétudes.

– Mon petit vient de bouger pour la première fois.

– Je peux toucher ton ventre ? Je me demandais ben si tu m'en parlerais. Je suis pas si innocente que maman le suppose, tu sais !

– Penses-tu comme elle, Mélina ? Que je devrais abandonner mon petit ?

– Oui ! Parce que ça peut pas être autrement.

– Alors, c'est que tu comprends rien à rien ! Je te pensais plus humaine.

– Au contraire, je trouve que c'est une cruauté de séparer une mère de son enfant, mais c'est impossible de le garder, à cause du scandale qui s'ensuivrait. Ce sont les commérages, les petits esprits qui font qu'une fille doit donner son bébé. Et si tu remarques, ce sont ces mêmes « bonnes âmes » qui se font aller le clapet à droite et à gauche pour crier de haut leur respectabilité. Sans compter que ce seront peut-être elles les prochaines sur la liste des filles-mères. J'ai entendu dire que, quand une fille met un enfant au monde, ses parents lui enlèvent avant même que sa mère puisse le regarder et le serrer dans ses bras et, en pleine nuit, ils vont le livrer aux parents adoptifs.

Judith resta bouche bée. Un frisson la parcourut et lui donna la chair de poule. Mélina continuait sur sa lancée.

– Par la suite, on dévoile jamais à l'enfant le secret de sa naissance. Ces pauvres filles qu'on dédaigne sont des martyres.

– Ils volent le bébé à sa mère ? Il y a des parents qui font ça, juste à cause des cancans ? Ce sont des bourreaux ! Toi, Mélina, si c'était le tien, serais-tu capable de le donner ?

– Non! Jamais! Je suis ben obéissante, mais pour ça, non! Si j'étais toi, je changerais de refrain. Cesse de parler de garder le bébé, c'est clair et net que ça sert à rien. Si Émilien veut ben de toi, mariez-vous avant la naissance. Comme ça, personne te prendra ton petit. Décide ce que tu veux et ensuite, tiens ton bout sans démordre, quitte à te marier contre le gré des parents.

– Ce sera pas facile.

– Je te pensais plus combative. De nous deux, t'as toujours été la plus fonceuse.

– Tu sais, quand on dépend des autres, on n'a pas d'autre choix que d'obéir. Et pis là, maman soutient que j'ai pas l'âge de décider. C'est vraiment le comble! Émilien et moi allons avoir tous les deux dix-sept ans dans deux mois et elle nous prend encore pour des enfants d'école.

– Si elle refuse, sauve-toi de la maison avant d'accoucher parce qu'après, ce sera trop tard.

– J'ai même pas une cenne noire pour payer mon accouchement! Et ensuite, je vivrai de quoi?

– Je sais pas, moi! Tu t'engageras chez des gens riches ou ben tu quêteras. Mais telle que je te connais, je suis certaine que tu vas gagner ton bout.

– Tu me surprends, Mélina! Toi, si douce, si obéissante, tu serais capable d'affronter les parents et tenir tête jusqu'au bout?

– Pour mon propre enfant, je le ferais et je suis sûre que tu y arriveras parce que t'es une entêtée. Tu te rappelles que plus jeune, tout le monde te traitait de tête de mule?

Judith regardait sa sœur comme si elle la voyait pour la première fois.

– Je te connaissais ben mal.

Sans réfléchir davantage, Judith sauta au cou de sa sœur et l'embrassa sur les deux joues. Elle sentit un léger recul dans l'expression de Mélina. Les épanchements familiers n'avaient pas leur place chez les Leblanc. Mais ce ne fut qu'une gêne passagère. Mélina se ressaisit et sourit. Puis il y eut un moment de silence, moment précieux où deux sœurs, plus ou moins éloignées, devinrent très proches.

Judith alla s'appuyer à la fenêtre, le regard dans le vide.

– J'ose pas descendre quand papa est dans la cuisine. Dès qu'il met un pied dans la maison, j'ai envie de déguerpir. Toujours cette froideur qu'il affiche! J'ai l'impression qu'il m'en veut à mort.

– Il fallait t'y attendre et t'as pas vu le pire. À son retour des chantiers, maman s'en est pris à lui parce qu'il t'a laissée revenir seule avec un garçon. Elle le traitait de mauvais père et elle le rendait responsable de ce qui pouvait s'ensuivre. J'ai entendu des conversations orageuses entre eux.

– Pauvre papa, il est pour rien dans cette histoire. Mais depuis mon retour, il m'adresse plus la parole pis il me regarde plus, comme s'il m'en voulait.

– Avoue que c'est une nouvelle assez dure à avaler mais, avec le temps, les parents vont s'y faire. Cesse de te préoccuper à leur sujet maintenant que tu peux plus retourner en arrière. Tu sais, je savais tout avant même que tu m'en parles. On jase dans la place. Maman aussi a entendu des rumeurs, mais je pense qu'elle refusait d'admettre l'évidence.

– Comment ils l'ont su ?

– Les bûcherons en auraient parlé à leur femme et, d'une langue à l'autre… Tu sais comment ça se passe ! Dans cette paroisse, tout se sait en quelques minutes et les commères se gênent pas pour renfler, broder et étirer.

Judith, confrontée au réel, restait là, déçue que la petite paroisse de Saint-Liguori jase sur son compte, mais davantage résolue à faire face.

– Bon ! Un autre scandale sur la voie publique et cette fois c'est moi qui suis en cause ! Je serai pas la première et sûrement pas la dernière.

Mélina profita du ton des confidences pour s'informer à Judith :

– Dis-moi comment t'as fait pour être certaine que t'étais vraiment amoureuse ?

– Ben ça, quand on l'est, on le sait ! Quand t'aimes un gars, tu peux plus t'en passer. Tu veux être avec tout le temps. Tu penses à lui en mangeant, en travaillant, en t'endormant. Tu fonctionnes en regard de lui et, avec lui, tu peux commettre les pires bêtises. Coudon, Mélina Leblanc, serais-tu amoureuse ?

– Il y a ben sûr des garçons qui me tournent autour, mais j'ai jamais été aussi obsédée que tu le dis.

– Alors, c'est que t'as pas rencontré le bon !

Judith se leva. Enceinte, elle paraissait plus grande. Ses épaules un peu renversées en arrière équilibraient le poids de son ventre où ses mains reposaient. Elle semblait très préoccupée. La décision de sa mère de l'éloigner et de donner son enfant la troublait et la pressait d'agir.

– Mélina, me rendrais-tu un service? Si tu pouvais aller au village en douce, poster une lettre à Émilien. Je crains de la déposer dans la boîte aux lettres. Si maman s'en aperçoit, elle va l'intercepter et je voudrais pas pour tout l'or au monde qu'elle tombe entre ses mains. Je veux qu'Émilien soit au courant de la décision de maman.

– J'irai, mais seulement dimanche, en me rendant à la messe. J'inventerai un besoin, sinon maman se doutera de quelque chose. Tu sais comme elle te tient à l'œil.

– J'ai peur Mélina! Peur de me faire enlever mon enfant, peur de ce qui m'attend! Et quand la famille d'Émilien apprendra que je suis comme ça, ils vont peut-être lui monter la tête contre moi!

– Cesse de t'en faire. Tu vas te rendre malade à force de te tourner les sangs.

* * *

Sur ces mots, Judith retourna à sa chambre et referma la porte en douceur. Elle avait besoin de solitude pour écrire à Émilien. Elle aurait aimé courir vers lui et lui raconter de vive voix les rebondissements imprévus de cette journée, mais c'était impossible. Émilien demeurait à des miles de chez elle. Judith approcha une chaise de la lucarne et déposa un encrier à moitié vide sur le rebord de la fenêtre. Elle s'assit à la clarté du jour, une tablette à écrire sur ses genoux relevés et aussitôt la plume se mit à crier sur le papier. Dans sa dépêche, Judith confia ses états d'âme à Émilien, de ses malaises aux réactions de sa mère. Elle lui parla aussi de sa détresse et du bébé qui bougeait dans son ventre. Elle lui remémora chaque instant vécu ensemble lors de leur charmant séjour dans la cabane et les beaux sentiments qu'elle conservait et alimentait pour lui. Finalement, elle s'offrit en mariage et signa « Ta fiancée ». Quand sa plume s'arrêta, l'encrier presque à sec, elle relut ses onze feuilles noircies au recto et au verso.

« J'espère qu'il va comprendre mon appel au secours et qu'il va s'amener au plus vite », se dit-elle en cachetant la lettre.

Judith y colla un timbre et remit à Mélina une enveloppe blanche, presque aussi bombée que son ventre.

– Suis-moi, l'invita Mélina au grenier, il doit ben y avoir des robes plus amples.

Mélina s'agenouilla devant un coffre au couvercle à moitié arraché qu'on n'ouvrait qu'aux changements de saisons. Elle chambarda de fond en comble tout son contenu.

Les filles extirpèrent de la boîte, une blouse blanche un peu longue. Puis Judith fit une trouvaille heureuse. Parmi les pèlerines et les manteaux, les tuques et les lainages, se trouvait une layette de nouveau-né. Elle descendit quérir une boîte vide et la remplit des petits vêtements. Ensuite, elle retourna à sa chambre, glissa le carton sous son lit et n'en parla plus.

* * *

Chaque matin, Judith surveillait le postillon. Tous ses espoirs et sa solitude du cœur semblaient tenir dans la petite boîte aux lettres unijambiste, plantée sur le bord du chemin.

Ces derniers jours, sa mère la pressait de partir pour la grande ville. Elle empilait les vêtements de Judith dans une petite valise en tôle noire.

– On dira que t'es partie cuisiner dans les chantiers de l'Abitibi. Oublie pas, en A-bi-ti-bi ! Rentre ben ça dans ta tête parce qu'à ton retour, les gens vont questionner et faudrait pas nous enfarger dans nos menteries.

– Vous pensez que les gens vont croire à une histoire de chantier en plein cœur d'été ? Il y a rien de si urgent pour aller m'ennuyer en ville. Ici, au fond des campagnes, personne peut me voir.

Judith tentait de gagner du temps. Émilien devrait bientôt lui donner signe de vie. Les jours coulaient, son ventre bombait et le silence d'Émilien la tuait.

# XIII

Grégoire prit à gauche, puis tira à dia, ce qui le mena à une maisonnette en pierre grise. Il cogna trois petits coups contre la vitre. Gracien et Anita Rondeau, un couple vieilli mais d'une simplicité charmante, l'invitèrent à partager leur repas, comme on le faisait pour chaque passant. Le garçon accepta. Dans la cuisine, cinq grandes filles, les robes taillées sur le même patron et les cheveux coupés en balai, étaient déjà attablées. Marie-Léa lui désigna une chaise à son côté et lui adressa un sourire charmeur, ce qui fit rire ses sœurs. Grégoire rougit jusqu'aux oreilles. Au coucher, on le fit monter au grenier par une petite échelle. Tôt le lendemain, il sortit de la soupente où il avait dormi et reprit le chemin en emportant le sourire de la belle Marie-Léa.

À Saint-Jacques, Grégoire fila directement chez les Dubé. De nouveau, il devrait quêter le gîte. Lui qui pensait se débrouiller seul, il se sentait aussi démuni qu'un enfant.

Sa tante Pâquerette le reçut à bras ouverts, avec toujours la même bonhomie dans le ton de sa voix.

– T'as encore grandi. Quel beau jeune homme, tu deviens !

– Arrêtez ça ! Vous allez me rendre orgueilleux.

– Faudrait pas, l'orgueil est un péché capital.

– Craignez pas ! J'ai la tête pleine de poux et pas un sou pour payer ma pension, ça fait que pour l'orgueil, on repassera. Je viens encore quêter un lit. Comme je savais pas où aller et qui me reste que vous, me v'là ! Je pourrai aider mon oncle aux semences.

– Ton lit t'attend, mais avant, je vais te préparer un bain chaud. Quand t'auras fini ta toilette, tu videras la cuve au bout du perron, ensuite je passerai tes cheveux au peigne fin. Il faudrait pas infester la maison de poux, hein.

– Aux chantiers, les bûcherons se peignaient avec de l'huile à lampe et ça donnait le même résultat. Mais ça puait en maudit !

Grégoire courut aux bâtiments retrouver Émilien dont le scandale alimentait l'opinion publique. Il ramassa un gros caillou qu'il cacha dans son dos et ouvrit la porte en douceur. L'intérieur de l'étable était sombre et presque vide. Quelques vaches, sur le point de vêler, réchauffaient la vacherie. Grégoire fit rouler sa pierre sur le sol jusqu'aux pieds d'Émilien. Celui-ci sursauta et replia la missive de Judith arrivée le matin même. Son air taciturne se changea en sourire. Grégoire lui appliqua une claque dans le dos et les rires des garçons se perdirent dans les meuglements.

– Déjà toi ? On t'attendait seulement après la drave.

– Si encore ça payait ! Je reviens les poches vides. Sauvageau invente toujours des petites retenues ici et là. On est presque rendu à payer pour aller travailler. Si je te disais que j'ai trimé tout un hiver juste pour gagner ma pitance. Le boss dit que bûcher sera plus payant que *cho-boy,* mais j'en doute. Ses belles promesses servent seulement sa propre cause. Donc, je me suis payé moi-même. Viens dehors, je vais te montrer les harnais en beau cuir que j'ai volés à Sauvageau.

– J'appellerais pas ça du vol, mais plutôt un juste retour des choses.

– Eh ben, moi oui! C'est rendre le mal pour le mal. Je me reconnais pas d'agir de la sorte.

– Tu te souviens, Judith t'avait prévenu.

– Justement! Parle-moi donc de ce qui se passe avec cette fille.

– Tu ferais mieux de t'asseoir, parce que j'en ai pas mal long à te raconter.

Grégoire jucha une fesse sur le tonneau où s'abreuvaient les chevaux. Émilien ferma la porte qui s'ouvrait sur le fenil afin de s'assurer de n'être entendu de personne. Il s'assit sur un banc à traire, les coudes appuyés sur ses jambes écartées, les épaules légèrement voûtées.

– On est resté quatre semaines dans la cabane à Japhet. Le vieux est jamais revenu. Paraîtrait qu'il serait retourné en bas, chez son fils. On prétend qu'il souffre de douleurs rhumatismales ou sciatiques. Toujours est-il que les Leblanc ont appris la disparition de leur fille par Dubois, un gars du même chantier que le père Leblanc. On allait quand même pas saisir le courrier de tout le monde! Quand Sauvageau et Leblanc ont surgi dans la cabane, Leblanc a agrippé Judith par un bras et, sans un mot, il l'a lancée dans la voiture. Il devait avoir honte de nous devant Sauvageau. Ils m'ont laissé sur place, Gros-Jean comme devant. J'aurais ben voulu embarquer, mais je leur ai pas demandé. Ç'aurait été pour rien. J'ai dû marcher dix miles à pied par un temps de chien. Je vais m'en rappeler le restant de mes jours !

– On peut dire que vous avez couru après, Judith et toi. Vous avez agi en étourdis.

Émilien sourit ; son visage semblait inondé d'une joie céleste.

– Si tu savais ! C'était le paradis. Si c'était possible, je recommencerais sur-le-champ.

L'instant d'après, Émilien baissa les yeux et quand il les rouvrit, ils avaient perdu leur luminosité. En s'en allant, Judith avait emporté le ciel.

– Tu sais pas le pire, Judith est en famille. C'est pour la fin de juillet ou le début d'août.

– Judith ? Grosse ? On peut dire que vous l'avez cherché ! Puis là, vous allez vous marier ?

– Ben non ! Imagine-toi que ses parents nous trouvent trop jeunes. Pourtant, je marche sur mes dix-sept ans. Le pire, c'est qu'ils veulent forcer Judith à donner le petit.

Grégoire sursauta, comme s'il avait reçu un coup de poignard en plein cœur.

– Refuse, Émilien. T'entends ? Refuse !

– Paraîtrait que quelqu'un de sa famille serait déjà prêt à l'adopter. On se mariera plus tard. On aura ben le temps d'en avoir d'autres.

Grégoire était scandalisé du raisonnement insensé de son cousin, de son détachement, de son manque de responsabilité. Il répéta :

– Le temps d'en avoir d'autres ? On dirait que tu parles de veaux ou de cochons. Cet enfant-là, il est rien pour toi sinon une conséquence ? Il connaîtra jamais son vrai père ? C'est grave ça ! T'es-tu arrêté un instant à y penser ?

Émilien ne dit rien. Grégoire insistait. Il se voyait dans cet enfant.

– Et Judith, elle, ça lui fait rien de donner son bébé ?

– Oh non ! Si tu savais comme ça lui fait mal ! Elle en pleure, mais on a juste seize ans.

– À seize ans, certains gars sont adultes et capables de s'organiser, d'autres, plutôt poules mouillées, se laissent mener par le bout du nez. Tu l'aimes Judith ?

Émilien ne répondit pas, gêné devant son cousin de coller un nom sur ses sentiments. Grégoire ne démordait pas :

– Si tu veux la rendre heureuse, arrange-toi pour garder le petit. Écoute, Émilien, va voir le curé. Paraîtrait que les prêtres en ont vu ben d'autres. Si jamais il trouvait une solution… Après tout, vous avez rien à perdre.

Émilien, battu d'avance, baissa les yeux.

– C'est gênant d'aller parler de ses folies, face à face avec le curé.

– Tu peux commencer par lui parler au confessionnal. Il pourra pas lever le ton. Au besoin, tu prendras rendez-vous au presbytère.

– Dans quinze jours, Judith va partir pour la grande ville. Elle va revenir le ventre et les bras vides. Sa mère dit que c'est le prix à payer pour les filles qui se conduisent mal. Dans deux ou trois ans, on se mariera et on recommencera à neuf.

Émilien avança les lèvres et leva les yeux au plafond.

– Deux ou trois ans, je trouve ça ben long !

Grégoire bouillait de voir son cousin s'incliner devant les décisions des Leblanc.

– Recommencer à neuf ? Ce sera trop tard ! Tu sembles oublier que même absent, cet enfant sera toujours entre vous deux pour vous rappeler votre lâcheté. Si tu te défiles, tôt ou tard, tu devras payer pour ton manque.

Émilien lui rit au nez.

– Ma foi, Grégoire, t'es en train de me faire la leçon ! Tu parles comme un prédicateur ou plutôt comme un vieux sage.

Grégoire, offusqué, le dévisagea.

– Veux-tu savoir ce que je pense de toi ? T'es un mou, une guenille, un égoïste, un lâche qui en plus se permet de se moquer des autres ! T'as pas de tête sur les épaules, Émilien Dubé. Je me demande ben quelles qualités cette Judith a pu te trouver.

Grégoire s'emportait, comme s'il défendait sa propre cause, au risque de briser les liens existants entre Émilien et lui. Il continua sur sa traînée.

– Tu me dis que ce sont les parents de Judith qui décident, hein ! Mais dans la cabane à Japhet, tu t'en fichais pas mal des Leblanc. Aujourd'hui, mets donc tes culottes, montre à Judith que t'es un homme de décisions, de responsabilités. Affronte les Leblanc, montre-toi plus opiniâtre qu'eux. Judith sera soulagée d'un gros poids et elle t'appréciera davantage. Si j'étais toi, je me marierais au plus vite, au risque de me mettre les parents à dos. Je me battrais pour mon enfant. Il y aurait personne pour me l'enlever. Personne, je te le jure !

Émilien restait muet. Grégoire reprit son souffle.

– Maintenant, je vais te dire pourquoi je suis parti de la maison.

Émilien écouta religieusement l'étrange histoire de Grégoire qui se terminait ainsi : « On guérit jamais de son enfance. » Émilien se leva.

– Il me reste seulement quinze jours pour gagner ma cause. Mon oncle Cyrille est la personne la mieux placée pour me conseiller. Je vais aller à Berthier. Tu m'accompagnes ?

– Non ! Après deux jours à cheval, j'ai les reins brisés. Bonne chance ! Avec un peu de ténacité, je suis sûr que tu vas gagner ton bout.

– Sois tranquille, j'ai pas d'autre idée que de voir les miens heureux. T'as ben fait de me secouer les puces. J'ai baissé les bras trop vite. Tu sais, à date, les autres ont toujours tout décidé pour moi.

Émilien, avec toute la fougue de sa jeunesse, passa sous silence sa hâte grandissante d'avoir de nouveau Judith dans son lit.

Grégoire secoua vigoureusement l'épaule d'Émilien. Un sourire complice dénotait l'entente parfaite entre les deux cousins.

# XIV

Un chapelet de voitures bondées d'enfants entassés les uns sur les autres filait allègrement vers l'église pour l'office des quatre-temps. Cette période liturgique revenait quatre fois l'an et comportait trois jours de jeûne et de prières.

À la maison, Judith gardait le dernier-né. Il n'était nullement question qu'elle affiche sa grossesse devant toute la paroisse.

De la fenêtre, elle suivait le défilé des yeux. Les gens disparaissaient sous les hauts-de-forme, les tuques, les manchons de fourrure et les peaux d'ours. Regarder passer les attelages était la seule relation sociale que Judith pouvait se permettre, et cela, derrière une vitre.

Sa lettre à Émilien était partie depuis deux semaines et celui-ci ne lui avait donné aucun signe de vie. Émilien l'avait-il abandonnée ? Sa sœur avait-elle posté la missive comme entendu ? Mélina avait beau le certifier, Judith doutait.

Le petit endormi, elle monta à sa chambre et revint avec un tricot blanc, commencé en cachette. Sur les longues aiguilles pendait le dos d'un gilet de bébé. « Maintenant, je dois me débrouiller seule », se dit-elle, la larme à l'œil. Elle n'avait pas tricoté deux rangs qu'elle entendit un attelage grincer sur le chemin et soudain le trot se changea en un galop furieux. La jeune fille souleva le rideau et reconnut Émilien. Elle échappa aussitôt ses pensées sombres et son cœur se mit à palpiter d'une joyeuse émotion. Elle jeta son doux lainage sur la table et se posta dans l'embrasure de la porte.

Tout le temps qu'Émilien mettait à attacher son cheval, Judith s'agitait, impatiente. Déjà son cœur courait après lui. Ses parents absents, c'était sa chance de partager des confidences intimes avec Émilien et se permettre de l'embrasser à volonté.

Émilien n'avait pas enlevé son feutre que Judith tomba dans ses bras en criant son nom. Elle effleura sa joue de la main, puis ses yeux et son front.

Émilien recula d'un pas pour mieux la regarder. Ses joues s'étaient arrondies, son visage avait pâli, mais ses yeux rayonnaient.

– Comme je suis heureuse ! Je peux pas croire que t'es là, en personne ! Cinq interminables mois, à m'ennuyer de toi, à m'inquiéter pour notre enfant, à t'attendre. Je te laisse plus jamais repartir.

Émilien restait debout, les fesses appuyées sur le rebord de la table, et tenait Judith serrée contre lui. Il caressait son ventre et ne cessait de lui répéter qu'elle était belle, qu'il l'aimait. Et Judith, hypnotisée par la surprise, en oubliait l'étiquette.

– Comme je suis bête ! Donne-moi ton paletot et ton feutre.

– Je brûlais d'impatience de te revoir. Tu sais, tout ce temps-là, je complotais avec mon oncle Cyrille qui est curé à Berthier. Pis là, j'ai fait le voyage de Saint-Jacques à Saint-Liguori exprès pour te dire que tout est arrangé pour nous. Mon oncle curé accepte de nous marier.

– C'est vrai, ça ? Dis-moi que je rêve pas, Émilien.

– Moi non plus, j'arrive pas à y croire, répondit Émilien. Mon oncle préfère que le mariage ait lieu à Joliette plutôt qu'ici.

– Ah oui ? Pourquoi, Joliette ?

– Pour éviter les cancans. Là-bas, personne nous connaît.

– Il pense vraiment à tout !

– C'est lui aussi qui s'est occupé de faire entendre raison à mes parents. Il nous reste juste à fixer une date. Je suis venu pour en parler.

Judith se mit à sangloter avec une frénésie qui ressemblait à un rire houleux.

– J'ai eu si peur de vous perdre, toi et le petit. J'en ai perdu le sommeil. On va habiter où ?

– Chez mes parents.

– Ils sont prêts à nous prendre avec le bébé ?

– Ben oui !

– Et qu'est-ce qu'ils ont dit quand ils ont su ?

– Ils ont pas sauté au plafond.

Émilien était évasif dans ses réponses, Judith jugea bon de ne pas insister davantage. Elle resta silencieuse et triste. Que tout s'arrange, pour eux et l'enfant, était déjà au-delà de ses espérances.

Émilien releva son menton.

– Quand tes parents vont rentrer, je vais faire la grande demande. Ensuite, je reviendrai te voir chaque dimanche jusqu'à notre mariage.

– Et si mes parents te refusent ma main ?

– Ben on se mariera quand même et on fera bénir notre mariage plus tard !

– Ça se fait, ça ?

Émilien se rappela les conseils de Grégoire.

– Disons que ça peut se faire ! Le mariage, c'est le « oui » d'un homme et d'une femme. Le prêtre est là, lui, pour bénir l'union.

– D'abord, marions-nous tout de suite. Viens, on va se placer devant le crucifix, comme ça, on n'aura pas l'air d'être des païens aux yeux du Bon Dieu.

Le petit salon aux volets clos était émouvant de silence et de charme. Judith et Émilien échangèrent leur « oui » et tombèrent aussitôt dans les bras l'un de l'autre. Émus, ils riaient et pleuraient à la fois. Quand Judith put respirer normalement, elle s'exclama, soulagée et confiante :

– Notre enfant a maintenant deux parents. Maintenant, plus personne pourra nous l'enlever.

Puis il leur vint à tous deux la même pensée, une envie irrépressible de s'aimer.

Judith précéda Émilien dans l'escalier.

Le garçon s'approcha du lit et se déshabilla. Il jeta ses vêtements dans un coin et s'allongea. Le lit à peine défait, en bas, la porte s'ouvrait.

– Tes parents ! s'exclama Émilien, pris de panique.

– Rhabille-toi, vite. Je m'en occupe.

Émilien enfila son pantalon pendant que Judith reboutonnait vivement sa robe. Elle se pointa au haut de l'escalier et mentit avec aplomb :

– Nous sommes là, maman ! Émilien et moi, on fouillait dans les boîtes de linge du grenier.

Émilien descendit et croisa Elzéar Leblanc.

– Si vous avez une minute, j'aimerais vous parler.

Le garçon précéda Judith au salon.

Elzéard Leblanc échangea un regard entendu avec sa femme. Tous deux devinaient la raison de cet entretien.

Tout s'arrangeait enfin.

# XV

Deux semaines plus tard, Pâquerette faisait part du mariage d'Émilien à Grégoire.

– Tu sais l'étrangère, cette fille d'en haut, ben tu me croiras pas, elle est venue à bout de convaincre notre Émilien de la marier. Elle va s'installer ici, mercredi.

Bien sûr, Grégoire savait, mais il n'en laissa rien paraître. Il suivait de près tous les développements concernant Émilien et Judith. Émilien avait finalement gagné sa cause, mais pour ce, il avait dû faire face à maints obstacles : les Leblanc, tout comme les Dubé, s'opposaient à ce mariage précipité, s'en prenant à l'âge précoce des tourtereaux. Mais devant l'insistance du bon curé de Berthier, les deux familles avaient dû s'incliner. Ce qui s'avérait une belle victoire pour le jeune couple.

Chez les Dubé, sept enfants s'échelonnaient de seize à deux ans. D'un coup, deux personnes et bientôt trois, s'ajouteraient à la maisonnée, sans compter qu'à trente-huit ans, Pâquerette était encore fertile.

Dans tout ce branle-bas, Grégoire se sentait un encombrement.

– La maison est déjà comble. Je vais essayer de me trouver un coin ailleurs. Vous me devez rien et vous avez déjà fait beaucoup pour moi. Je vivrai jamais assez vieux pour oublier vos bontés.

– Tut, tut ! On se tassera, comme partout ailleurs quand la famille s'agrandit. Là, avec Judith, ce sera trois du coup. Il fallait s'attendre à ça, hein ! C'est juste que j'étais pas prête. Je voyais ce jour-là ben loin. Maintenant, il faut faire avec ! Ti-Louis couchera dans la chambre des filles. Une couchette, ça prend pas ben de la place. Toi, tu partageras la chambre des garçons. Après tout, t'as juste besoin d'un lit pour dormir, hein !

Grégoire se demandait où elle caserait l'enfant d'Émilien. Dans cette pièce, l'espace était insuffisant pour un berceau. Pâquerette n'en parla pas. On ne parlait de ces sujets tabous que tout bas, entre femmes seulement, et on était encore plus discret s'il s'agissait d'un enfant conçu hors mariage.

– De toute façon, moi je retourne aux chantiers à l'automne.

* * *

Grégoire rendit visite à Constant. Il le trouva, la barbe négligée, étendu sur le même lit qui faisait face à la porte avec le même sourire édenté et la même phrase à la bouche :

– Veux-tu me raser ?

– Non !

À force de côtoyer des durs à cuire, des hommes avec qui on ne négocie pas, la manière d'agir conciliante de Grégoire changeait. Son tempérament était devenu direct, ferme, et exigeant. Cependant, il conservait sa belle sensibilité.

Grégoire décapsula une bouteille de bière et la tendit à l'infirme qui la saisit à pleines mains et but à même le goulot.

– Buvez! Quand vous aurez vidé votre bouteille, vous vous raserez. Vous avez pas vos jambes, mais il vous reste encore vos mains et vous allez apprendre à vous en servir, ou ben, plus de bière!

– J'ai pas de force dans les mains. Regarde comme elles tremblent.

– À faire de l'exercice, elles vont retrouver leur vigueur.

Grégoire plaça un petit miroir devant la face de l'infirme.

– Allez! Commencez. Ensuite si des poils dépassent, je donnerai un dernier coup. Quand vous serez présentable, je vous amènerai faire un tour de voiture.

La figure de Constant s'illumina. Depuis son bête accident, il avait très peu de contacts sociaux.

– Sortir? Tu m'en fais toute une surprise! Ça fait des années que je regarde les quatre murs de ma chambre, que j'ai pas pointé le nez dehors.

Grégoire souleva Constant dans ses bras et l'assit sur la banquette. L'infirme tremblait. Était-ce la peur d'être échappé ou encore l'excitation?

Constant s'épatait de sentir le soleil sur sa peau, de revoir les maisons du rang. La lumière du jour semblait raviver leurs couleurs, mais ce n'était qu'une impression. À ne plus voir les choses, celles-ci pâlissent et s'éteignent.

Constant désignait tous les cultivateurs par leur nom.

Puis, Grégoire parla de Joséphine.

– Un bon jour, quand vous aurez retrouvé vos forces, vous lui rendrez visite.

Grégoire vit le grand cou maigre de Constant déformé par une boule d'émotion qui bougeait dans sa gorge.

La sortie fut plus brève que prévue. Constant se tenait péniblement assis sur le siège de la voiture, tout son corps penchait par en avant et sa tête balançait sur ses épaules. Un filet de bave coulait au coin de sa bouche. Grégoire n'avait pas imaginé Constant si faible. S'il avait pu prévoir, il lui aurait évité une si longue promenade. Il étendit l'infirme de tout son long sur la banquette et le ramena chez lui.

# XVI

Ce fut un petit mariage de sacristie, sans toilette spéciale, sans fleurs, sans invités autres que deux témoins. Sitôt l'office terminé, Judith et Émilien revinrent à Saint-Jacques, chez les Dubé.

Judith entrait chez ses beaux-parents pour la première fois et c'était pour y rester. Elle portait une petite robe sage à fleurs mauves. Près de sa jeune femme, Émilien tenait une valise. Judith poussa Émilien devant elle. La jeune femme était mal à l'aise, d'abord à cause de ce ventre gênant, ensuite parce qu'elle se trouvait une surcharge soudaine pour les Dubé.

Sa belle-mère la reçut froidement. Autant Pâquerette était capable de générosité envers les uns, autant elle savait être hostile envers d'autres. La femme avait, comme on dit, les défauts de ses qualités.

Sans la saluer, Pâquerette lui ordonna d'un ton cassant :

– L'étrangère, montez vos choses à votre chambre, vous descendrez pour le dîner.

« Vous descendrez pour le dîner », se répétait la nouvelle mariée. Seulement pour le dîner ! Était-ce bien ce que sa belle-mère laissait entendre ? Judith glaça. Elle questionna Émilien du regard, mais celui-ci ne semblait pas avoir accordé d'attention au propos bizarre de sa mère. Judith surmonta l'humiliation. « Après tout, se dit-elle, les paroles de madame avaient peut-être été lâchées sans arrière-pensées. Madame Dubé m'appréciera quand elle me connaîtra davantage, se dit-elle. J'aiderai dans la maison et je ferai en sorte qu'elle ne puisse plus se passer de mon aide. Et à la naissance du petit, si ma belle-mère n'a pas un cœur de pierre, l'enfant nous rapprochera sans doute, elle et moi ! » Mais plus la journée avançait, plus Pâquerette devenait odieuse. Judith se demandait ce qu'elle avait pu faire ou dire qui aurait pu l'offenser.

Ce soir-là, sur l'oreiller, elle transmit ses premières impressions à Émilien.

– Ta mère m'aime pas ! Je vois ben que je suis la honte de ta famille ! Mais crains pas, je vais tout faire pour rentrer dans ses bonnes grâces.

Judith éclata en sanglots.

Émilien entoura les frêles épaules de ses bras :

– T'es trop sensible ! Ça doit être la fatigue. Quand on est fatigué, on est porté à tout voir en noir.

– Peut-être ! Et pis, j'ai pas de raison de me plaindre ; l'important, c'est qu'on garde notre enfant, et ça, c'est grâce à elle.

– À elle et à mon oncle prêtre.

* * *

Le dimanche suivant le mariage d'Émilien et Judith, la voiture à trois sièges patientait devant la maison. Toute la famille s'y entassa pour la messe dominicale.

Judith suivait en large chasuble marine. Comme elle allait monter sur le marchepied, madame Pâquerette la rebuta durement :

– Vous, l'étrangère, restez ici. Dans votre état, vous avez pas idée de vous exhiber devant le monde ?

Judith, indignée, attendait une intervention de la part d'Émilien, mais comme celui-ci ne dit rien, la jeune femme s'en retourna à la maison, dépitée. « Je pleurerai pas, se dit-elle, la belle-mère serait trop contente ! » Judith s'assit dans la berceuse qu'elle ne prenait jamais et sortit son tricot de laine blanc. C'était le premier morceau de sa layette et il était plein d'espérance.

La cuisine était belle quand la paix y régnait. Judith s'imaginait à cuisiner, à rouler des tartes, mais comme c'était le jour du Seigneur, elle renonça. Elle compta sur les deux prochaines heures de solitude et de paix. Elle les savoura pleinement en remplissant la maison de ses gais refrains. Elle chantait pour son enfant.

* * *

Pâquerette refusait toute aide. En fait, elle refusait Judith. Avec le temps, la jeune femme comprit qu'on l'expédiait. Elle apprit à s'effacer. Elle mangeait rapidement, assise sur le bout de sa chaise et, la dernière bouchée avalée, elle montait à sa chambre.

Sous la domination de Pâquerette, Judith, une fonceuse, une fille déterminée était devenue apathique, diminuée. Souvent, des larmes roulaient sur ses joues. Sa jeunesse, son inexpérience et le fait d'être enceinte la rendaient vulnérable.

Grégoire voyait tout. Judith se laissait manger la laine sur le dos. Les joues rentrées, elle fixait le vide et Émilien ne voyait rien. Grégoire se sentait mal placé pour intervenir. Si au moins, elle sortait de la maison. Quelques rares fois, elle venait le retrouver dans la balançoire. Ils parlaient d'Émilien, des chantiers.

– Je sais que c'est grâce à toi si on est marié, mais si tu savais comme je m'ennuie ici ! Je sais pas quoi faire de la sainte journée.

– C'est pas surprenant, tu passes tout ton temps dans ta chambre.

– C'est le seul coin où je me sens un peu chez moi. Tu sais, quand on dépend de la belle-famille, on n'a pas d'autre choix que de plier et supporter en silence, quitte à passer pour nigaude aux yeux des Dubé. J'ai beau me dévouer corps et âme pour aider ma belle-mère, elle m'expédie ! Si tu l'entendais : Allez l'étrangère, je vous appellerai au besoin, hein !

Grégoire se retint de rire. Judith l'imitait si bien, du geste et de la voix. Mais Grégoire devait trop à sa tante pour s'amuser à ses dépens.

– Un matin, ajouta Judith, j'ai perdu patience. La tuyauterie de la cuvette était bloquée. La belle-mère a trouvé un tampon de cheveux noirs dans le renvoi ; les miens naturellement. Comme de raison, madame Dubé m'a tout de suite rendue responsable. À l'entendre, c'était pire que si j'avais commis un crime. Je me sentais toute poignée par en dedans et j'arrivais mal à retenir mes larmes. Je me suis dit, vas-y ma Judith et, sans réfléchir, je me suis laissée aller à lui débiter tout ce que je pensais d'elle. Si maman m'avait entendue! Elle dit que mon pire défaut de caractère est que je suis disposée à des colères violentes. Cette fois, j'en ai tapé toute une. La belle-mère est restée bouche bée, mais je te dis que sa cuillère cognait dur au fond de son plat.

– Et Émilien, qu'est-ce qu'il a dit de ça?

– Il me boude depuis que j'ai lâché le paquet! Pauvre Émilien! J'ai beau lui dire que je regrette de m'être emportée, il m'en veut à mort. Au fond, il sait ben que je mens pour lui faire plaisir. Avec tout ça, moi, je me trouve pas fine avec lui. Après tout, c'est sa mère. Au début, Émilien m'avait dit que ses parents s'opposaient à notre mariage, mais je pensais que ça leur passerait! Maman disait que l'entente est difficile dans toutes les maisons où vivent côte à côte, belle-mère et bru; que c'est toujours la nature la plus forte qui commande, l'autre est brisée, souvent terrifiée.

– Moi, j'aurai pas ce problème-là, reprit Grégoire, je me marierai pas.

– Pourquoi?

– Pour deux raisons: d'abord, parce que j'ai pas une cenne noire, ensuite, parce que j'aime personne. Je m'occupe d'un vieil infirme et ça me contente. Je sais ben qu'il faudra que je parte d'ici un jour ou l'autre. Déjà, je me sens de trop. Mon oncle Gaspard a sa famille et, avec vous en plus et le petit qui vient, la maison est pas tellement grande.

– Mais où peux-tu aller?

– Certains bûcherons passent toute l'année dans le bois. Je vais penser à cette solution.

– Je les comprends. J'étais si heureuse dans la cabane à Japhet. Mais l'été, il y a plein de moustiques.

# XVII

La petite Madeleine vit le jour le sept juillet. Quand elle naquit, une étoile filante passa devant la fenêtre.

Judith, épuisée par un accouchement prolongé, regardait son enfant pour la première fois. C'était une belle fille vigoureuse qui surprit tout le monde avec ses cheveux blonds quand ses parents étaient tous deux bruns. Elle avait hérité du petit nez retroussé de Lise, la plus jeune sœur d'Émilien.

Le médecin retira de sa trousse une romaine à laquelle était attachée une espèce de sac de toile qui servait de plateau. Il y déposa le nourrisson, souleva la balance à la hauteur de ses yeux et s'exclama :

– Sept livres et quart ! Félicitations au papa et à la maman !

Et il rendit l'enfant au père qui n'en finissait plus de s'émerveiller d'être le créateur d'un petit être si fragile.

Judith, plongée dans une douce béatitude, admirait le tableau : le père et la fille, ses deux amours. Émilien, avec ses dix-sept ans, ressemblait plus à un grand frère qu'à un père. Il avait l'air embarrassé de cette petite vie dont il ne savait que faire. Il craignait de la briser, comme si c'était une poupée de porcelaine et sa jeune femme riait de le voir si maladroit.

Judith sentait un surcroît de tendresse à déverser. Toute sa fibre maternelle tendait vers cette enfant. Elle ressentait un besoin irrésistible de serrer sa fille dans ses bras, de la nourrir du lait de son propre corps. Déjà, ses seins dégoulinaient et souillaient son corsage.

Il faut vraiment avoir vécu une maternité pour connaître l'extase de l'âme, la fébrilité du cœur et ce ravissement surnaturel qui vous transportent au septième ciel. Existe-t-il quelque chose au monde de plus divin qu'un bébé ?

– Donne-moi ma petite Madeleine, Émilien. Je voudrais la garder dans mes bras jusqu'à l'arrivée de maman.

Judith contemplait sa fille avec une adoration dans le regard. La petite, dont les yeux ne voyaient pas encore, reconnaissait sa mère à l'odeur du lait maternel. Elle tournait sans cesse sa petite tête qui cherchait à téter. Judith la souleva, colla son nez dans le cou frêle qui dégageait cette odeur charmante propre aux nourrissons quand elle sentit une menotte effleurer sa joue. Surprise, emballée, excitée, elle appela :

– Émilien ! Viens voir. Je te jure que la petite me voit. Elle a caressé ma joue.

Judith était en pâmoison devant son enfant. Dire qu'elle avait passé à un cheveu d'en être séparée, comme les malheureuses filles-mères. Son bébé se mit à geindre. Judith prit soudain conscience qu'elle serrait son enfant trop fort. Elle lui parla doucement :

– Pour toi, mon trésor, j'ouvrirai ma boîte en fer rouillé qui contient un doux souvenir : deux boucles blondes frisées, parce que tu vois, ta maman et ta grand-maman étaient blondes comme toi quand elles étaient bébés. Plus tard, quand ta maman sera sur le piton, elle ajoutera une boucle de tes cheveux dans cette boîte aux trésors.

* * *

Sans perdre un instant, Gaspard Dubé se rasa de frais, tira de sa penderie, son habit rayé, son chapeau neuf et ses souliers vernis. Il noua savamment sa cravate autour du cou et enfila des gants d'agneau. Revêtu de cette tenue d'apparat, il prit le chemin de Saint-Liguori afin d'annoncer la naissance aux Leblanc et prier ceux-ci d'être compères.

En route, il s'arrêta au magasin général. Il traînait avec lui un panier d'œufs encore chauds. Il le souleva avec précaution, entra par la petite porte de service et fila directement au comptoir.

Sans réfléchir, monsieur Bérubé, le commerçant, l'apostropha bêtement :

– T'es *checké* sur ton trente-sept, aujourd'hui, mon Dubé ! Ce serait-y que tu fais baptiser ?

Dubé essuya la mauvaise plaisanterie comme un affront. Le rouge de la honte lui monta aux joues. Si le marchand cherchait à rabaisser sa famille devant les clients, il ne perdrait rien pour attendre. Dubé rageait intérieurement, mais il fit mine d'ignorer la boutade. En revanche, il ajouta deux sous au prix de ses œufs. « Ça lui apprendra à se tourner la langue sept fois », se dit-il et, satisfait de son marché, il sortit, pressé.

Chemin faisant, Gaspard Dubé rencontra Benoît Tremblay. Les deux hommes firent semblant de ne pas se voir l'un et l'autre. Chacun dissimulait sa petite cachotterie. Gaspard, ne voulait rien ébruiter de cette naissance qui était une gêne pour sa famille et Benoît cachait ses fréquentations coupables avec la veuve Leclerc, chez qui il venait de passer la nuit.

Tout le reste du voyage, Gaspard Dubé se préoccupa de sa maisonnée. Cette naissance comporterait un coût additionnel qui allégerait quelque peu son portefeuille. Il comptait mentalement, sou par sou, ses rentrées d'argent. La coopérative de tabac limitait ses membres à trois arpents de culture, en assurait l'achat et revendait à Impérial Tobacco. Les producteurs faisaient l'objet d'une étroite surveillance. Tous les étés, un mesureur se rendait chez chacun d'eux, toiser la surface cultivée.

Chez les Dubé, les bras ne manquaient pas. Gaspard songea à planter les trois arpents permis par la coopérative, plus trois autres qu'il dissimulerait de l'autre côté de sa terre à bois. Trois arpents en contrebande, c'était un gros risque à prendre, mais avec ce surplus, il doublerait ses revenus. Dans la place, certains commerçants, qui n'étaient pas membres de la coopérative, achetaient et revendaient à Benson and Hedges. Il s'agirait de les contacter. Et si en surcroît, lors de l'écotonnage, il hachait les déchets pour le tabac à pipe, il pourrait vendre directement aux particuliers ! Tout compte fait, il n'aurait qu'à bien tenir sa langue. Gaspard comptait, recomptait et s'emballait d'avance. Il en oubliait de surveiller le nom des rangs.

En débouchant dans l'allée plantée de peupliers, il aperçut la vieille maison décrépite. Une échelle pendait du toit. Les Leblanc étaient assis, pieds nus sur leur perron, une tasse de café à la main. L'homme portait une salopette de travail et sa femme, une robe de semaine dissimulée sous un long tablier. Ils semblaient prêts pour le travail aux champs. Dubé attacha sa jument et fit quelques pas en boutonnant le haut de son veston.

En apercevant l'homme dans ses plus beaux atours, les Leblanc devinèrent aussitôt la raison de sa visite. Ils invitèrent l'arrivant à partager leur repas, mais celui-ci refusa.

– C'est aujourd'hui que vous serez compères. Autant vous préparer tout de suite. Le curé fait dire que le baptême aura lieu à la cathédrale de Joliette à trois heures.

Madame Leblanc sut tout de suite que Judith avait accouché d'une fille, sinon, l'honneur d'être compères reviendrait aux Dubé. Toutefois, elle voulut s'en assurer et s'informa :

– Comme ça, c'est une fille ! Et ma Judith ? Elle a beaucoup souffert ?

– Comme les autres ! Pas plus, pas moins.

« Quelle réponse imbécile ! » pensa la femme.

À Saint-Jacques, madame Pâquerette monta chercher le nourrisson pour lui donner son premier bain, mais Judith refusa de se séparer de son enfant. Elle ne se décidait pas à laisser sa fille entre les mains d'une belle-mère acariâtre. Si celle-ci, pour se venger de sa naissance gênante, allait la malmener…

– Maman s'en occupera.

– Votre mère ? Dans ma cuisine ?

Madame Pâquerette quitta la pièce en bougonnant : « On verra ben ! »

Judith se tourna vers son mari.

– Émilien, veux-tu aller me chercher une bassine d'eau et une débarbouillette. Je vais donner moi-même le bain au bébé. Installe-moi d'abord une serviette sur les genoux.

* * *

La nuit suivante, la petite Madeleine remplit la maison de ses cris. Judith, appuyée sur deux oreillers, essayait de la calmer en la balançant de gauche à droite, comme dans un berceau. Pour ajouter à sa faiblesse et à son désarroi, la nouvelle maman entendait madame Pâquerette marcher en bas, comme pour lui faire sentir que l'enfant dérangeait ses nuits.

Les jours qui suivirent, l'enfant rassasiée de lait, dormait d'un boire à l'autre. Elle devint un bébé sage que sa mère gavait de caresses.

Dix jours plus tard, Judith était sur pied. Elle descendit à la cuisine où madame Pâquerette lui expliqua :

– Regardez ben, l'étrangère, dans la glacière, il y a deux pots de lait. Celui de gauche est pour les Leblanc et celui de droite pour les Dubé. Un œuf à gauche pour les Leblanc, les autres pour les Dubé.

Judith, abasourdie, regardait la marâtre. Elle était aussi rat que son homme. Les Dubé possédaient une vingtaine de bonnes pondeuses. Ils ne levaient pas moins d'une douzaine d'œufs par jour. Où passaient-ils donc ? Judith n'en revenait pas. « Un œuf ! » Elle s'en passerait au profit d'Émilien qui trimait dur. « Avant, se dit-elle, on vivait de peur, maintenant on va vivre de rien. »

La belle-mère considérait son fils et sa petite-fille comme des Leblanc. Non pas que les Leblanc étaient à dédaigner, mais pour une raison inconnue de Judith, madame ne les aimait pas.

Un jour, Judith se rendit à la crémerie et surprit madame Pâquerette en train de rincer les chaudières de lait et vider les rinçures dans le contenant à lait des Leblanc. En quelques jours, la petite dépérit, à tel point que Judith, inquiète, la fit voir au docteur Chénier.

– Votre fille est rachitique, dit-il. Elle n'est pas plus forte qu'une mouche. De quoi la nourrissez-vous ?

Judith expliqua au médecin le régime sévère auquel sa belle-mère l'astreignait. Le docteur Chénier était révolté des agissements condamnables de madame Dubé.

– Je me demande ce que vous attendez de plus pour partir de là. Quittez immédiatement cette maison.

– Mais...c'est impossible !

– Faites-le pour la santé de votre fille.

Judith se mit à pleurer. Le médecin se radoucit.

Les docteurs arrangeaient parfois les différends, empêchaient les procès, réconciliaient les ennemis. Ils soulageaient les cœurs comme ils soignaient les corps. Ils suivaient la loi naturelle écrite dans le cœur. On avait parfois recours à eux comme s'ils étaient préfets de police et les gens les respectaient parce qu'ils avaient besoin d'eux.

– Voici ce que votre enfant a besoin chaque jour pour se développer normalement. Vous remettrez cette liste à votre belle-mère et si votre enfant est de nouveau à la ration, passez me voir sans tarder. J'emploierai les grands moyens.

Judith plia le papier et le glissa dans sa poche. Sa belle-mère se vengerait sûrement, mais comme la santé de sa fille l'exigeait, Judith n'avait pas d'autre choix que d'obéir au médecin. Encore une fois, elle devrait se battre pour son enfant.

– J'y manquerai pas !

– Et voici pour vous.

Le docteur lui tendit un contenant. Vous prendrez chaque jour une infusion de quinquina pur.

– Qu'est-ce que c'est ?

– Un tonique qui vous ouvrira l'appétit.

***

Au retour, Judith fit part à Émilien de sa visite médicale et de son entretien embarrassant avec le médecin. Émilien se raidit. La famille Dubé, c'était chose sacrée et personne, pas même le médecin du village n'avait à intervenir dans leurs différends.

– T'es pas ben ici ? De quoi as-tu été te plaindre encore ?

Judith n'allait pas lui répéter ce qu'il savait déjà.

– Ou ben tu comprends rien ou ben tu fermes les yeux ben durs, Émilien Dubé ! Pendant ce temps-là, ta femme et ta fille souffrent. Ta fille est rachitique, t'entends ? Et moi, j'étouffe dans cette maison. Si j'ai pas de quoi manger, je vais en quémander à mes parents.

Émilien resta bouche bée. De ses yeux perçants, Judith le dévisageait. Elle réalisa soudain qu'elle était en train de l'humilier. Leur vie de couple à peine commencée, les mésententes se succédaient. Pourquoi était-elle méchante à ce point? La menace était-elle le seul moyen pour le secouer? Il fallait bien manger! Émilien aimait-il sa femme et sa fille?

– Si t'avais un choix à faire, Émilien, entre ta mère et ta femme, laquelle choisirais-tu?

– T'as qu'à prendre ce que tu veux dans la glacière. Moi, si j'interviens, maman peut aussi ben me dire: «Prends ta femme, ta fille, tes cliques et tes claques et sors d'ici.» On serait pas plus avancé, hein?

– C'est peut-être ce qu'elle tente de nous faire comprendre par ses comportements étranges.

Judith se radoucit.

– Écoute, Émilien, si tu parlais à ton oncle prêtre? Il nous a déjà aidés. S'il conseillait à tes parents de diviser la maison et qu'on prenne chacun nos pièces?

– Ça te donnerait pas à manger.

– Peut-être ben que non, mais j'y gagnerais un peu d'air pour respirer! Je me sentirais plus chez moi si on avait chacun notre côté. Et puis, dans ma propre cuisine, je pourrais faire mes conserves.

– La maison est trop petite pour deux familles. Mais si ça te fait plaisir, je peux parler à mon oncle. Lui, pourrait nous conseiller. Mais pas un mot à maman. On va lui laisser croire qu'on s'en va chez tes parents à Saint-Liguori.

– Non, on leur dira rien. S'ils posent des questions, on dira qu'on va faire une promenade et qu'on sait pas pour combien de temps.

Judith était satisfaite. Si les choses ne s'arrangeaient pas, au moins, Émilien penchait de son bord; ce qui était déjà une consolation.

# XVIII

Ce matin-là, après plusieurs jours d'une pluie monotone, le soleil se montrait enfin le nez. Tout le village de Berthier descendait dans la rue. Les enfants s'amusaient à sauter à pieds joints dans les flaques d'eau.

Sur le perron du presbytère, le curé allait et venait, son bréviaire à la main. Quelquefois, il arrêtait sa marche pour des reprises d'haleine alors, il passait un doigt sous le col romain de sa soutane qui lui irritait le cou et replongeait le nez dans son livre de prières. Le prêtre n'arrivait pas à fixer son attention pendant plus de dix minutes sur ses dévotions, sans penser à Judith et Émilien. « Bon, en voilà assez ! » se dit-il, et il ferma son livre d'heures.

Lors de sa dernière visite aux Dubé, il avait remarqué le ton hostile qu'employait Pâquerette envers Judith. Elle nommait sa bru « l'étrangère ». Pis encore, il avait été témoin d'un fait déconcertant qui, depuis ce jour, le poursuivait et l'obsédait. Au repas, devant les invités, Pâquerette n'avait servi que des os de poule à Judith. C'était un geste aussi inhumain que surprenant de la part d'une femme aussi généreuse que Pâquerette. La jeune femme avait quitté la table en douce et après avoir saisi une tranche de pain sur le comptoir, elle était montée s'enfermer dans sa chambre. Avait-elle pleuré ? Personne ne semblait s'occuper de son sort. Le prêtre se demandait jusqu'où pouvaient mener la haine et les abus quand Pâquerette et Judith se retrouvaient seules ?

Si ce n'était de provoquer un remous dans la famille, le prêtre aurait partagé le contenu de son assiette avec la jeune femme. Il se contenta de serrer les mâchoires. Pourtant, il détestait fermer les yeux sur les injustices. Gaspard et Émilien ne voyaient donc rien ? Ces deux familles ne pouvaient continuer à cohabiter ainsi sans qu'une ne détruise l'autre, ou plus encore, les deux. Il fallait absolument sortir le jeune ménage de cette maison. Mais comment et par quel moyen y arriver sans faire de grabuge ? Et si Émilien se trouvait un travail à l'extérieur ?

Cyrille Dubé serrait son bréviaire sur son cœur. « Il faut absolument que je voie Émilien, se dit-il. Je lui ferai comprendre que sa petite famille sera plus heureuse ailleurs. »

À toutes les messes, le curé déposait ses instances sur sa patène et ensuite, il s'en remettait complètement à Dieu. Finalement, une nuit, alors que le sommeil le boudait, une idée lumineuse frappa son esprit, une idée qui venait certainement d'en haut. « J'en parlerai à Émilien », se dit-il. Et le bon curé s'endormit sur son beau projet.

* * *

À part, Saint-Michel-des-Saints, Judith ne s'était jamais aventurée plus loin que trois ou quatre petites paroisses des alentours et voilà que le lendemain, elle et

Émilien se rendraient à Berthier. Cette excursion lui donnait la joyeuse impression d'un voyage de noces, même si l'enfant était du voyage.

* * *

Émilien se réveilla très tôt le matin. Il se sentait tout fringant à l'idée de partir. Il s'étira d'un mouvement brusque qui ébranla le lit et réveilla Judith. Leur sourire complice dénotait leur entente secrète. Il s'amusait à pousser sa jeune femme du pied, jusqu'à la précipiter hors du lit. Vaincue, Judith se retrouva assise par terre, à se tordre de rire et, n'en pouvant plus, elle plaça les mains devant sa bouche pour étouffer des petits cris incontrôlables.

– Arrête de faire le fou, sinon, je vais déranger toute la maisonnée.

– Dépêche-toi !

– C'est ce que je fais depuis que tu m'as réveillée.

Judith descendit l'escalier sur la pointe des pieds. Elle tenait dans ses bras l'enfant encore endormie. Émilien la devançait portant une petite malle que la veille, Judith avait rempli d'effets pratiques pour leur fille. En passant devant la chambre des parents, la porte émit un très léger grincement et Pâquerette étira le cou. Judith, le cœur étreint d'angoisse, ne savait plus si elle devait avancer ou reculer. Elle regarda Émilien. Il donna un coup de tête discret qui lui indiquait d'avancer.

Sans un mot, Pâquerette referma et retourna à son lit.

Émilien coupa quatre tranches de pain qu'il beurra et se rendit à la glacière s'approvisionner de quelques tranches de rôti. Il enveloppa le tout dans un papier ciré brun et l'apporta dans la voiture.

Sitôt dehors, Judith respira d'aise. Elle avait le goût d'applaudir tant le bonheur la transportait.

– Ouf! On n'a pas eu à rendre compte de notre sortie à tes parents. J'aime mieux ça qu'un mensonge.

– J'ai pas osé prendre de l'eau pour éviter de faire du bruit avec la pompe, mais quand la soif nous prendra, on s'arrêtera à une maison et on en demandera. Personne nous refusera un verre d'eau.

La jeune femme, assise sur la banquette dure, tenta de donner le boire à Madeleine, mais la petite but à peine deux onces. Le roulement monotone des roues sur le gravier l'endormit. Judith essuya le surplus de lait qui bavait au coin de sa bouche.

Émilien et Judith se sentaient enfin libres comme l'air et heureux comme ils ne l'avaient plus été depuis la cabane à Japhet.

Émilien enroula les guides à son fouet et, les mains libres, il fourra le pain d'un peu de rôti et en offrit à Judith. À tout moment, Émilien regardait sa femme et lui adressait un sourire qu'elle lui rendait aussitôt.

Arrivés à Joliette, ils s'arrêtèrent un moment sur la place Bourget, appelée place du Marché, histoire de se dégourdir les jambes. Émilien acheta deux grosses pommes et l'attelage reprit le chemin qui menait à Berthier.

* * *

Judith frappa à la porte du presbytère et recula d'un pas.

La jeune femme connaissait déjà le prêtre. Tout ce dont elle avait gardé de son souvenir étaient sa bonté, sa belle prestance et son langage soigné. Il était aussi un aimable causeur. Toutefois, en sa présence, elle éprouvait toujours la même honte de sa maternité précipitée. Elle craignait qu'il en vienne à lui adresser un blâme sévère sur sa conduite antérieure.

Judith poussa Émilien devant elle. Mais face à sa situation embarrassante, Émilien, en bon mouton qu'il était, tira de l'arrière et se plaça en retrait dans l'angle extérieur du portique. À la pensée de se plaindre de sa famille, une terrible gêne le gagnait.

– Je me demande ce qu'on est venu faire ici, dit-il.

Judith était sur le point de se fâcher. Ce beau voyage allait-il se terminer en queue de poisson avec par surcroît, un malentendu entre eux ? Elle tira sa manche et rétorqua :

– Tu t'en rappelles pas ? Demander de l'aide ! Tu vas pas reculer ? Au pis aller, si les choses tournent mal, on repartira comme on est venu.

On tardait à répondre et l'attente leur paraissait une éternité. Quand on est pressé, on a l'impression que ça ne finira jamais. Émilien suggéra de retourner à la maison, mais Judith s'opposa carrément.

– Moi, je reste. On n'aura pas fait cette longue route pour rien.

Finalement, la porte s'ouvrit sur une vieille servante affable qui recula un peu pour laisser la voie libre. Elle essuyait ses doigts sur son tablier.

– Veuillez me suivre au bureau. Monsieur le curé sera là dans la minute.

La dame désigna une porte et s'effaça en douceur.

Le curé Cyrille Dubé apparut enfin.

C'était un grand homme, très droit, presque chauve avec des yeux pleins de bonté. On retrouvait chez lui, le sourire des hommes cultivés et la réflexion des esprits les plus sérieux. Il tendit une main chaleureuse, puis retira doucement la couverture de finette qui dissimulait l'enfant.

– Faites voir cette merveille, dit-il.

Judith se retrouva aussitôt en confiance et ses nerfs se détendirent. Le grand-oncle examina pendant un bon moment l'enfant à la mine rosée, au regard pur et promena son index sur le menton charnu. Il s'adressa directement à la petite fille :

– Je te tiens à l'œil, tu sais. Je surveille ton évolution à savoir à qui ressemblera cette quatrième génération.

Aussitôt, les deux plus jolies menottes au monde se mirent à battre l'air comme si elles tentaient de saisir les mots au vol.

Puis le prêtre se tourna vers Émilien.

– Quelle belle surprise que cette visite ! Je me proposais justement d'aller faire un tour à Saint-Jacques et voilà que c'est Saint-Jacques qui vient à moi. Passez donc à la cuisine, ce bureau est un appartement un peu trop révérencieux. Nos propos seraient exposés à prendre un ton officiel.

Une odeur de brioches à la cannelle embaumait la pièce que trois fenêtres ensoleillaient. La cuisine, peinte en blanc, était d'une propreté extrême. Judith déposa sa fille sur la table. L'oncle, tout en devisant gaiement, souleva la petite avec mille précautions et l'emporta dans la berçante.

Judith souriait. Pour elle, c'était un fait inusité de voir un prêtre bercer un enfant.

– Vous resterez à dîner avec moi ?

– Si c'est une invitation, on accepte avec plaisir reprit Émilien.

– C'est que j'ai à discuter avec vous de choses sérieuses, mais seulement quand vous m'aurez promis que tout ce qui se dira dans cette pièce restera entre nous.

Judith et Émilien intrigués acquiescèrent d'un signe de tête.

– Mademoiselle Clémence, dressez deux couverts de plus. Mes neveux partageront notre dîner. En attendant, veuillez nous servir un thé et des brioches.

Émilien sourit.

– Un quatrième repas ? Les curés se permettent des gâteries. Nous, à la ferme, on prend seulement trois repas par jour. La fantaisie fait pas partie de nos vies de campagnards.

– Ce sont de douces habitudes qui deviennent routinières. La vie des villageois est bien différente de celle des paysans. Certains la trouvent plus douce, d'autres plus dure. Ça dépend de quelle perspective on la regarde.

– Moi, reprit Émilien, avoir le choix, je ferais partie de ces premiers. Quel délice de vivre ici ! J'ai peut-être manqué ma vocation.

– C'est un peu tard pour y penser, rétorqua Judith.

La servante s'empressa de répondre aux caprices du curé. Elle recouvrit la table d'une nappe amidonnée et y déposa un samovar, un sucrier et un crémier en argent. Judith s'épatait. Elle n'avait jamais rien vu de tel. La vaisselle et l'argenterie à godrons brillaient au soleil de midi. Ce faste donnait un air de réception officielle. La ménagère s'affairait à dresser la table. « Deux fourchettes, remarqua Judith, je me demande ben laquelle on doit choisir en premier ? » La jeune femme ne connaissait que les habitudes rustiques de la ferme. Elle possédait pourtant une délicatesse innée de goût et de jugement. Près d'elle, Émilien conversait allègrement. Peu lui importait l'ordre des fourchettes. Les paysans ne s'en font guère avec les convenances et Émilien se bornait à l'essentiel qui réduisait le rôle de l'ustensile à simplement porter la nourriture à la bouche. Judith n'aurait qu'à surveiller et imiter le prêtre.

Mais pour le moment, la jeune femme se préoccupait davantage de l'atmosphère chargée de mystère. L'oncle curé avait dit : « J'ai à vous parler de choses sérieuses. » Judith ne se sentait plus aussi à l'aise que tantôt. « Est-ce que la discussion portera sur mon incartade avec Émilien ? » Cette conduite scandaleuse était devenue une hantise chez la jeune femme. Toutefois, elle eut tôt fait de se raviser. À la façon dont le prêtre se conduisait avec la petite Madeleine, Judith n'avait rien à craindre.

Le repas servi, le curé fit signe à mademoiselle Clémence de s'effacer. Il n'attendait que son départ pour parler à l'aise.

– J'ai des vues sur vous, dit-il. J'ai élaboré un projet qui vous touche particulièrement et ce sera à vous d'y donner suite ou pas. À ma dernière visite à Saint-Jacques, j'ai pu remarquer le contexte familial délicat dans lequel vous vivez. On ne peut pas supporter longtemps une situation aussi tendue, pour ne pas dire insoutenable. Je sais que ce n'est pas rose pour vous de vivre entassés les uns sur les autres. À la longue, la situation va empirer et tout le monde va en souffrir, même votre enfant.

Judith toisa Émilien d'un coup d'œil qui en disait long. Ce dernier entendait sa femme penser: «Tu vois ben, Émilien Dubé, que j'exagérais rien!»

Ses réflexions furent de courte durée, l'intrigue l'emporta sur ses suppositions et capta tout son intérêt.

– Je crois être en mesure de vous aider. Les années filent et, à mon âge, je suppose que j'ai un plus grand nombre d'années en arrière qu'en avant. Un jour, je serai forcé de me retirer, donc, comme je me proposais de construire une résidence à Joliette, je me suis dit, pourquoi pas tout de suite! Émilien et Judith pourraient en profiter. Si vous êtes intéressés, vous pourriez y résider et quand viendra le jour de ma retraite, je m'y retirerai et vous me soignerez jusqu'à ma mort. À ce moment-là, la maison et tous mes biens vous reviendront.

Judith, éblouie n'en revenait pas de sa surprise. Elle posa sa main sur l'avant-bras de son mari.

– T'entends ça, Émilien? Une maison neuve! Dans le grand Joliette!

Ce prêtre était sans contredit un saint descendu du ciel. Sans qu'Émilien et Judith aient besoin de parler de leur problème, l'oncle leur apportait la solution. Il les prenait sous sa protection.

Émilien ne parlait pas. Il pensait: «Mon oncle a donc ben de l'argent. Comme il a dû ménager! C'est toute une affaire!» La proposition était alléchante, mais il fallait aussi trouver un travail.

– Et mon père? Il compte sur moi pour l'aider.

– Ton père est encore jeune, il se débrouillera avec tes frères. Sur la ferme, tu devras te contenter d'un revenu de misère. Toi, Émilien, c'est à ta petite famille que tu dois penser d'abord.

– Votre offre m'intéresse, mais il me faudra trouver un travail dans le coin.

– Je te laisse te débrouiller avec ça. T'auras du temps pour ça. La maison ne serait pas prête avant quatre ou cinq mois. Et j'insiste, pas un mot à tes parents. Je les informerai moi-même de cette initiative au moment opportun.

L'oncle tenait à ce que tout se passe en douceur.

* * *

L'arrivée de la vieille servante mit fin à leur entretien.

– Judith, aidez mademoiselle Clémence à débarrasser la table, Émilien et moi, passerons au salon. Nous avons à converser entre hommes de choses et d'autres.

Judith profita d'être seule avec la servante pour s'initier au service de table. Elle ne parla pas de l'offre du curé, mais tout en essuyant avec délicatesse le cristal ciselé, elle questionnait, au risque de passer pour niaise, sur la place déterminée pour chaque pièce de coutellerie, les tasses, les coupes, les chandelles, enfin, comment respecter les règles de la bienséance. Un jour, elle manipulerait la même vaisselle ourlée d'or et servirait les invités du curé à une aussi belle table. Judith voulait être à la hauteur. Elle en avait beaucoup à apprendre.

– Je suis pas habituée à tant de cérémonies. Chez moi, les gobelets et les assiettes sont en étain.

La vaisselle en étain était alors celle du pauvre. Dire que quelques décennies plus tard, ces pièces de métal gris, ciselées et travaillées seraient recherchées des bourgeois les plus cossus !

* * *

Au salon, le prêtre s'assit le premier, puis désigna un fauteuil à son neveu.

Émilien, pensif, voyait sa vie changer du tout au tout : une nouvelle maison, un nouveau travail, le bruit des usines et de la ville, l'achalandage des commerces.

– J'aurais jamais pensé élever mes enfants dans une ville ! Il y a tout un monde entre la ville et la campagne.

– Si j'ai un conseil à te donner, presse-toi pas trop pour un deuxième enfant. Tu sais, les naissances, ça se contrôle. Je vais vous en donner le secret, mais je veux que ça reste confidentiel, strictement confidentiel !

Le prêtre encouragea Émilien à pratiquer l'abstinence pendant certains jours du mois afin d'éviter les grossesses.

– Ainsi, vous pourrez avoir seulement les enfants désirés, ce qui vous permettra de les faire instruire.

* * *

Judith et Émilien se retrouvèrent joue contre joue sur l'oreiller et un entretien très doux les tint éveillés. Émilien accepterait l'offre de l'oncle Cyrille. Leur joie secrète ne pouvait se manifester que dans la nuit qui se prolongeait et ils en oublièrent le lever difficile. Ailleurs, la vie serait plus agréable pour eux et pour les Dubé. Judith jubilait. Depuis son arrivée chez les Dubé, elle voyait bien qu'Émilien n'avait pas la vocation de fermier. Il se faisait toujours tirer l'oreille pour aider aux champs. Judith ne lui en soufflait jamais mot, mais elle rêvait de le voir travailler pour un employeur.

– La proposition de ton oncle m'a donné un coup de fouet. Je me sens prête à faire face aux pires intempéries. Nous aurons une maison claire et chaude où régnera l'amour, où les repas seront sans drames.

– Tu veux passer la nuit à jaser ou ben à dormir ?

Judith lui appliqua un baiser sur la bouche, ce qui closit l'entretien.

Depuis qu'une nouvelle avenue s'ouvrait devant lui, Émilien tournait en rond. Il ne se sentait plus à sa place sur la ferme, mais il devait encore rester là, à travailler la terre, tout désintéressé qu'il était des récoltes. Il se sentait en vacances quand son père l'envoyait acheter de la moulée ou du poison à la meunerie. Lorsqu'il s'y rendait avec Judith et l'enfant, leur conversation convergeait toujours vers Joliette, vers l'avenir.

* * *

Le curé Dubé eut recours à Alphonse Durand, un architecte de renom, qui dessinait des plans de style néo-Queen Anne passé au style *single* américain.

Durand et le prêtre firent d'abord une tournée des réalisations de l'architecte. Toutes étaient des résidences cossues à l'aspect de petits châteaux, aux toits à longues pentes et munies d'un balcon au-dessus de l'entrée.

Le curé Dubé accorda aussitôt sa confiance au diplômé. Durand esquissa de quelques traits un aperçu général de ce que serait la grande maison; un harmonieux désordre de pignons et de toits pentus. L'architecte exécuterait ensuite un devis contenant l'évaluation du temps et des matériaux.

Cyrille Dubé se leva, satisfait de cette première ébauche.

– J'apporte ce croquis à mon neveu. Ça lui donnera une idée de ce que sera notre résidence.

– Je regrette, monsieur l'abbé, ceci n'est qu'un gribouillis. Votre neveu devra attendre que mes plans soient complètement terminés.

– Et ce sera pour bientôt?

– Revenez au bout d'une quinzaine. À ce moment, on revisera certains détails concernant la petite finition.

Sur ce, le prêtre et l'architecte se serrèrent la main.

L'architecte sorti, le curé se frotta les mains de contentement. Il attendrait les résultats avec fébrilité.

# XIX

La face blême de la lune posait un regard froid sur les bouleaux et ses faibles rayons découpaient de grands squelettes noirs sur la neige blanche.

Grégoire se retrouvait de nouveau au bout du monde. Il en était à son deuxième hiver aux chantiers.

Bethléem était comblée, elle qui croyait ne plus jamais le revoir. Durant toute la belle saison, elle avait tenté de l'oublier, de s'intéresser à autre chose, mais pas un seul instant elle n'avait cessé de penser à lui. Son absence lui avait laissé l'impression d'un vide immense. Maintenant, Grégoire revenu, c'était la fin de ses tourments. Quelle douceur de le sentir là !

Grégoire vit approcher Bethléem dans toute sa fraîcheur. Elle portait une robe affreuse et de mauvaises godasses qui donnaient à sa démarche une allure gauche et un peu enfantine. Malgré son accoutrement bizarre, elle avait la plus jolie mine du monde. La chandelle éclairait son visage délicat et la petite flamme dansait dans l'émail bleu de ses prunelles. Grégoire ne se rappelait pas que la fille avait les yeux si limpides.

Tel que promis, chaque soir, il lui enseigna à lire et à écrire. La jeune fille apprenait facilement.

– Épelle-moi le mot parent.

Aussitôt, Grégoire fut distrait. La pensée de son père revenait. Il y avait songé une bonne partie de la nuit et tout au long du jour, Grégoire avait ressenti une impression de vide, de solitude, d'amertume. Depuis la confession de sa mère, son emballement s'était estompé. Il avait été très déçu que son père soit un inconnu, qu'il ne soit pas de la paroisse. Comme le disait sa mère, il était sans doute mort au champ de bataille et elle devait avoir raison, sinon son amoureux serait venu la retrouver. Grégoire hésitait à se lancer dans de nouvelles recherches. Il laissa tomber le crayon jaune sur la table et se leva. Il préférait penser en toute tranquillité à ce qu'il déciderait.

– On reprendra tout ça demain, dit-il.

– On vient seulement de commencer, se plaignit Bethléem, le front bombé penché sur sa feuille blanche.

Mais déjà, Grégoire n'était plus là. Bethléem se vit dans la pénible obligation de fermer son cahier. Elle croisa ses mains et étira ses longs bras secs, puis elle se ramassa sur elle-même à se morfondre, à mâchouiller son crayon.

Toute sa vie, elle était en lutte contre le temps trop long ou trop court, mais toujours au sens contraire de ses émotions. L'heure de lecture était le plus merveilleux moment de sa journée. Grégoire à ses côtés, Grégoire qui dépensait du temps pour elle toute seule, ses beaux yeux pers sur ses mots ébauchés, sa main qui effleurait et parfois touchait la sienne, et les émotions agréables qui la gagnaient. Elle ne se trouvait jamais assise assez près de lui. Et Grégoire semblait ne s'apercevoir de rien. Il était peut-être, comme elle, capable de feindre ses états affectifs : pâleurs, rougissements, palpitations. Bethléem possédait une capacité de paralyser, d'enregistrer et ensuite, la nuit venue, comme dans un film, elle déroulait ses souvenirs : les paroles, les silences, les gestes, les regards de Grégoire. Doucement, Bethléem s'éprenait. Puis elle visionnait de nouveau et plus la scène se déroulait, plus elle s'attachait à Grégoire pour chaque fois, n'avoir rien au bout.

* * *

Les hommes venaient de rentrer dans la cookerie où le souper les attendait. Grégoire s'habilla à la hâte. Il lui fallait soigner les chevaux à l'écurie. Comme il sortait, il vit une inconnue peinte et poudrée, filer à toutes jambes vers le camp du mesureur. Qui était cette curieuse créature et pourquoi se cachait-elle ? Peut-être sa femme, mais où mangeait-elle ? Il ne l'avait jamais vue à la cantine. Il poussa machinalement la porte de l'écurie et sursauta. « Lavigne fornique avec une deuxième poupoune », se dit-il. Lavigne, qui avait une femme et des enfants, s'amusait avec une étrangère. Grégoire, scandalisé, referma la porte aussitôt et se cacha un moment derrière le bâtiment. Une autre, se dit-il, mais combien sont-elles et d'où sortent-elles ? Il rentra au camp et fit signe à Jean-Valère Chalifoux de le suivre. Ils s'éloignèrent un peu des casernes et Grégoire raconta sa découverte. Chalifoux était furieux.

– Viens, suis- moi.

Ils marchèrent jusqu'au camp du contremaître où Chalifoux, rouge de colère, s'informa :

– Voulez-vous me dire d'où viennent ces maudites guidounes qui forniquent avec vos hommes sur votre territoire ?

Sauvageau tenta de se débarrasser de Grégoire.

– Toi, le *cho-boy*, va soigner les chevaux.

– Je peux pas ! Il y a un homme et une fille les culottes à terre dans l'écurie.

Le contremaître se leva, nerveux, fou de colère et ouvrit.

– Toi, sors d'ici et ferme ta grande gueule !

Grégoire obéit.

Sauvageau invita Chalifoux à s'asseoir et à trinquer avec lui. Ce dernier refusa l'offre. Il reconnut dans la flatterie du boss, un moyen bassement intéressé pour le gagner à sa cause en transgressant ses propres lois.

Sauvageau expliqua :

– Je suis tanné de faire du recrutement pour perdre mes hommes, la saison à peine commencée. C'est le seul moyen que j'ai trouvé pour les retenir dans le bois.

– Mais c'est dégoûtant ! Tout ce qu'il y a de plus bas, de plus honteux. Chassez ces greluches immédiatement, sinon j'avertirai le clergé et les femmes des bûcherons. Avec votre mauvaise réputation, vous perdrez, non pas quelques-uns de vos hommes, mais tous.

– Ça va, ça va ! C'était seulement un essai. Demain, avant le lever du jour, j'irai les reconduire.

– Ça dure depuis combien de temps ?

– Seulement deux semaines.

– Déjà, vos hommes se grattent à deux mains, sans compter qu'ils vont transmettre les microbes à leur femme.

Sur ce, Chalifoux sortit en claquant la porte.

* * *

Le lendemain fut un jour d'excitation. C'était la distribution du courrier.

– Beaupré ! cria Sauvageau.

Grégoire, fébrile, se fraya un passage en bousculant le groupe d'impatients.

Bethléem s'avança en douceur, sur la pointe des pieds, vers l'angle où Grégoire se tenait assis. La correspondance de Grégoire la préoccupait autant que la hantise de la mort.

Appuyée au chambranle de la porte, elle respirait, le cœur serré. « Encore une enveloppe rose ! » se dit-elle. Dieu qu'elle détestait cette couleur de minauderies. Pour comble, elle avait cru apercevoir des petites marguerites jaunes orner les contours des pages. Bethléem se demandait ce que ces lettres pouvaient contenir de mots doux. Comme elle enviait cette rivale qui écrivait, de pouvoir entrer dans les pensées de Grégoire, de lui parler au cœur. Bethléem vouait une certaine hostilité à cette fille qu'elle ne connaissait ni de nom ni de visage. Elle éprouvait toujours une crainte morbide de perdre Grégoire, même si celui-ci ne lui avait jamais appartenu.

Grégoire se retira dans un coin. Il ne se rendait pas compte que, du coin de l'œil, Bethléem surveillait son attitude afin de détecter un signe, un sentiment, un sourire ; pas plus que Bethléem ne remarquait les yeux des bûcherons braqués sur elle, à observer ses réactions émotives. Ces deux jeunes suscitaient l'intérêt général des deux camps. Quelques intéressés anticipaient une idylle amoureuse entre Grégoire et Bethléem, tandis que les plus réservés se contentaient d'être des témoins oculaires et silencieux, mais ceux-ci n'en pensaient pas moins que ceux-là, devant les regards échangés et les états d'âme de la fille.

Grégoire décacheta l'enveloppe rose. Il sut tout de suite, à la couleur du papier, qu'elle venait de Martha. Il lut :

*Cher Grégoire,*

*Je conserve toutes tes lettres dans mon troisième tiroir. Elles sont cachées sous mes deux chandails de laine et, quand c'est ennuyant ici, je les relis.*

*Les récoltes rentrées, l'ouvrage diminue et nous avons un peu plus de temps libre, quoique les petites ont attrapé la rougeole. L'épidémie court à l'école. Tout a commencé par une grosse fièvre. Si tu les voyais ! Laurette surtout. Elle est rouge de la tête aux pieds. On tient la chambre sombre parce que leurs yeux coulent beaucoup. Maman se demande si Laurette va pouvoir s'en sortir sans conséquences graves.*

*J'ai rencontré ta tante Pâquerette dimanche sur le perron de l'église. Elle m'a dit qu'Émilien et l'étrangère sont partis de chez elle. J'ai eu beau questionner, j'ai bien vu qu'elle ne voulait pas parler.*

*Les quêteux Jobé viennent de passer. Ils ont demandé des œufs, de la crème et du beurre. Maman leur a aussi donné des pommes, une pour chaque enfant. Pourtant, les pommes on les achète. Leur Joséphine travaille chez monsieur le docteur. Paraîtrait qu'elle est en amour avec Pierrot Tremblay.*

Le garçon ferma les yeux. Seules les lettres qui parlaient de Joséphine avaient une réelle valeur pour lui. Par la suite, il passait des semaines à penser à cette fille. La fièvre le brûlait à la seule pensée de son amie. Il la sentait aussi vivante qu'au temps où, au premier coup de sifflet, il accourait à elle, porté par l'allégresse. Sa pensée s'envola à Saint-Jacques où il revit Joséphine et son pipeau, Joséphine à la laiterie, Joséphine qui l'invitait à mendier. Grégoire réalisa qu'il était sur le point de la perdre au profit de Pierrot. Il ne devait pourtant pas se surprendre, les Tremblay avaient toujours fait partie de la vie de Joséphine. Toutefois, cette nouvelle le terrassait, l'assommait. Il n'aurait jamais pensé qu'un autre garçon lèverait les yeux sur une mendiante. Pourtant, le maudit Tremblay était sur le point de s'en amouracher. Sans s'en rendre compte, Grégoire entretenait la rancune tenace qui existait déjà entre les familles Tremblay et Beaupré.

Comment regagner l'estime et le cœur d'une fille quand on n'a rien à lui offrir, rien d'autre que sa tendresse ?

Grégoire ouvrit les yeux et reprit sa lecture, qui, pensait-il, ne pouvait plus rien contenir d'intéressant.

*Monsieur Baillargeon, le frère de l'infirme que tu connais, est mort subitement. Paraîtrait que le pauvre Constant va être obligé de déménager parce que madame ne peut plus le garder. Leur terre sera vendue. J'ai pensé que tu aimerais le savoir*

*Sur ce, je te laisse. Tes lettres sont toujours trop courtes.*

*J'ai hâte que tu reviennes et j'espère que ce sera pour de bon, cette fois.*

*Bonne semaine et prends bien soin de toi,*

*Ton amie Martha*

Sa lecture terminée, Grégoire aperçut Bethléem qui se cassait le cou à regarder au-dessus de son épaule.

– Elle en écrit donc ben long ! dit-elle, le regard amer.

Grégoire ne put s'empêcher de lui adresser un reproche.

– Écornifleuse !

Sous l'effet de la surprise, Bethléem, lui tira la langue.

La petite curieuse ne savait pas lire, mais elle n'était pas aveugle pour autant. Toutes ces fleurs autour des pages roses devaient signifier quelque chose de doux et ça lui fendait le cœur.

Grégoire semblait absent, distrait. Bethléem en avait l'habitude. Les lettres créaient chaque fois une distance entre eux.

Et les jours suivant le courrier, c'était comme si Grégoire la voyait de loin.

En proie à une grande émotion, Grégoire froissa les feuilles de papier. Constant, le seul qui lui était fidèle, avait besoin de lui ! « Je dois absolument descendre par chez nous », se dit Grégoire.

Bethléem assista à son départ.

– Tu vas voir ton amoureuse ?

Grégoire ne répondit pas. « Ça lui apprendra à fouiner dans mon courrier ! » se dit-il.

Bethléem resta clouée sur place, elle-même deux fois morte.

Seule, dans l'intimité de sa chambre, elle se laissa aller à pleurer. Des larmes de rage brûlaient ses paupières et inondaient ses joues. Avoir tant espéré, tant pris patience pour en arriver à pareil résultat ! Elle avait gâché des heures en babillage, en projets amoureux et il osait partir et la planter raide là pour une autre. « L'imbécile ! » Elle haussa les épaules et poussa un soupir de bûcheron. Son passé n'existait plus. Grégoire était mort avec son départ, mort et enterré. « Qu'il aille au diable ! Et la fille avec ! »

Sans Grégoire, Bethléem redevenait la fillette effacée et chétive que la vie malmenait.

# XX

La maison des Baillargeon était remplie d'inconnus, en vêtements de deuil, qui parlaient à mi-voix.

Tout le monde figea à l'arrivée d'un bel étranger. La veuve, le visage émacié, s'avança. Grégoire enleva avec émotion son chapeau qu'il tint sur son cœur et offrit ses sympathies à madame que la douleur rendait muette. Ensuite, il demanda la permission de monter rendre visite à Constant.

Il trouva l'infirme, le visage défait. Bien sûr, Constant pleurait la mort de son frère, mais il se lamentait encore plus sur son propre sort. Qu'adviendrait-il de lui maintenant ? Sa belle-sœur parlait déjà de vendre la ferme et de retourner au village où se trouvait toute sa famille.

En apercevant Grégoire, Constant s'efforça de sourire.

– J'ai un peu l'air bête, mais je suis content de te voir.

Grégoire lui donna une franche poignée de main.

– Je suis navré pour vous, dit-il.

Le garçon aurait aimé parler de ses sentiments à Constant, mais celui-ci étant en grand deuil. Les circonstances ne se prêtaient guère aux confidences.

L'infirme parlait avec une nervosité dans la voix.

– Ferme la porte ben comme il faut, pis viens t'asseoir sur le lit, ici, juste à côté de moi, que je te sente ben là et que je te parle sans que les gens de la maison entendent tout ce qu'on dira. On parle de me placer à l'hospice, là où les vieux attendent leur mort.

– À l'hospice ?

Grégoire n'en revenait pas. On casait les infirmes à l'hospice, comme on écrouait les criminels en prison. Il resta un moment figé, à mordre ses lèvres pour masquer son désarroi. Constant était là, cloué à un lit, impuissant à prendre une décision et il devait se soumettre, contre sa volonté, au bon vouloir des autres. Grégoire se creusait les méninges pour lui venir en aide.

– Vous avez pas votre mot à dire à ce sujet ?

– Comment veux-tu ? La ferme va être vendue. Et moi, je suis là, incapable de voir à moi.

– Et Prosper, leur fils ?

– Prosper, fermier ? Jamais ! Même pas pour donner un petit coup de main. Sitôt les obsèques terminées, il est retourné au collège de L'Assomption. Cet enfant-là a un talent fou. Il veut devenir toubib. Non, c'est pas lui qui va me garder. Ma belle-sœur Lucia cherche quelqu'un pour s'occuper de moi en attendant de m'enfermer à l'hospice.

– Si vous avez pas encore trouvé, je serais votre homme, mais seulement pour quelques jours et pis il faudra me loger et me nourrir. La saison des chantiers achève. Ensuite, je serai à votre disposition pour tout l'été. Ça m'arrangerait. J'ai plus de chez moi.

Le visage de Constant s'illumina.

– Tu ferais ça pour moi ? Va ! Ouvre la porte.

Constant appela aussitôt sa belle-sœur :

– Lucia, monte ! Grégoire est prêt à s'occuper de moi. Il faudrait lui préparer une chambre.

– Je vais vous laisser en discuter et je reviendrai demain. Je dois aller chercher mon linge chez mon oncle. En même temps, je vais prendre des nouvelles d'Émilien. On m'a dit qu'il était déménagé à Joliette, mais j'en sais pas plus.

* * *

Grégoire prit la route vers Saint-Jacques, croyant surprendre sa tante Pâquerette, mais à son insu, les mendiants Jobé l'avaient précédé et s'étaient fait une joie d'annoncer son arrivée.

Il entra sans frapper. Pâquerette plus vive qu'à l'habitude s'agitait de la fenêtre au poêle. Un cahier de recettes était ouvert sur la table et une odeur de gâteau s'échappait du four. Le jeune homme renifla à fond. Deux fillettes en bas âge s'amusaient dans l'escalier à déchirer un catalogue de vente expiré. Grégoire s'approcha sans bruit des petites et ébouriffa leurs cheveux. Le fait d'être dérangées les mit en rogne.

Pâquerette se démenait comme un beau diable pour préparer un repas convenable.

– Mon gâteau est pas encore crémé.

Grégoire crut un moment qu'on allait souligner son anniversaire. Il avait dix-sept ans ce jour-là.

Pâquerette eut à peine le temps de déposer un plat de galettes et deux cafés sur la table que des voisines, mordues de curiosité, accouraient aux nouvelles. Qui de ces femmes n'avaient pas un parent proche ou éloigné aux chantiers ? Pâquerette ajouta trois tasses.

Les femmes bavardèrent agréablement d'histoires qui couraient, tout en les épiçant au besoin de médisances et de calomnies.

Grégoire mit fin à leurs bobards.

– Les seules nouvelles que je peux vous rapporter viennent d'ici. Dans les hauts, il se passe rien d'autre que la routine : travailler et dormir.

– Si on te donnait des lettres pour les gens d'en haut, ce serait un timbre de moins à payer.

Grégoire se leva.

– Comptez pas trop là-dessus. Je sais pas au juste quand je remonterai. Votre courrier risquerait de traîner.

Les rares événements épuisés, les commères se retirèrent.

– Merci Pâquerette ! C'est si agréable de se faire servir ! s'exclama Reine Delorme. Un jour, je te rendrai la pareille.

– Ben oui, ben oui !

C'était bien Reine, ça ! À chaque départ, elle promettait de l'inviter, mais sitôt sur le perron, la promesse s'envolait avec elle.

Grégoire n'espérait que leur départ. Il se rassit.

– Je veux aller voir Émilien. Il a toujours été un frère pour moi.

– T'as ben en bel ! Il est parti avec l'étrangère et l'enfant. C'est une bonne chose ; j'en pouvais plus de la servir. L'oncle Cyrille leur a fait bâtir une grande maison, pour pas dire un presbytère. Tu me croiras pas, douze pièces ! Ils vont pouvoir élever une grosse famille. L'étrangère va profiter des largesses du curé Dubé. L'oncle fait ben du fla-fla pour une fille de sa condition. Avec un père qui travaille dans les chantiers, sa famille doit pas rouler sur l'or.

– Et la petite Madeleine, comment elle va ?

– La v'là rendue belle la petite gueuse avec ses fossettes aux joues, mais c'est l'enfant du péché.

Grégoire se raidit. Il se sentait visé. Elle devait sûrement penser la même chose de lui.

Pâquerette continuait sur sa lancée.

– Mon idée est que le curé s'est mis un doigt dans l'œil en voulant demeurer avec Émilien. Il supportera pas les enfants. Ça prend des parents pour endurer des braillards. En tout cas, c'est pas moi qui va me pâmer devant la petite. L'étrangère serait trop contente.

– Vous l'aimez pas, Judith ?

Pâquerette avala lentement une gorgée de café.

– À toi, je peux le dire. C'est le moyen détourné qu'elle a pris pour m'enlever mon fils que je digère pas. Quand je vois le curé Dubé qui se fend en dix devant une fille qui a été jusqu'à salir le nom des Dubé ! Il en a de la grâce ! Dire que, du haut de la chaire, les prêtres prêchent la chasteté avant le mariage.

– Ils prêchent aussi le pardon et l'amour du prochain. C'est pas toutes ces vertus qu'il est en train de mettre en pratique ?

– Peut-être, peut-être ! Va, si tu veux arriver à Joliette assez tôt. T'as qu'à atteler la Bleue à la carriole. Ça va lui faire du bien à la pauvre bête de se dégourdir les pattes. La peau d'ours est sur le siège de la voiture.

– Et Émilien ? Il a un travail par là ?

– Non. Dernièrement, il cherchait toujours, mais c'est pas ben inquiétant. S'il trouve pas, son oncle sera toujours derrière. Il est riche, lui. Il a reçu un gros héritage à la mort de son père. Après tout, son oncle a ben le droit d'en faire ce qu'il veut, hein !

* * *

La Bleue s'arrêta devant une superbe résidence en brique rouge qu'une longue véranda aux colonnettes blanches serrait dans ses bras. Et sur cette galerie, malgré la saison adverse, un banc berçant bougeait légèrement au gré du vent. Tout autour, se dressaient fièrement d'autres somptueuses demeures à balcons de fer, à balustrades, à perrons en encorbellements. Des résidences en pierre grise étaient couvertes de cordons de vignes qui vrillaient jusqu'au toit.

Grégoire sonna à la porte principale qui donnait sur un vestibule.

Judith vint lui ouvrir. Elle n'était déjà plus la jeune femme que Grégoire avait connue. En quelques mois elle s'était transformée, épanouie, mais elle demeurait toujours aussi simple.

– Grégoire ? Toi, ici, en pleine saison de chantier !

– Je suis descendu exprès pour voir Constant qui vit un deuil et je pouvais pas remonter sans passer saluer Émilien. T'es radieuse, toi ! Je te reconnais à peine tellement t'as changé.

Judith l'invita à la cuisine et tout en traversant le corridor, elle désignait les pièces. Le premier étage comprenait une salle à manger privée adjacente à un salon et deux chambres à coucher: une pour le curé, l'autre pour ses invités. Tout au fond se trouvait une petite chapelle avec un autel où, au moment de sa retraite, le prêtre pourrait célébrer sa messe chaque matin. Grégoire en avait plein la vue. Ses yeux allaient du samovar, une riche pièce d'orfèvrerie en argent, aux fauteuils de velours brodé de fil de soie.

Et parmi ce faste, il y avait Judith, tellement légère qu'elle semblait glisser d'une porte à l'autre. Émilien en avait de la chance de pouvoir vivre avec celle qu'il aimait.

Au bout du passage, Judith poussa la porte de la cuisine qui séparait ses appartements privés de ceux du curé.

– Referme derrière toi. Je veux m'habituer à vivre dans mes appartements. Au deuxième, nous avons six pièces, ce qui veut dire tout l'étage juste pour nous.

– Heureuse de changer de vie?

– Oui et non! Ici, je connais personne. Je sors juste pour la messe du dimanche, mais je m'en plains pas. Je suis prisonnière de ceux que j'aime. Et pis, c'est un plaisir d'habiter cette belle grande maison.

– Ton oncle a pas regardé à la dépense!

Judith lui adressa un sourire de fierté.

* * *

Chaque semaine, son oncle Cyrille leur rendait visite. Un jour, il amena sa servante dîner avec eux. C'est elle qui apprit à Judith à être quelqu'un. Elle lui enseigna les bonnes manières: comment dresser une table, comment servir les prêtres avec une politesse raffinée et sans exagération, à s'effacer sitôt les invités servis. Elle avait même choisi les tissus d'ameublement.

Grégoire enviait Émilien. Il avait marié sa Judith et il vivait heureux. La chance lui avait souri et sa vie avait changé du tout au tout.

– Prends la berceuse. Je vais jaser tout en faisant mon ordinaire. C'est Émilien qui va être content de te voir. Il est parti promener la petite en traîneau. Il devrait être ici d'une minute à l'autre. Je suis là qui parle, parle, parle, et je m'informe pas de toi.

– Il se passe rien dans ma vie. C'est ben différent de vous deux.

– Pas de petite amie de cœur?

– Même pas! Qui voudrait d'un garçon qui a aucun avenir devant lui? Si tu savais comme je vous envie.

– Fais confiance à la Providence. Regarde-nous. Tu te souviens comme on est mal parti? D'un coup, la chance a tourné en notre faveur. Tout ça à cause de l'oncle Cyrille. Un saint homme, celui-là! J'en demandais pas tant, tu sais. J'aurais pu être heureuse avec beaucoup moins, mais on serait ben fou de pas profiter de la chance qui passe.

– Moi, j'ai pas d'oncle Cyrille!

Judith étira le cou à la fenêtre.

– Tiens, Émilien revient.

La jeune femme courut ouvrir. Elle enleva l'enfant endormie des bras d'Émilien, la déposa sur la table et déroula un long nuage de laine qui enveloppait sa tête. Judith eut beau prendre mille précautions pour ne pas la réveiller, l'enfant ouvrit tout grand les yeux.

Grégoire l'admirait. La gamine prenait toute son attention. Il en oublia de saluer son cousin. La petite Madeleine avait de belles joues roses, une bouche rieuse et un regard limpide. Même si les hommes s'intéressent moins à ces détails, Grégoire lui, n'était pas indifférent à une frimousse d'enfant.

– Ta fille est adorable!

Grégoire, loin d'être méchant, enviait le bonheur de son cousin. Émilien possédait tout ce que Grégoire désirait.

Après une bonne poignée de main, les hommes se retirèrent au salon. De la cuisine, Judith écoutait leur conversation qui allait bon train.

Émilien disait commencer un nouveau travail le lendemain comme plâtrier.

– Je sais pas si je pourrai. Ça prend de l'adresse. Ça m'inquiète, tu sais.

– Avec un peu de pratique, tu y arriveras.

– Le contremaître m'a dit: «Demain, mon gars, tu grimperas aux barreaux et tu gâcheras le plâtre. Je vais te montrer comment on forme des rosettes autour des plafonniers.» Moi, je fondais devant lui. Je devais avoir l'air d'un gars qui tombe des nues. Je connais même rien à ces mots bizarres: gâcher le plâtre, rosettes, cimaises, plafonniers. Je serai jamais capable d'y arriver! Le boss me surestime.

Judith interrompit leur dialogue en les invitant à la salle à manger.

Grégoire s'assit à la longue table aux pieds arqués, ornés de sculptures. Devant lui, se dressait un haut vaisselier en merisier, bondé d'assiettes, de verres et de coupes de cristal. Plus loin, placé en angle, un semainier contenait une superbe coutellerie d'argent.

Grégoire pensa à sa misérable condition. Lui vivait comme un chien errant.

– Avec moi, Judith, pas besoin d'être cérémonieuse. Je peux manger dans la vaisselle de semaine. Je risque moins d'en briser.

– Et moi qui pensais m'exercer à pratiquer les bonnes manières ! Judith taquine, ajouta : Ça va ! c'est juste pour rire ! Je vais faire comme chez nous.

Grégoire prenait un réel plaisir à regarder vivre la famille de son cousin. Leur grande cuisine respirait la joie et le bonheur. Judith jetait des regards passionnés à Émilien et celui-ci lui répondait par un sourire. Sans parler de leur petite fille, assise sur sa chaise haute qui cherchait à attraper leurs mains en gazouillant. Toutes ces démonstrations de tendresse tordaient le cœur de Grégoire. À lui, toute joie était interdite.

* * *

Sur le chemin du retour, Grégoire évaluait l'écart des classes entre son cousin et lui. Il y avait peu de temps, les cousins s'engageaient comme bûcherons. Aujourd'hui, Émilien était un parvenu, tandis que lui n'était qu'un moins que rien. Grégoire trouvait la vie injuste à son égard. Tout ce qui l'avait émerveillé chez Émilien lui faisait voir sa propre vie plus sombre. Il en arriva à prendre en grippe sa propre destinée. Des larmes, il n'en avait plus. Il ne sentait plus la douleur. Le bonheur lui tournait le dos. Et c'était son anniversaire ! Un triste anniversaire. Personne ne lui avait offert ses vœux. Dix-sept ans et rien devant lui. Grégoire s'apitoyait sur son sort.

Le souvenir de sa mère lui traversa l'esprit. Grégoire comprenait maintenant la pauvre femme d'avoir mis un point final à ses tourments.

* * *

Grégoire secoua les rênes sur la croupe de la Bleue qui prit aussitôt le trot. Il se sentait encore plus seul qu'avant d'entrer chez Émilien. Le bonheur d'Émilien le poursuivait. Lui aussi aurait voulu des enfants, des filles surtout, comme la belle Judith à Émilien, comme ses petites sœurs aux longs cheveux blonds, comme Joséphine qu'il avait perdue à tout jamais. Il pensa à Martha qui lui écrivait de longues lettres qu'il dévorait. Elle était bien gentille cette fille, mais il ne ressentait rien pour elle. Mais qu'est-ce qui lui prenait donc aujourd'hui ? Sans doute, le fait d'être sans le sou et sans amour.

Grégoire ne savait pas que là-bas, dans son vieux Saint-Jacques, il préoccupait tous les jeunes cœurs de seize ans.

Il se rendit chez sa tante, ramasser ses quelques effets. Celle-ci lui remit une enveloppe rose.

– Martha doit avoir appris ta visite, son frère est venu porter ça pour toi. Elle fait dire de pas t'en retourner aux chantiers sans passer chez elle.

Grégoire enfonça à deux mains son chapeau sur ses oreilles. Il détacha la Bleue, prit la route qui menait à Saint-Alexis et fila directement chez Martha. Chemin faisant, il décacheta l'enveloppe rose et lut :

*Cher Grégoire,*

*Je vois bien que tous les deux on s'aime. Nous avons le même âge et nous sommes du même coin. Vois comme je suis honnête, douce, et toi si beau.*

*Si tu le voulais, nous pourrions nous aimer côte à côte. Je te chérirais et tu me protégerais. Le soir, blottie contre toi, j'aurais cent choses à te dire. Et nous aurions des enfants qui te ressembleraient.*

*Je t'aime,*
*Martha*

Grégoire se troublait en lisant. Pour la première fois, Martha lui parlait de sentiments. « Elle m'aime ! » songeait-il. Il fallait que Martha soit prête à se donner corps et âme pour pousser l'audace jusqu'à lui parler d'amour et d'enfants.

Grégoire, l'air grave, replia la missive et la déposa dans sa poche de veston. Martha venait de mettre un peu de baume sur ses blessures. Elle le trouvait désirable. N'était-ce pas la preuve qu'il avait un certain charme ? Pris de frénésie, il se mit à siffler. Martha l'aimait. Martha, robuste créature dans toute la splendeur de ses seize ans, ne faisait pas mystère d'un penchant vif pour lui. Cette fille repoussait les prétendants qui se présentaient. Un autre que lui aurait pu entrevoir un certain bonheur avec cette fille. Toutefois, elle avait beau s'offrir, Grégoire ne la voyait pas dans son lit.

* * *

En chemin, Grégoire s'arrêta chez les Perreault et aperçut Martha à la fenêtre. Il lui fit un grand signe pour l'inviter à sortir puis il l'attendit dans la voiture.

Martha accourait vers lui, nu-tête et vêtue d'un simple gilet de laine. Si Grégoire était là, c'est qu'il avait lu sa lettre et qu'il ne lui en voulait pas.

Il l'invita :

– Monte ! On va faire un petit tour de voiture. Veux-tu m'accompagner chez Constant ? Je te ramènerai avant la brunante.

La figure de Martha s'attrista.

– Tu sais ben que maman voudra jamais que je me pavane en voiture avec un garçon sans m'affubler d'un chaperon.

– Un chaperon ? En plein jour ? Invente quelque chose.

Martha s'impatientait debout près de la voiture.

– Je suis pas habituée de mentir. Viens, entre un peu ! On gèle ici !

– Non, j'ai pas le temps. Viens, glisse-toi sous la peau de buffle. Tu sais, j'ai lu ta lettre. Elle m'a fait plaisir. Mais, je dois te dire Martha, je suis pas le parti qu'il te faut, ni pour toi ni pour personne. Avec moi, une fille aurait la vie dure. Je suis pauvre comme Job. Je vais faire un court séjour chez Constant, le temps qu'ils vendent la ferme. Ensuite, je remonterai aux chantiers. On s'écrira… si tu le veux ben !

Martha, dépitée, détourna le regard et ajouta :

– Ce serait pour rien. Je veux plus que de l'amitié.

Grégoire n'ajouta rien pour ne pas lui donner de vains espoirs. Il lui adressa un bonjour de la main et fouetta la Bleue qui s'élança à fond de train sur la neige durcie du chemin.

Martha, humiliée, figea sur le bord de la route. On eut dit qu'elle ne sentait plus le froid, sans doute parce qu'elle s'imaginait sous la peau de buffle, collée contre Grégoire. Martha, toujours en attente d'un grand événement, aurait voulu que Grégoire la désire à pleins bras, à pleine bouche, mais il refusait son amour. En un instant, tout son univers s'écroulait, même son droit de rêver s'évanouissait. « Pauvre comme Job ! se répétait Martha. Mais a-t-on besoin d'être riche pour aimer ? »

Maintenant, Grégoire allait la trouver légère, étourdie même, de s'être offerte à lui. Elle resta là, le cœur palpitant d'angoisse, à regarder du côté où le beau garçon aux yeux ombragés de longs cils, avait disparu.

# XXI

Une neige épaisse tombait et encapuchonnait le clocher qui carillonnait gaiement l'angélus du soir.

La voiture de Grégoire bien menée filait sur la route, emportée par le grand trot de la jument.

Devant la maison des Baillargeon, l'écriteau « à vendre » tournait aux caprices du vent.

Grégoire entra chez Constant à l'heure du souper. Une odeur de chou s'échappait du couvercle qui tremblait. Le garçon monta ses pénates dans une pièce en mansarde, adjacente à celle de l'infirme, la petite chambre jaune beurre où autrefois Joséphine avait dormi. Il se jeta sur le lit et respira à pleins poumons comme si la pièce était encore imprégnée du parfum des sentiments de Joséphine. Puis il se raisonna. Il devait oublier la petite mendiante, la sortir de sa tête, une bonne fois pour toutes. Pierrot Tremblay la fréquentait.

De l'autre côté du mur, Constant frappait sur la cloison. Il attendait impatiemment Grégoire. Ce dernier n'avait même pas pris le temps de le saluer.

Grégoire traversa aussitôt dans la chambre voisine où les deux amis se disputèrent trois joutes de dames que Constant perdit. Grégoire parla de la lettre de Martha, mais contrairement à son habitude de vouloir tout savoir des sentiments de Grégoire, Constant restait silencieux, comme s'il se recueillait. Grégoire voyait bien qu'il n'était pas dans son assiette.

– Ça va pas, vous ?

Alors, l'infirme parla.

– C'est fait ! Lucia a demandé ma place à l'hospice. Maintenant, c'est juste une affaire de jours et je vais me retrouver avec des vieillards et des religieuses. J'aime mieux mourir. Si les choses pouvaient traîner en longueur, c'est pas moi qui m'en plaindrais. Je suis si ben ici, avec toi.

– Je suppose que c'est Prosper qui hérite de la ferme et de tout ? Vous allez dire que ça me regarde pas, mais vous êtes pas obligé de me répondre.

– Non ! À sa mort, mon père nous a donné la ferme à mon frère et à moi, en parts égales. Lucia hérite de la moitié qui revenait à mon frère et moi de l'autre. Lucia a de la veine, depuis trois ans seulement, la loi Pérodeau permet aux femmes d'hériter.

Grégoire se grattait la tête.

– Prosper pourrait pas vous garder ?

– Prosper ?

Constant éclata de rire, un rire amer.

– Lui, il fait son cours classique et il se fout éperdument de la ferme et encore plus d'un vieil oncle impotent. Il passe surprendre sa mère de temps à autre, toujours accompagné d'amis étudiants. La ville l'a aspiré. C'est pour ça que Lucia veut vendre le bien paternel.

– Vous allez me trouver curieux, mais qu'est-ce que vous comptez faire de tout cet argent ?

– Couché dans un lit, l'argent sert à rien, mon garçon, sinon qu'à payer ma pension. Personne me logera gratuitement et quand j'aurai plus une cenne, je suppose qu'à l'hospice, on me jettera à la rue.

Grégoire réfléchit. La belle histoire de Judith et Émilien vint s'imposer à son esprit. Il pensa à une famille à lui, aux chantiers où il gaspillait ses forces et sa jeunesse. Là-bas, le temps filait et empiétait sur une vie de ménage dont il rêvait toutes les nuits. « Si Constant m'offrait sa ferme, je serais son homme », se dit-il. Toutefois, Grégoire hésitait. Comment lui manifester ses intentions sans avoir l'air d'un mendiant ou encore d'un profiteur ? Constant ne lui devait rien. Toutefois, Grégoire osa.

– J'aurais un marché à vous proposer, mais je sais pas comment vous en parler sans avoir l'impression de quêter. Je suis un étranger pour vous, tandis que Prosper est votre neveu. Lui, il est de votre sang. Vous et moi, n'avons que des liens d'amitié.

– Si t'arrêtais de faire des mystères et me dire carrément où tu veux en venir.

– Eh ben, votre terre m'intéresse. Si vous me prêtiez votre part, c'est-à-dire votre moitié de ferme, je pourrais acheter et hypothéquer l'autre moitié. Je vous verserais un montant avec intérêts, une fois par année jusqu'à ce que ma dette soit complètement effacée. Comme ça, vous pourriez rester ici jusqu'à la fin de vos jours.

Constant s'emballait de ce projet. Rester chez lui avec Grégoire, que pouvait-il demander de mieux ? Grégoire l'avait toujours entouré de soins sans rien demander en retour. Tout de même, l'infirme se méfiait de son enthousiasme. À tout moment Grégoire pouvait décider de se débarrasser de lui et il retomberait alors au point de départ : l'hospice. Mais qu'avait-il à perdre ? Il en était déjà là.

– Laisse-moi un peu de temps pour réfléchir. C'est pas une mince affaire, cette proposition !

Constant n'avait pas dit non. Il avait même souri. C'était de bon augure.

Après le vide du cœur, de l'âme, du désir, qui mène à l'écœurement, le simple fait de rêver à une ferme ressuscita l'estime, le goût de vivre et de chanter que Grégoire avait oubliés.

Il se mit aussitôt à former mille projets. La ferme était située à proximité du village. Il pourrait vendre les produits de la terre aux marchands ou encore, monter sa propre clientèle en vendant directement aux villageois. Surexcité à l'idée préconçue de posséder un bien en propre et soulevé par un élan de fierté, il n'arrivait pas à se taire. Le silence étouffe quand le cœur déborde de bonheur.

– Je vais agrandir les champs de culture et élever des veaux que je vendrai pour la consommation. Il faut que la terre rapporte davantage avec un propriétaire plus jeune.

Constant le laissait penser tout haut, sans l'interrompre. Pendant ce temps ses méninges travaillaient fort. Il aimait bien Grégoire et ses sentiments étaient partagés. Peu de temps avant, Grégoire s'était dit désappointé de ne pas être son fils. Finalement, Constant lui coupa la parole et dit de sa voix grave, pleine de sympathie :

– J'ai pas besoin d'argent. Si tu veux me garder, je peux me donner à rentes, ce qui veut dire que tu t'engagerais à me nourrir, me vêtir et pourvoir à mes besoins, comme un fils le ferait pour son propre père.

À ces mots, le cœur de Grégoire ne fit qu'un tour. Il se leva promptement et accrocha ses bras autour du grand cou sec de Constant, puis il lui appliqua une grande claque sur l'épaule.

– Vous êtes aussi bon que le curé de Berthier l'a été avec Émilien et Judith.

Grégoire n'aurait jamais pu imaginer que la chance pouvait lui sourire à ce point.

– Je le crois pas encore.

– Oui, mais pas trop vite ! Les affaires sont les affaires ! Avant de te lancer dans cette entreprise, rentre-toi ben dans la tête que tu devras m'endurer pendant des années. C'est un pensez-y ben. Tant que les papiers sont pas signés, en bonne et due forme devant monsieur le notaire, t'as le droit de changer d'idée, mais ensuite quand t'auras apposé ta griffe, il sera trop tard pour reculer.

Grégoire serra la main de l'infirme. Ce soir-là, Constant lui permettait de rêver à une femme et à des enfants plein la maison. « Il le regrettera pas ! se promit Grégoire, j'en prendrai ben soin et je lui rendrai la vie agréable. Avec moi, Constant sera pas perdant. Il trouvera que des avantages à cette donation. »

– Jean-Valère m'attend pour me ramener aux chantiers, mais j'ai plus besoin de retourner dans les hauts. Je reste !

Sa décision prise, Grégoire pensa à Bethléem et à sa déception quand elle verrait revenir Jean-Valère seul.

* * *

Trois jours seulement et Constant avait pris sa décision. Il se pressait de faire bouger les choses pour ne pas donner l'avantage à un acheteur étranger et ainsi, se faire couper l'herbe sous le pied. Lucia était si pressée de partir que Constant craignait qu'elle laisse aller leur bien à sacrifice. Toutefois, il avait un avantage ; la vente exigeait la signature des deux héritiers.

Constant redoutait un peu la réaction de sa belle-sœur. Que dirait-elle de sa donation à Grégoire, un pur étranger ?

Il retint Grégoire.

– Comme le notaire doit passer demain, je veux prévenir Lucia de nos projets. Je tiens à ce que tu restes avec nous tout le temps de l'entretien. Maintenant, dis-lui de monter.

Constant mit sa belle-sœur au courant de leur projet. Celle-ci s'emporta et sa figure devint écarlate ; le bien de Constant passait aux mains d'un étranger plutôt qu'à son fils Prosper. Elle regarda Grégoire bien en face.

– J'aurais dû m'y attendre, vous avez su vous placer les pieds, dit-elle.

Grégoire bouillait. Sans réfléchir davantage, il rétorqua :

– Je suppose que votre fils est le premier sur la liste. Si Prosper tient à garder et la ferme, et Constant, je m'effacerai devant son choix.

– Nos histoires de famille vous regardent pas.

– C'est vrai ! Mais comme le confort de monsieur Constant me tient à cœur…

– Je n'ai que faire de votre tour de passe-passe ! Sortez de cette maison immédiatement !

Constant posa la main sur le poignet de Grégoire pour le retenir. Celui-ci regretta aussitôt d'avoir parlé. La charge revenait à Constant de régler ce différend avec sa belle-sœur. Mais il n'en pensa pas moins que si Prosper s'était occupé de l'infirme, lui n'aurait pas eu à le faire. Le climat était glacial. Grégoire était tenté de partir, mais Constant avait insisté pour qu'il reste jusqu'à la fin et puis, il craignait que l'influence de Lucia amène Constant à changer d'idée, ce qui serait un désastre. Tous ses beaux projets seraient à l'eau. Grégoire resta.

* * *

Quand le notaire frappa à la maison, Lucia lui ouvrit et alla s'enfermer dans le salon. Maître Duguay fila tout droit à la chambre de l'infirme et demanda à lui parler en privé.

Grégoire, soucieux, descendit attendre à la cuisine ; il se demandait bien pourquoi on l'expédiait. Quelque chose devait clocher dans la passation de contrat. Une heure plus tard, le notaire était toujours enfermé là-haut avec Constant. Que pouvait-il dire de si important à l'infirme qu'on lui refusait d'entendre ? Grégoire se rendit au bas de l'escalier et prêta l'oreille. Il entendit tousser. Il se résigna à aller attendre dans la berçante. Puis la porte s'ouvrit et on l'invita à monter.

Les choses avaient pris une tournure.

Le notaire lui expliqua que la transaction ne pouvait se dérouler tel que prévu. Comme Grégoire n'était pas en âge ni d'emprunter ni de signer des contrats sans endosseur avant d'avoir vingt et un ans accomplis, il devrait choisir une autre avenue.

Grégoire voyait là, l'anéantissement de tous ses espoirs. Il plongea dans un abattement total.

Le notaire enleva ses lunettes, les déposa sur son genou et continua.

– Il faudra d'abord faire deux requêtes qu'on présentera au juge : une pour la nomination d'un tuteur et l'autre pour vous porter acquéreur, c'est-à-dire, passer le bien de monsieur Constant Baillargeon à Grégoire Beaupré.

Grégoire entrevit une mince possibilité. Il respira mieux.

– Je comprends pas grand-chose aux affaires. Mais je suis prêt à faire tout ce que vous me direz.

– Commencez par former un conseil de sept personnes pour nommer un tuteur. Si possible, des gens de votre famille.

– Sept ? Et si je peux pas ?

– Dans ce cas, vous trouverez des connaissances ou des voisins. Ensuite, il vous faudra trouver l'argent qui servira à payer la part de madame veuve Baillargeon.

Le visage de Grégoire s'allongea de dépit.

– Là, vous me demandez l'impossible !

– Et si votre père faisait sa part ?

– Lui ? Non !

– Vous pouvez toujours lui en parler.

Grégoire n'argumenta pas. Il rageait intérieurement. Au moment même où il pensait que la vie allait lui sourire, elle lui faisait une grimace. Le mauvais sort éclipsait sa ferme, démolissait ses rêves et ses espoirs et laissait au fond de lui, un grand vide nauséeux, comme un amour brisé. Le coup était de taille.

Grégoire en voulait au notaire. Il le tenait responsable de son triste sort, comme si c'était lui qui établissait les lois.

Le notaire replaça ses lunettes de métal sur le bout de son nez, se leva, prit son chapeau et serra les mains des deux hommes.

Restés seuls, Constant et Grégoire regardaient le plancher, sans dire un mot. Une même déception les rapprochait. Ce fut Constant qui, le premier, brisa le silence.

– Si mon père avait su que mon frère partirait avant moi, les arrangements auraient été ben différents, mais j'ai rien à redire. Il a fait tout ce qui était en son pouvoir pour me protéger.

– Je peux pas en dire autant du mien. Maintenant, il va falloir me résigner et dire adieu à mes illusions. Vous aussi, je suppose ?

– Ça sert à quoi de tourner le fer dans la plaie ! Va me chercher une bière.

* * *

Quand Grégoire entra chez les Dubé, la soupe était sur la table. Il s'assit dans la chaise berçante. À son air défait, Pâquerette vit tout de suite que son neveu était préoccupé.

– Viens manger, lui dit-elle.

– Merci, j'ai pas faim.

Et il ajouta, le cœur gros :

– Vous allez encore devoir m'endurer je sais pas combien de temps, mes projets sont à l'eau. Dire que je me pensais maître de moi pour le restant de mes jours.

– On va prendre un bon souper, ensuite on parlera de tout ça quand les enfants seront couchés.

* * *

À l'heure de la vaisselle, Grégoire profita du temps que Pâquerette et Gaspard soient seuls pour leur relater, mot pour mot, son entretien avec le notaire. En un rien de temps, Pâquerette dénicha les sept témoins exigés, mais quand il fut question de trouver une somme d'argent faramineuse, elle resta bouche bée. Gaspard, qui n'avait pas ouvert la bouche, parut sortir de sa léthargie.

– Je vois personne d'autre que Gildas Beaupré.

Grégoire se rebiffa.

– Lui, jamais ! Vous le connaissez ? Il ferait plutôt des mains et des pieds pour m'écraser.

– Moi, je partage pas ton point de vue. C'est ton père.

– Non ! Vous le savez !

– À ta naissance, Gildas t'a reconnu comme son fils. Donc, devant la loi, il est ton père. J'irai lui parler.

– Laissez faire, j'accepterai rien de lui.

Gaspard en savait long au sujet de Gildas. Cet homme d'affaires était un escroc et Gaspard était au courant de ses fourberies. Plus encore, il gardait bien présentes à l'esprit toutes ces années où il avait hébergé Grégoire gratuitement quand celui-ci aurait pu vivre heureux avec ses frères et sœurs. Il n'en voulait pas à Grégoire, mais bien à Gildas qui, lui, en avait tiré tout l'avantage.

Gaspard n'avait jamais échappé un mot au sujet des fraudes de l'hôtelier, mais maintenant le temps était venu de le faire payer au profit de Grégoire. Que celui-ci refuse ou pas, Gaspard se ferait plaisir de l'acculer au pied du mur. Il encouragea Grégoire à s'accrocher.

– Cette terre, c'est la plus belle chance de ta vie et tu dois pas baisser les bras avant d'avoir tenté l'impossible pour l'acquérir.

Même si la démarche ne lui plaisait pas, Grégoire se résigna.

– Si vous saviez comme j'y tiens, mais le temps que prendront toutes ces négociations, je crains qu'un autre acheteur se présente et me coupe l'herbe sous le pied.

– L'infirme aura qu'à refuser de signer. Quant à Gildas, j'en fais mon affaire.

Gaspard savait comme son beau-frère attachait une grande importance à l'honneur. Et il le connaissait aussi escroc qu'orgueilleux. Gaspard jouerait sur cette corde sensible.

Le soir même, Gaspard se rendit à l'hôtel, plaider la cause de Grégoire. Gildas écoutait l'étrange histoire, le regard amer, jaloux de la réussite de Grégoire.

– Je me demande ce que t'attends de moi dans tout ça, s'informa l'hôtelier.

– C'est assez clair ! Que tu paies la moitié de la terre à ton fils Grégoire, la moitié manquante.

L'hôtelier éclata de rire.

– C'est pas mon fils ! Maintenant, c'est connu.

– Devant la loi, oui !

– Je refuse. Mon argent m'appartient et j'ai le droit d'en faire ce que je veux. Tu n'allais pas croire...

– Si tu refuses, je dénoncerai publiquement toutes tes escroqueries, tes manœuvres frauduleuses, comme tes fausses signatures. J'en sais pas mal long à ton sujet, tu sais. Ta réputation sera ternie et toi, un homme fini.

Gildas blêmit ; de peur ou de rage, Gildas se le demandait. Soudain, un sourire malicieux élargit sa bouche.

– Écoute, entre beaux-frères, on peut faire de bons arrangements. Je sais que tu craches pas sur l'argent. T'as qu'à me proposer comme tuteur et je trouverai ben moyen de mettre la main sur cette ferme. À Saint-Alexis, les sols sont généreux et quand je dis généreux, je sais de quoi je parle. Si tu marches, on pourrait ensuite revendre cette ferme et se séparer le butin entre nous. Ce serait une somme rondelette qui serait pas à dédaigner.

– Oublie ça ! J'embarque pas dans tes combines. C'est de Grégoire qu'il s'agit et je te donne le choix d'accepter ou refuser en t'en tenant aux conditions que tu connais très bien. Rappelle-toi que ta réputation est en jeu. J'attends une réponse accompagnée du montant que tu porteras chez le notaire d'ici trois jours.

– Je possède pas une pareille somme d'argent.

« Un autre de ses mensonges », se dit Gaspard qui répliqua :

– Tu l'emprunteras !

Gildas, enragé, leva le poing en l'air.

– Sors d'ici, maudit Dubé à marde !

***

Trois jours plus tard, l'argent était déposé chez le notaire et Gaspard était nommé tuteur.

Gaspard se donna un mal fou pour faire accepter à Grégoire l'argent de Gildas.

– C'est un juste retour des choses pour le mal que Gildas t'a fait endurer. Ne le refuse pas, même s'il te répugne et ensuite, oublie de qui il vient. Dis-toi plutôt que c'est l'héritage de ta mère et que tu dois en tirer profit. Tu serais fou de renoncer à une terre libre de toutes redevances. Une chance comme celle-là ne se présente qu'une fois dans la vie d'un homme.

***

La ferme vendue, Lucia déménagea au village. Grégoire se trouvait maintenant le maître des lieux. Il sortit prendre l'air. Il avait sous les yeux une étendue de cent arpents de terre cachée sous un édredon blanc, des bâtiments qui demandaient un peu d'entretien et une bonne maison. Tout ce bien lui appartenait en propre.

Il arracha la pancarte « à vendre » et la débita en éclisses qui serviraient de bois d'allumage.

Avec l'achat de la ferme, un cycle pénible s'achevait pour Grégoire. Le garçon partait d'un nouveau pied, assuré d'une vie meilleure. Il se sentait soulevé par une force qui le poussait à l'action et, comme tous les jeunes de vingt ans, il voyait grand, il voyait rose.

* * *

Quelques semaines suffirent pour changer l'atmosphère de la maison. Le premier mouvement de Grégoire fut d'installer l'infirme dans la chambre du bas, ce qui facilitait ses ablutions et rendait la vie plus agréable aux deux hommes. De son lit, Constant avait une vue sur le va-et-vient de la cuisine. Ainsi, Grégoire surveillait l'infirme de près afin de ne pas le laisser dans ses excréments et risquer d'empuantir son environnement. Il se servait d'une vieille machine à laver installée dans le bas-côté. L'été, il poussait la laveuse sur le perron arrière et les vêtements lavés s'ébrouaient au vent de l'ouest.

Depuis sa nouvelle installation, Grégoire trouvait plus de facilité à transporter l'infirme dans la berçante où chaque jour, il pouvait passer une bonne heure à regarder déambuler les gens qui se rendaient soit au magasin, soit à l'église. Certains le saluaient de la main.

Les projets de Grégoire allaient encore plus loin. Il fabriquerait une chaise mobile. Ainsi, Constant et lui mangeraient à la même table.

Grégoire choisit la chaise la plus solide et installa des roulettes aux quatre pieds. Satisfait de son travail, il s'assit dessus et constata une vilaine propension à basculer. Sa tentative vouée à l'échec, il porta la chaise au charpentier.

– Rapporte cette chaise chez toi. T'arriveras jamais à lui donner un bon équilibre. Il faut une structure avec des traverses évasées au bas et des accoudoirs. Passe-moi les bouts de bois franc qui traînent dans le coin de la remise, on va les dégrossir au rabot et ensuite on les cannellera sur le tour à bois.

– Elle va me coûter un prix fou, cette chaise!

– Tu sais, c'est un travail délicat qui exige beaucoup d'attention et de temps, mais si tu veux me donner un coup de main, je vais te charger quatre-vingts sous.

Quatre-vingts sous, c'était une somme faramineuse. Grégoire hésita avant de prendre l'initiative d'une pareille dépense et se lancer dans une telle entreprise, lui qui refusait de laisser Constant seul pendant plus d'une heure. Par contre, depuis le temps que Grégoire se laissait emporter par l'enthousiasme, il ne se décidait pas à renoncer à ce projet. Cette chaise allait changer du tout au tout la vie de l'infirme.

– Je pourrai pas vous payer avant les prochaines récoltes.

L'artisan ouvrit un grand cahier de compte et y inscrivit le crédit de Grégoire.

* * *

Grégoire poussa la chaise à roulettes contre la table et Constant se vit redevenir un être humain. Chaque fois que l'infirme se déplaçait, son œil et son sourire s'allumaient en un merci muet. Il pouvait maintenant voir le chat sous le poêle, allonger les pattes, bâiller et arrondir le dos et aussi être témoin des activités de la cuisine. Constant se laissait distraire par des riens. Les préoccupations les plus idiotes prenaient une importance majeure pour lui.

Grégoire qui avait de l'énergie à revendre, acceptait avec peine de voir Constant végéter de la sorte. L'infirme avait déjà fait un certain progrès ; il se peignait, se rasait et revêtait sa chemise sans aide. À l'occasion, Grégoire lui servait une bière qu'il ne décapsulait pas afin d'obliger Constant à renforcer ses mains. Celui-ci se plaignait, suppliait et Grégoire tenait tête. Finalement, le bouchon sauté, ils finissaient par rire. Selon Grégoire, l'infirme pourrait bientôt se rendre utile ou du moins tuer le temps à quelque chose d'intéressant.

Chaque fois que Grégoire mettait un pied dans la maison, il parlait de sa journée de travail, de quel coin de terre il était en train de piocher, des rangs de tabac nouvellement plantés, du vêlage des bêtes, de la vente des poules et des œufs, etc. Chaque fois, il précisait la quantité. Constant lui, n'avait rien à dire, mais il buvait chaque parole du garçon et il souriait de contentement.

* * *

Le déjeuner sur la table, Grégoire s'assit bien en face de Constant.

– Les journées doivent être longues à rien faire, à toujours attendre. Avec deux mains, ce serait possible de vous occuper quelques heures par jour.

– Ha, ha ! T'es ben drôle, le jeune ! Tu blagues ?

– Riez tant que vous voudrez ; moi, je suis convaincu que vous êtes encore capable de travailler et de vous faire des sous. Ça vous tenterait pas de pratiquer le métier de cordonnier, de fabriquer des petits souliers en peau de bœuf ou encore rempailler des fonds de chaises ? Vous pourriez aller à votre rythme, vous avez tout votre temps. Je pourrais aller à la ville et acheter tout le matériel requis. Avec de bons outils, on peut réussir à peu près tout ce qu'on veut, si vraiment on veut.

L'infirme sourit.

À sa physionomie, Grégoire conclut que la cordonnerie l'intéressait, mais il se trompait.

– Je me vois mal travailler le cuir, je préférerais le bois.

– Des planches, des scies, des marteaux ! C'est que... dans une cuisine, ce serait plutôt encombrant. La pièce se transformerait en atelier et deviendrait vite un fouillis.

Grégoire imagina tout de suite une femme dans ce désordre.

– Non ! Oubliez ça ! J'ai surestimé vos capacités.

– Quand je parle de bois, je parle de gosser le bois avec de bons couteaux ou des ciseaux à bois, expliqua Constant.

– Vous voulez dire sculpter ? Ça doit demander de la force dans les poignets ?

– On verra ben ! Tu iras en ville acheter l'équipement nécessaire. Au début, deux ciseaux suffiront. Par la suite, on verra. Au retour, tu passeras au moulin à scie. Tu fouilleras parmi les déchets bons pour la combustion, voir si tu trouverais pas des restes de tilleul à petit prix. Je me contenterai des rebuts pour me faire la main.

Le bois du tilleul avait la propriété de ne pas éclater.

Grégoire était ravi. Constant allait enfin occuper ses journées, toutefois, ce n'était rien de définitif. L'infirme se lasserait peut-être au bout de deux ou trois jours pour ensuite tout abandonner.

***

Le premier choix de Constant fut de fabriquer une corniche. Il passa le reste de la journée à inventer un modèle dans sa tête. Le lendemain, il choisit parmi les restes de bois rapportés de la scierie, une planchette qui tiendrait lieu de support et y crayonna une chaîne de feuilles de rosier en feston. Son croquis terminé, un sourire égayait sa figure. Et comme un débutant a besoin de l'approbation de son entourage, Constant attendit impatiemment le retour de Grégoire.

Devant l'esquisse, celui-ci resta un moment bouche bée. Puis il donna une claque dans le dos à Constant.

– Vous aviez des talents cachés qui ont ben failli se perdre, pis je dis pas ça pour vous faire plaisir. C'est le début de la création.

– Comme on est ben ensemble, toi et moi !

C'était sa manière de dire à Grégoire qu'il était heureux. Grégoire se réjouissait chaque fois de retrouver le sourire édenté de l'infirme.

Constant dut reconnaître qu'il avait une disposition et un attrait pour le dessin. Demain, il s'attaquerait à la sculpture.

***

Tout au bout de la table, scies, couteaux et ciseaux étaient alignés comme des soldats sur un pied de guerre. Constant se mit au travail. Ce jour-là, l'heure du dîner arriva trop tôt et il sembla à l'infirme que sa journée prenait une saveur qui, désormais, ne s'en irait plus.

Le jour suivant, quand Grégoire entra de l'étable, Constant ne leva même pas le nez de son travail. L'infirme était attentionné à tailler le feston dessiné à l'aide d'une petite scie à découper. Près de lui, le savon était sec et les articles de toilette restés intacts.

Cette déception fut pour Grégoire, comme un coup de fouet en travers du visage. Constant allait-il commencer à se négliger ? Grégoire dut réprimer sa frustration. Lui qui désirait amener une femme dans cette maison. Il employa un ton égal.

– Vous avez pas pris le temps de vous raser ? Cela m'étonne un peu.

– Après le déjeuner.

– Non ! Avant le déjeuner. Il faudrait pas perdre vos bonnes habitudes.

Grégoire savonna ses mains et s'assit dans la berceuse, bien décidé à retarder le repas, à tenir son bout tant et aussi longtemps que nécessaire.

L'infirme se conforma à la règle.

Les jours coulaient. Les ciseaux et les couteaux se multipliaient. Constant mettait toute son application à donner une nouvelle vie à un vulgaire morceau de bois. La sculpture était devenue pour lui l'occasion de manifester son talent. Il maniait le burin avec une dextérité incroyable qui, jumelée à son adresse d'esprit, poussait, retenait, contrôlait les outils tranchants tel un chirurgien dirige son scalpel. Il obéissait au grain du tilleul, travaillant avec et non contre le bois. Constant attaquait les nervures directement avec l'onglette. Il mettait toute son âme à buriner les gaines, les limbes et le pourtour. Ç'était un perfectionniste. Inlassable, il sablait, glissait le pouce pour vérifier la douceur du fini et répétait encore et encore les mêmes mouvements. N'avait-il pas tout son temps ?

L'infirme ne voyait plus les semaines passer. Et chose curieuse, il avait toujours faim. Avant de sortir vaquer à ses occupations, Grégoire déposait une pomme ou une beurrée de confiture à portée de sa main. Constant se rempluma vite.

Grégoire n'avait pas tout prévu. Dans la cuisine régnait un désordre inimaginable. Copeaux, bavures, sablon s'accumulaient sur la table, tombaient sur les genoux de l'infirme, puis sur le plancher pour ensuite s'éparpiller à gauche et à droite. Mais Constant, la tête penchée sur sa sculpture, rayonnait de contentement. Ses yeux, à force de suivre le ciselet, ne voyaient rien d'autre autour de lui.

Grégoire se réjouissait de voir l'infirme occuper ses journées. Constant en était même rendu à oublier son somme de l'après-midi.

Finalement satisfait de sa création, Constant appliqua trois minces couches de vernis. Grégoire le félicita et installa la petite corniche face à la porte d'entrée. Il y jucha une statue du Sacré-Cœur.

– Là où elle est placée, tout le monde pourra admirer votre talent.

– Demain, je vais commencer une horloge.

Et Grégoire qui pensait que Constant prendrait le temps de respirer, de laisser la cuisine se remettre de son fouillis. Il chercha un moyen de régler ce contretemps. Peut-être, le bas-côté pourrait-il servir d'atelier ? Grégoire colla une chaise tout près de celle de l'infirme. Il lui présenta une bière, posa une main sur son avant-bras et lui expliqua doucement :

– Vous voyez comme la cuisine est en désordre et la table toujours encombrée ? On dirait une manufacture. Puis Grégoire lança à la blague : Si jamais je trouve à me marier, ma femme va être condamnée à vivre dans les copeaux et le bran de scie. Que diriez-vous de sculpter dans le bas-côté ?

Constant tripotait un ciseau à extrémité biseautée. Il était pensif, mais il n'avait pas l'air déçu.

– Je te donne entièrement raison. Ici, tu chambardes tout pour les repas, tu mêles mes outils. Tiens, regarde ! C'est encore l'heure de manger.

Ils rirent de bon cœur.

– T'auras besoin de la cuisine d'été pour notre famille. Si tu m'installais plutôt dans le hangar ? proposa Constant. L'été, la pièce est vide et j'ai toujours aimé cet endroit qui sent le bon bois.

– Le hangar est sombre. En plus, vous auriez pas vue sur le chemin. Ce serait un peu ennuyant. Il faudrait percer une fenêtre. Je sais que c'est ben important pour vous de suivre le va-et-vient du curé, du bedeau et de saluer les passants.

– Pas tant que ça ! Avec mon travail, j'ai presque plus le temps de reluquer ce qui se passe sur la route. Et pour ce qui est de la clarté, je laisserai la porte ouverte.

Grégoire avait l'impression de se débarrasser de Constant en le refoulant au bout des dépendances.

– Non ! Si vous êtes ben décidé à travailler dans le hangar, je vais commencer tout de suite les travaux.

– Quels travaux ?

– D'abord, percer les fenêtres et vous trouver un poêle à bois. La pièce est restreinte. L'hiver, une truie en fonte suffira à vous garder au chaud. Mais c'est moi qui chaufferai. Avec tous les copeaux et le bran de scie, il s'agirait d'une étincelle pour que la maison flambe au complet et vous avec. Vous êtes certain de pas préférer le bas-côté ? Vous avez encore le droit de changer d'avis.

– J'aimerais avoir un établi pour travailler et une berçante pour mes amis de passage.

– Craignez pas ! Vous aurez aussi une glacière pour votre bière.

– Ce sera mon atelier et je sculpterai une belle enseigne que tu installeras au-dessus de la porte.

L'infirme rit de satisfaction.

– Si tu savais tout l'estime que j'ai pour toi ! Ma vie est ben différente. Du temps de mon frère, j'étais condamné à ma chambre, à l'ennui. Je parlais à personne. Avec toi, tout a changé. Tiens ! C'est ben simple, on dirait que tu m'as redonné la vie. J'ai toujours hâte de commencer un nouveau morceau, que ce soit une tablette ou une horloge. Et pis, j'ai des amis qui, à l'occasion, passent me faire une petite visite et me donnent les nouvelles de la place.

Grégoire tapota affectueusement le bras de Constant et se leva.

– Comme ça, vous regrettez rien ?

Constant se contenta de sourire. Il manquait encore quelque chose à son bonheur : des enfants qui courent dans la maison, des petites mains sur ses bras, des cris, des chansons. C'était ça la vraie vie. Il se souvenait quand Joséphine était entrée chez lui, le bonheur que cette enfant lui avait procuré. À son départ, il avait pleuré. Maintenant, les enfants que Grégoire pourrait lui donner et tout le tra-la-la qui allait avec, c'était son dernier vœu. Il ne souffla pas un mot de ce besoin qu'il ressentait. Il avait appris à garder ce qui brassait en dedans.

# XXII

Depuis deux ans, Grégoire se sentait maître et roi sur sa ferme. L'air radieux, il montait au bout de sa terre, sans cravate, sans gants, avec un éclair dans les yeux. Ses mains nues caressaient la terre, la vénéraient. Il était incontestablement fils de paysan.

Ce jour-là, il abandonna Constant aux soins d'un voisin et se rendit chez le curé. Il ferait une dernière tentative dans le but d'en apprendre un peu sur son père, sans doute pour se faire répéter que le pauvre était mort au front, mais il désirait tirer cette affaire au clair. Il sonna au presbytère. Lui qui avait misé si fort sur ces retrouvailles ne ressentait plus un grand désir pour cette félicité tant escomptée. C'était comme si, avec le temps et toutes les sollicitudes dans le but de retrouver son père, l'importance s'était peu à peu consumée.

Quand le bon curé l'aperçut, il serra sa main, puis recula d'un pas pour mieux le regarder.

– Depuis longtemps, j'attendais votre visite. Vous en avez mis du temps. Avant sa mort, votre mère m'a chargé de vous révéler le nom de monsieur votre père. Mais elle ne voulait rien précipiter. Votre mère tenait à ce que vous choisissiez vous-même le moment. Veuillez me suivre à l'office.

La pièce exiguë transpirait une odeur d'encre et de livres.

Grégoire expliqua au prêtre :

– Sur sa lettre, maman m'a fait savoir que mon père était un Gamache et qu'il était mort au front.

– Assoyez-vous !

– Je voudrais pas vous faire perdre votre temps.

– Votre père n'est pas mort à la guerre, mais bien ici, dans cette paroisse et son corps a été enterré dans le cimetière derrière l'église.

Grégoire écarquilla les yeux.

– Ici ? Avec maman ?

– Non. Pas avec votre mère.

– Je connais aucun Gamache, ici, ni Clément ni un autre.

– Lors de son retour de la guerre, le pauvre était méconnaissable. Personne n'aurait pu lui coller un nom, même pas madame votre mère. D'ailleurs, madame était déjà mariée à monsieur Beaupré. Votre père a dû abdiquer. Par la suite, il a épousé une fille de la place, une demoiselle Masse, Réjeanne, si ma mémoire est bonne. Comme les parents de mademoiselle Réjeanne s'opposaient à ce mariage, le couple a émigré vers la ville et quelques années plus tard, ils ont resurgi sous un nom d'emprunt, Adrien Jobé et Émilienne Mailloux. Je les ai mieux connus sous ces derniers noms.

– Adrien Jobé ? s'écria Grégoire qui se retrouva debout en moins de deux.

Son père, un quêteux ? Grégoire, incapable de regarder le curé en face, baissa les yeux sur la casquette qu'il tenait dans ses mains. Il recula de quelques années et revit en pensée, cette famille de mendiants qui parcourait les routes, qui vivait aux crochets des gens, et il n'arrivait pas à se rentrer dans la tête que le pauvre minable d'Adrien Jobé pouvait être son vrai père. Le jeune homme prenait toute une glissade. Lui qu'on considérait comme le fils de l'hôtelier le plus cossu de la place n'était en fait que le fils d'un mendiant. Il leva les yeux sur le prêtre.

– Je vous défends d'en parler.

Le curé s'emporta. Le choc de son poing sur le bureau fit sursauter Grégoire.

– Rassoyez-vous immédiatement !

Grégoire n'entendait rien. Il se sentait serré, étouffé, sur le point d'exploser. En somme, l'idée de déchoir aux yeux des gens lui était insupportable. Il quitterait cette paroisse avant que tout le monde apprenne sa vraie identité.

Le curé lui désigna une chaise de l'index. Mais Grégoire résistait.

– Maintenant que je sais tout, il faut que j'y aille ! J'ai un travail qui m'attend, protesta Grégoire d'une voix émue.

– Non ! Il faut que je vous parle et vous allez m'écouter attentivement. Comprenez bien qu'on ne choisit pas ses géniteurs. Si dans le temps, votre mère s'est éprise de monsieur votre père, c'est qu'alors elle lui a trouvé de grandes qualités. Vous avez maintenant une nouvelle famille et surtout, n'en rougissez jamais. Ayez plutôt honte de nos grands dirigeants comme Sir Wilfrid Laurier qui a appuyé l'Angleterre dans une guerre injuste contre un petit peuple brave comme les Boers qui luttaient avec courage pour la liberté de leur pays. Cette guerre du Transvaal n'était qu'un acte de brigandage au profit des compagnies pour hausser la cote de leurs actions et augmenter leurs dividendes. Combien d'hommes et de jeunes gens y ont laissé leur vie ou leur santé ? C'était une honte pour l'humanité qui la souffrait sans intervenir. Là, vous allez penser que je suis en train de verser dans la politicaillerie.

– Moi, de la politique, je connais pas grand-chose.

– Tout ça pour vous faire comprendre que votre père et beaucoup d'autres ont été les pauvres victimes des erreurs de nos décideurs. Monsieur Jobé est revenu du front amoindri, avec comme décorations, un képi et une vareuse. Encore de nos jours, cette guerre honteuse engendre des retombées ravageuses. C'est elle la responsable du départ de votre pauvre mère et de vos états d'esprit.

Le prêtre reprit haleine.

– Maintenant, il n'en tient qu'à vous de tisser ou non des liens avec vos frères et sœurs. Et que vous décidiez quoi que ce soit, rappelez-vous que rien ne peut nous séparer de nos origines. Perdre religion, honneur et famille serait une faillite.

Grégoire mit fin au monologue en se levant. Il salua et quitta respectueusement.

Maintenant, il savait. Il reprenait la route avec sa nouvelle identité, la tête pleine d'appréhensions.

Lui qui avait si hâte d'accoler son prénom au nom de son père reculait maintenant. Après tout, il avait été baptisé, Beaupré. Les gens de la place le connaissaient sous ce nom et un tel changement exigeait des procédures légales et coûteuses. Non pas que Grégoire jugeait ou méprisait son père, loin de là. Il tentait de se convaincre que c'était le fait de rendre des comptes à tout un chacun qui le troublait. Grégoire refusait de se l'avouer, mais son orgueil en prenait un coup.

Sur le chemin du retour, il réalisa son lien de parenté avec Joséphine. Elle était sa demi-sœur. Dire qu'elle était sa meilleure amie et qu'il avait été jusqu'à la désirer. C'était sans contredit la raison pour laquelle sa tante Pâquerette avait fait des pieds et des mains pour l'éloigner de lui. Tout devenait clair maintenant qu'il savait. Son intuition ne l'avait pas trompé. Les Dubé savaient qu'Adrien Jobé était son père et, par le fait même, Joséphine sa sœur. C'était la raison pour laquelle sa tante Pâquerette cherchait à rayer Joséphine de sa vie.

Louisa, Adèle et les garçons, est-ce qu'eux étaient au courant de cette étrange histoire ?

# XXIII

Le train soir et matin, le travail aux champs, les repas et les soins donnés à Constant, que de corvées Grégoire abattait chaque jour ! Il ne parla à personne de sa vraie identité. Lui-même arrivait presque à l'oublier en se jetant à corps perdu dans le travail.

Autour de lui, chaque homme avait une femme qui s'occupait de la tenue de la maison et celle-ci secondait son mari à l'étable et aux champs. Maintenant qu'il avait accumulé un peu d'argent, Grégoire pensait de plus en plus à prendre femme. Mais c'était surtout une compagne, une amoureuse qu'il voulait. La nuit surtout, une fille le hantait, et sa première préoccupation et non la moindre était : « Est-elle libre ? »

Dans la grande cuisine, Grégoire se berçait lentement, une jambe croisée sur sa cuisse. Il se voyait déjà en couple. Il imaginait l'élue de son cœur à s'affairer aux repas et une douce émotion le gagna. Il l'enlacerait, la serrerait, l'embrasserait à l'étouffer. Il entendit Constant bâiller à se décrocher les mâchoires et aussitôt, l'apparition s'éclipsa et la réalité fit place à l'imaginaire. Constant était là. Il avait peut-être remarqué son air béat. Constant serait toujours là, témoin de ses impulsions. La femme qui entrerait dans sa maison devrait supporter sa présence.

Bien sûr, l'infirme passait beaucoup de temps à son atelier, presque toutes ses journées, mais le soir tombé, ils se retrouveraient tous à la cuisine et Constant serait avec eux pour toute la veillée. Une femme serait-elle consentante de vivre en compagnie d'un infirme ? Même si la cause était noble, ce dernier représentait une certaine abnégation pour qui s'impliquerait dans une relation amoureuse.

Et Constant se sentirait-il envahi par une étrangère et des enfants dans sa propre maison ? La passation de contrat l'avait investi d'un droit dont il était habilité à en user. Qui, de Constant ou de sa femme, serait le plus chez lui dans cette cuisine ? Grégoire se le demandait. Il avait si bien vu Judith et la tante Pâquerette se prendre aux cheveux. Pour rien au monde, il aurait voulu voir Constant et sa femme s'affronter ainsi. Il regarda plus loin, les Desrochers, les Forest, les Gagnon, ces gens gardaient leurs vieux parents. Les siens apprendraient à témoigner à Constant, comme à un grand-père, respect et vénération.

Grégoire remettait toujours ses fréquentations à plus tard. Le travail ne lui laissait pas de répit. Et si Constant se sentait délaissé. Toutefois, en retour, l'infirme y trouverait son profit. Ses repas ne seraient que mieux apprêtés.

Il se décida d'en causer avec Constant. Ce fut lui qui l'encouragea de ses conseils.

– Te laisse pas séduire par une belle figure. La beauté est éphémère, recherche plutôt une poitrine abondante, des hanches fortes, un bassin solide capable de porter toute une progéniture.

Grégoire pensait à Bethléem, une fille d'une maigreur squelettique et il sourit. De sa beauté, il ne parlait pas, comme si la grâce de Bethléem n'existait que pour lui seul.

– C'est déjà fait et elle a aucun de ces atouts, mais elle sait si ben rouler les tartes ! Ah pour ça, oui, elle a la main. Quant au reste, je m'arrangerai pour y remédier. Elle aura dix-huit ans au milieu de juillet. J'attends ce moment pour aller demander sa main.

* * *

Quand le corps est occupé, l'esprit n'a pas le temps de s'ennuyer. Les jours s'égrenaient, les bourgeons blancs éclataient, le tabac montait. Juillet, avait dit Grégoire.

Ce dimanche matin sous la remise, il entreprit le ménage de sa voiture. Il brossa le siège en cuir noir et astiqua ensuite le bois d'un beau vert forêt. Il se pressait, mais il trouvait toujours un autre recoin à frotter, même les rayons des roues passèrent sous le torchon. Le toilettage terminé, sa voiture brillait au point que Grégoire pouvait s'y mirer comme dans une glace. Ce fut ensuite au tour de la Bleue de passer à l'étrille. Tout en caressant sa jument, le garçon pensait à Bethléem, une fille ordinaire qui cherchait plutôt à s'effacer qu'à épater. Avait-elle changé, grandi, grossi ? Quelle surprise il lui ferait ! Il s'attardait sur chaque moment, chaque souvenir qui l'avait rendue attachante à ses yeux. Son arrivée aux chantiers, sa manière de le regarder, ses randonnées à cheval, et la fouille de sa paillasse avec sa jalousie un peu enfantine. Il souriait seul en remémorant la grimace qu'elle lui avait adressée ce jour-là et sa façon de lui dire: «Tu m'enrages, Grégoire Beaupré!» Bethléem ne s'apercevait pas qu'elle était comique. Une fille unique a ben le droit d'être un peu fofolle et faire un peu l'enfant gâtée.

Arrivé à Saint-Liguori, il s'arrêta chez le marchand pour s'informer où pouvaient demeurer les Brochu. L'homme se contenta de tendre un bras devant lui, comme si tout le monde savait.

– C'est par là. Le devant de la maison est plein de jonquilles.

Grégoire lut sur la boîte aux lettres «Gustave Brochu». C'était une vieille maison au toit penché qui courait sur ses cent ans. La façade décrépite était soustraite à l'ombre des pommiers. Un rang de fleurs jaunes, en pleine terre, belles à en couper le souffle, bordait l'allée qui menait du chemin au perron.

Devant la maison, Grégoire aperçut, attaché au piquet, une belle pouliche grise attelée à un boghei. Le sang se figea dans ses veines. Grégoire ne savait plus que penser d'un attelage du dimanche après-midi. Bethléem avait-elle un amoureux? «Est-ce que j'arrive deuxième?» s'inquiétait le garçon.

Puis il reconnut Lorenzo qui s'amusait devant la porte avec un chiot. Grégoire tira les rênes et mena la Bleue au pas. Il passa tout droit, cria «allo» à l'enfant et dessina de grands saluts de la main, mais le petit ne semblait pas le reconnaître. Il engagea son attelage dans une ruelle où des gamins au visage barbouillé de confiture s'amusaient à donner des coups de pied sur une balle ; c'était à qui la projetterait le plus loin possible.

Grégoire avait besoin de temps pour réfléchir. Il imaginait Bethléem avec un prétendant. « J'espère qu'il n'y en a pas un qui vient marcher sur mes brisées », se dit-il. Et s'il se trompait ? Si c'était la parenté ? Il passa par trois fois devant la maison fleurie et finalement, se trouvant ridicule, il s'adressa à Lorenzo.

– Va chercher Bethléem.

L'enfant, le visage inexpressif, baragouina quelques mots dans un jargon que lui seul comprenait et il ne bougeait toujours pas. Grégoire n'insista pas davantage. L'enfant, que son handicap rendait lent, se rendit à la maison.

Soudain, Bethléem souleva le rideau pour mieux distinguer l'arrivant. C'était Grégoire. Le corps très droit, il se tenait assis dans une belle voiture juchée sur d'élégantes roues.

Grégoire surveillait la porte discrètement. Et ce fut l'apparition.

Du fond de son petit village, Bethléem s'était transformée en grâce. La gamine autrefois maigrelette s'était un peu arrondie du buste, des hanches et du derrière. Elle conservait toujours la démarche disloquée d'un enfant qui a grandi trop vite. Elle avait un attrait qui dépassait la beauté. Ce n'était pas l'élégance, mais peut-être une sorte de tendresse, de pureté, de candeur. Grégoire n'aurait su le dire. Sa robe jaune en coton lustré était tout effilochée, et pourtant, Bethléem avait un petit quelque chose d'adorable. Ses joues étaient moins creuses et ses yeux rieurs étaient d'un bleu céleste.

Bethléem resta sur le perron, clouée sur place, le temps de ramasser ses idées, puis courut au chemin. Elle leva sur Grégoire ses longs cils pleins de pudeur.

– Toi, le *cho-boy* ! Toi, ici ?

La joie allumait des chandelles dans son regard.

– Le *cho-boy* ! Ça fait longtemps que j'ai pas entendu ce nom-là.

Grégoire hésitait à lui proposer un tour de boghei. Cet attelage douteux devant chez elle éteignait ses ardeurs !

– T'as de la visite ?

– Ben oui ! T'as pas reconnu le boghei ? C'est Sauvageau qui se cherche un cuisinier pour ses chantiers. Papa veut pas y retourner. Il paie trop mal. Sauvageau lui fait encore promesses par-dessus promesses qu'il tiendra jamais.

Grégoire respira.

– Je pouvais pas reconnaître son attelage. Sauvageau tue ses chevaux à chaque printemps.

Grégoire ne put s'empêcher de rire de lui-même. Tant de combines, de calculs et d'énervements pour rien. Bethléem libre, Grégoire considéra aussitôt cette fille comme sienne.

– Et toi, tu veux retourner là-bas ?

– Depuis que t'es plus là, c'est ben plate ! Mais c'est pareil ici. On voit jamais personne et pis il se passe jamais rien. C'est ennuyant pas pour rire ! Au fond, je pense que je suis toujours une fille des bois. Je marchais pas encore quand mes parents m'ont amenée dans les hauts. On pourrait presque dire que je suis née là !

– Monte, Bethléem ! Viens faire un petit tour de voiture avec moi. C'est dimanche ! On va jaser un peu, tous les deux.

Bethléem jeta un coup d'œil vers la maison, assurée que sa mère la gronderait au retour. Elle s'exposait bien à quelques remontrances, mais l'amitié de Grégoire en valait bien la peine, et puis, quelque chose de plus fort que sa volonté la commandait. C'était sa chance d'échanger des confidences et peut-être se permettre quelques douces émotions. Déjà son cœur battait, prêt à sortir de sa poitrine. Elle monta dans la voiture et aussitôt sur la banquette, le fouet claqua sec sur la croupe de la Bleue et les fers à cheval frappèrent le gravier.

La luminosité du soleil faisait valser l'ombre de leur profil, l'allongeant ou le diminuant tour à tour sur le chemin.

– T'as un amoureux ?

– Non ! Je vois jamais personne.

– Et ces jeunes ?

Tout au long de leur promenade, ils rencontraient des garçons et des filles qui se baladaient, main dans la main, sur le bord du chemin.

– Je les connais pas. C'est rendu qu'il y a des gens de la ville, des purs étrangers qui viennent se pavaner dans la place, des filles fardées et barbouillées d'un rouge à lèvres vulgaire qui pensent qu'à faire la fête et qui parlent à tue-tête pour se faire remarquer. Il y en même quelques-unes qui fument la cigarette. As-tu déjà vu ça, toi, des filles qui fument ?

– Oui ! Par chez nous, il y avait une quêteuse qui fumait la pipe ! Elle s'appelait Milie Jobé.

Bethléem saisit une rêne et tira à hue.

– T'as juste à longer la rivière, tu vas voir des couples étendus de tout leur long sur la plage de galets. Il y en a même qui dorment là, en plein jour. Monsieur le curé a eu beau les sermonner du haut de la chaire, les vacanciers en font qu'à leur tête.

Bethléem ne s'apercevait pas que Grégoire la regardait avec convoitise. Rien dans ses manières ne lui laissait croire qu'il s'intéressait à elle particulièrement et elle était presque certaine de lui être indifférente. Pourtant, il était là, près d'elle.

Grégoire était heureux. Quelque chose de grand et de beau semblait tomber sur lui, comme un cadeau du ciel. Peut-être des rêves… ou l'amour!

La nature se mit de la partie. Le soleil donnait une teinte dorée aux devantures des maisons et argentait les toits de tôle.

Subitement, la sonorité des roues devint irrégulière. Bethléem pencha dangereusement le buste hors de la banquette.

– Regarde Grégoire, je pense que t'es en train de perdre une roue de charrette. Elle balance à gauche et à droite.

Grégoire tira les guides, sauta de voiture et examina l'essieu.

– J'ai perdu un boulon. Il peut pas être ben loin. Attends-moi ici, je vais voir derrière.

Bethléem s'impatientait. Le soleil était insupportable, mais surtout cet incident grignotait des minutes précieuses de leurs retrouvailles. Finalement, Grégoire revint avec le boulon de métal qu'il vissa à l'essieu.

– Il me faut une clé pour le resserrer solidement. On va devoir s'arrêter à la prochaine ferme. Ce sera une affaire de rien, ensuite on retournera chez toi.

Le boulon resserré, Grégoire monta et dirigea son attelage sur une route en lacet. Cette fois, il s'assit plus proche de la fille et son bras entoura les frêles épaules. Bethléem tremblait d'ivresse.

Une sensation étrange étourdissait Grégoire. Soudain, il goûta à la bouche de Bethléem et ce fut l'éveil du désir, ce qui jeta une confusion dans son cœur: espérance, amour, joie. Le bonheur le traversait comme un courant d'air bienfaisant.

Bethléem ferma les yeux et plia sous sa passion. Elle qui, jusque-là, avait gardé son innocence de petite fille, devenait brûlante, insatiable. Elle se sentait toute fragile dans les bras vigoureux de Grégoire.

Le soleil était chaud et l'odeur de trèfle encensait leurs soupirs. L'instant était divin. Les baisers répétés les empêchaient de parler. Pourtant, Bethléem avait tellement envie d'entendre Grégoire lui dire qu'il l'aimait. «Je suis folle, pensait-elle, les garçons prennent ce qu'il y a de meilleur et laissent tomber.» Devait-elle le repousser, le remettre à sa place? Bethléem ne savait pas réagir sans peut-être froisser Grégoire. Elle se dégagea doucement, comme si soudain, elle eut peur de l'amour. Elle replaça ses cheveux et lissa sa robe de ses mains. Le tissu de sa jupe suivait la forme de ses cuisses.

Grégoire s'amusait de la voir exécuter ses gestes comme une petite fille gênée. Il la serra de nouveau contre lui et il caressa son front, ses joues, son cou, ses seins. Il sentait battre le cœur de Bethléem sous son chemisier. Puis, subitement, il se ressaisit, reprit ses rênes à deux mains et tira à hue. L'attelage fit demi-tour. Lui, qui croyait ne plus jamais aimer, se rendait à l'évidence. Bethléem était l'élue de son cœur. Il en ferait sa femme. « Sa femme », se dit-il, sceptique. Si Bethléem refusait de l'épouser ? Était-elle prête à s'engager ? Que connaissait-elle des familles nombreuses ? Certaines filles préféraient le célibat au mariage ; les unes trouvaient trop lourde la tâche de mettre des enfants au monde et ensuite de les éduquer, les autres, des natures plus fortes, dédaignaient de se soumettre à un homme. Les filles sont tellement compliquées. Grégoire sonda son cœur.

– Comme ça, tu t'ennuies à la maison ? Qu'est-ce que tu dirais si le dimanche, je venais te voir au salon ?

Une flamme de joie éclairait le visage de Bethléem. Lui, la fréquenter ! C'était un bonheur auquel Bethléem ne croyait pas. Peut-être Grégoire la trouvait-il belle ? Peut-être l'aimait-il ? Elle chercha un moyen détourné pour l'amener à lui avouer ses sentiments. Elle n'en trouva point. Elle n'allait pas lui demander carrément s'il l'aimait d'amour. C'était un mot gênant pour un esprit encore timide et sa réponse pourrait être décevante, même que Grégoire pourrait la trouver un peu vite en affaires et la balancer. Bethléem ressentait une peur cruelle de le perdre avant même de le posséder. Elle se contenta de tourner autour du pot. Elle lui demanda d'une voix qui manquait d'assurance :

– Tu me trouves de ton goût ?

Elle lui adressa un sourire tellement charmeur qu'il ne douta plus de ses sentiments. Il prit sa main fragile, la mena lentement vers sa bouche et l'embrassa un long moment.

– Je suis sûr que t'es une fille parfaite.

Bethléem s'amusa à le mettre au défi.

– On peut toujours se grandir, se flatter, mais ce serait pas moi. Si je te dis mon pire défaut, tu riras pas hein ?

– Vas-y, dis-le ! Ensuite, on verra ben.

– Eh ben, tu te trompes, j'ai une de ces têtes. On me fait pas céder facilement, même que je boude pour les moindres bagatelles. Et quand je suis à bout d'arguments, je crie et je pleure.

Ils éclatèrent de rire en même temps.

– Tu me brosses un portrait très désavantageux de ta personne, mais tes objections sont pas valables pour deux sous. Je te connais par cœur. J'ai passé assez d'hivers à te regarder vivre pour savoir comment tu es.

La promenade fut trop courte. La voiture reprit le chemin de la maison avec deux cœurs qui battaient la chamade.

* * *

Grégoire se demandait quelle réception lui serait réservée chez les Brochu. Grégoire avait tant de fois tenu tête à cette femme qu'il s'attendait à ce qu'elle le flanque à la porte avant même de l'avoir franchie. Même Bethléem appréhendait ce moment crucial.

Ils entrèrent dans la cuisine à l'heure et au bruit des casseroles. Bethléem fut surprise d'entendre sa mère les convier aimablement : « Allez laver vos mains, le repas est sur la table. »

Le rôti de bœuf, accompagné de légumes mijotés dans un jus savoureux, était succulent. Grégoire ne cuisinait pas ces mets compliqués, aussi les estimait-il davantage. Le repas fut animé. Lorenzo s'était fait une moustache blanche en buvant son lait et il s'amusa à faire le singe jusqu'à ce qu'il tombe endormi, la tête sur la table.

Après une pointe de tarte au sirop, nappée d'une crème onctueuse, chacun se retrouva gavé. Bethléem aida sa mère à desservir, puis elle invita Grégoire à passer dans le haut-côté.

La pièce, d'un degré plus élevée, était modeste et exiguë. Le soleil couchant entrait par la fenêtre nue et allumait d'or le plancher de merisier huilé. Deux chaises droites à siège rembourré et agrémentées d'accoudoirs invitaient à une tenue rigide.

Bethléem jeta un œil inquisiteur dans la porte.

Si ce n'étaient de quelques rots discrets de bonne digestion et du mouvement du va-et-vient de sa jambe croisée, elle aurait cru son père endormi. Sa mère, un torchon à la main, épongeait du lait renversé sur le tapis de table où se trouvait le couvert de Lorenzo. À peine étaient-ils assis que Bethléem quitta son siège et murmura :

– On sera pas tranquille ici. Tout le monde va entendre ce qu'on dit. Viens !

Bethléem entraîna Grégoire tout au bout de la maison où se trouvait une faucheuse rouillée à longue lame.

– Regarde cette vieillerie. Je l'ai toujours vue là. Tu me croiras pas mais j'y suis très attachée. Des fois, je viens m'asseoir dessus. J'aime ce lieu tranquille. C'est ici que je me retire pour rêver, surtout quand l'ennui me prend.

– Est-ce que je fais partie de tes rêves ?

Bethléem sourit et sa figure rougit.

– Viens t'asseoir près de moi, là sur la lisse.

Le moment était trop solennel. Grégoire resta debout et prit sa main.

– Bethléem, veux-tu devenir ma femme ?

Bethléem resta bouche bée. Un embarras dans son gosier l'empêchait de répondre. Quand ses émotions étaient trop vives, son âme débordait. Elle acquiesça de la tête et serra sa main à la briser. Grégoire sentait les pulsions de son cœur au bout de ses doigts. Quand Bethléem put enfin respirer normalement, elle le regarda amoureusement et une larme de félicité roula de ses yeux sur sa joue. Il la serra contre lui et ils restèrent soudés l'un à l'autre pendant une éternité.

Finalement, Bethléem attira Grégoire à la cuisine où son père somnolait dans la berçante. Elle secoua vivement son épaule, ce qui le fit sursauter.

Grégoire s'agenouilla aussitôt devant l'homme pour en finir avec cette parade. La grande demande s'avérait une leçon d'humilité pour un caractère orgueilleux.

La gêne le gagna et tout le sang de son corps afflua à sa tête et empourpra sa face et ses oreilles.

– Monsieur Brochu, acceptez-vous de me donner votre fille en mariage ?

Ben oui ! répondit l'homme en souriant.

Grégoire, souple comme un élastique, se releva promptement. Bethléem prit sa main.

Affalé dans la berceuse, son père remit sa chaise en mouvement.

– T'as du vin de cerise, ma femme ? Verse-nous-en donc un verre qu'on arrose ça.

Grégoire n'avait qu'à se rappeler sa mère en état d'ébriété pour aussitôt lever le nez sur la boisson. Il refusa l'offre.

– Tu trinques pas avec nous ?

– Vous savez, moi et le vin ! Je prendrais plutôt un café avec une bonne crème riche.

– Si c'est comme ça, débouche pas pour moi, ma femme. Je prendrai aussi un café.

***

À la nuit tombée, Grégoire revint chez lui avec des idées de bonheur parfait. Une grosse lune joufflue éclairait sa route et le fond du ciel brillait de milliers d'étincelles. Grégoire était heureux comme il ne l'avait jamais été. Cette acceptation de Bethléem, c'était le coup de pied au derrière qui lui redonnait de l'ardeur. Dès le lendemain, il démonterait sa serre à tabac, une tâche déplaisante qu'il remettait sans cesse. Ensuite, il changerait quelques piquets de clôture brisés et s'il restait un peu de temps, il repeindrait la cuisine.

Soudain, la lune s'assombrit, voilée par un léger nuage. Il y avait Constant qui serait toujours témoin de leur quotidien.

Grégoire commanda la Bleue. La bête, la croupe abaissée, prit le trot. Soudain, une étoile filante traversa le ciel et lui ramena le sourire sur les lèvres.

Il entra chez lui par l'entrée de côté. Il poussa doucement la porte de chambre. Constant dormait. Grégoire aurait bien aimé raconter sa sortie et parler à l'infirme de ses sentiments pour Bethléem, mais il n'osait pas le réveiller. Le garçon monta à sa chambre à pas de loup et passa une bonne partie de la nuit à rêver à Bethléem, tout comme là-bas, Bethléem devait rêver à lui.

# XXIV

À la publication des bans, les fidèles échangeaient discrètement des regards en coin. Ils devaient se poser plein de questions. La fille à Gustave Brochu avec un inconnu. Dans le temps, les gens se mariaient entre voisins. En fait, jusqu'à ce jour, on avait toujours vu Bethléem seule.

Comme les sentiments avaient pris naissance aux chantiers, les amours de Bethléem s'étaient déroulées sans fréquentations sur la voie publique. On avait hâte de voir quelle sorte de garçon la grande efflanquée avait bien pu se décrocher.

* * *

Vint enfin le grand jour.

Sur le chemin qui mène au village, Bethléem, entendait la sonnerie retentissante des cloches qui s'échappait de la tourelle de son église.

Grégoire venait tout juste d'avoir dix-neuf ans. Debout au pied de l'autel, il se tenait très droit. L'église était remplie de murmures. La joie était déjà au rendez-vous. Puis ce fut l'apparition. Il se fit un grand silence, comme si d'un coup, les gens avaient le souffle coupé.

Au bras de son père, Bethléem avançait la tête haute, la taille fine, les jambes nerveuses, avec dans les yeux tout le bleu du ciel de son petit Saint-Liguori.

Elle portait une robe en voile de mousseline, de couleur champagne, qui frisait le sol et, sur sa tête, un petit chapeau en paille de Milan, dont le ton se mariait à ses cheveux or qu'on avait bouclés pour ce grand jour. Dans sa main, un lys enrubanné, un seul qui représentait la blancheur de l'âme de Bethléem.

Grégoire la regardait s'approcher. Qu'elle était jolie sa Bethléem ! Elle lui arrachait des larmes qu'il arrivait difficilement à résorber à coups de clignements des yeux. Il serait donc toujours un délicat qui se laisse prendre par les sentiments. « Si maman la voyait ! » Il aurait donné bien cher pour que sa mère soit là, témoin de son bonheur et qu'elle lui donne sa bénédiction.

Le cœur chargé d'émotion, les amoureux échangèrent les anneaux d'or.

***

À la maison, les Brochu avaient dressé dix longues tables pour déguster le veau gras. La plupart étaient fabriquées de planches en bois brut qu'on avait installées sur des chevalets. Il y en avait partout, dans la cuisine, la salle à manger, le salon et même dans la chambre du bas qu'on avait démeublée pour l'occasion. On avait bien sûr emprunté des chaises aux voisins. Tout le rang était présent.

De la famille Beaupré, seule Anne assista au mariage. Elle accompagnait l'infirme qui servait de père à Grégoire.

On embrassa les mariés. Émilien présenta Judith qui tenait une petite fille à califourchon sur sa hanche.

– Pas besoin de présentations, on se connaît déjà hein, Bethléem !

Judith se tourna vers Émilien.

– À Saint-Liguori, nous demeurions à trois fermes l'une de l'autre. Mais elle connaît pas notre petite Madeleine.

Bethléem bécota les joues rondes de l'enfant.

– Elle ressemble à son père comme deux gouttes d'eau.

– Nous voilà cousines par alliance. Le hasard fait drôlement les choses. Maintenant, j'espère qu'on se perdra pas de vue sitôt la noce terminée.

– J'espère ben !

– Je vous invite à venir dîner chez moi, dimanche en quinze.

Grégoire s'empressa d'accepter :

– On sera là, compte sur nous.

Judith s'excusa :

– Je vais aider ta mère à fleurir les tables.

Les voisins apportaient des plats : des tartes, des framboises, des choucroutes qu'ils ajoutaient aux charcuteries, aux galantines de veau et aux salades. De quoi régaler les invités. Quelques jeunes hommes buvaient à la régalade. On entendait les glouglous des bouteilles qui se vidaient. Il y eut même quelques gloutons qui s'empiffrèrent et s'endormirent sur place.

Après le repas, pour permettre à tout le monde de danser, on vida les pièces. Le violoneux, assis sur une chaise juchée sur la table, accorda son violon tout enrubanné et entama une valse.

Grégoire et Bethléem ouvrirent le bal. La mariée, qui ne connaissait pas un pas de cette danse, titubait et écrasait les pieds de son époux, ce qui fit rire les jeunes. Bethléem s'arrêta et les regarda. Dans ses yeux brillait une flamme douce.

– Pour la valse, vous avez ben beau vous moquer si ça vous chante, mais pour la bastringue, vous me battrez pas. Ça, c'est sûr !

– Hou ! Hou ! huaient en chœur les plaisantins, l'œil moitié moqueur, moitié attendri.

On dansa toute la nuit : des valses, des sets carrés et des gigues simples aux sons des violons, accordéons et harmonicas.

Pour donner un répit aux musiciens, les plus aventureux s'avançaient au centre de la pièce et poussaient leurs chansons à répondre, pour la plupart, un peu libertines.

Anne ne manquait pas une danse. Elle était à l'âge où les filles sont jolies. Et, ce qui ne gâchait rien, elle portait une belle petite jupe à volants qui laissait voir ses genoux et mettait en valeur ses longues jambes. Les garçons n'avaient d'yeux que pour elle ; ce qui allumait la jalousie des filles qui l'enviaient secrètement et qui, par orgueil, dissimulaient leur dépit.

Grégoire tourna le regard vers sa sœur. Il la voyait chalouper tête contre tête entre les danseurs ; les cheveux défaits à force de tourner, ou encore, elle riait à gorge déployée, la tête rejetée en arrière. Grégoire chuchota à l'oreille de Bethléem : « Regarde donc Anne, comme elle s'amuse. » Et Bethléem sourit en signe d'approbation.

Au crépuscule de cette belle nuit, Grégoire et Bethléem se glissèrent sans bruit à l'extérieur de la maison et filèrent en catimini. Derrière eux, la noce continuait. Elle se prolongerait deux jours durant.

C'était l'heure où les bougies du ciel s'éteignent une à une. Le soleil rosissait le firmament. Grégoire souleva sa jeune épouse à bout de bras et la déposa dans la voiture. Les nouveaux mariés prirent le chemin qui menait à Saint-Alexis.

À dix-huit ans, Bethléem quittait sa paroisse natale. Bercée par le roulement, la jeune femme faisait des efforts pour ne pas dormir au nez de son mari. Elle colla sa joue contre la sienne et prit sa main qu'elle serra.

– T'as vu ! C'est la première fois que maman m'embrasse. Elle a même essuyé une larme.

Grégoire ne dit rien pour ne pas attrister Bethléem, mais il se demandait si sa belle-mère n'était pas un peu actrice.

– T'es un amour, ma Bethléem. J'avais assez hâte qu'on se retrouve seuls à la maison. Avec toi et Constant, toute ma vie a changé. Maintenant, j'espère que tout ira ben entre vous deux.

– Pourquoi pas ! Constant sera comme un beau-père pour moi.

# XXV

Les mariés rentrèrent à la maison à l'heure du train du matin. Les vaches beuglaient devant l'étable, le chien jappait, les poules caquetaient dans la basse-cour.

Bethléem revêtit sa robe de semaine et aida Grégoire de son mieux. Elle lava les mamelles des vaches laitières, détacha deux veaux qui coururent s'accrocher aux pis gonflés de lait et donna une terrine d'avoine aux chevaux. Elle transporta ensuite les chaudières de lait mousseux à la laiterie. Depuis leur arrivée, Bethléem avait passé plus de temps à l'étable qu'à la maison. Le train terminé, ils eurent à peine le temps de se refaire une toilette qu'ils repartaient pour la messe. Comme le voulait la coutume, le dimanche suivant le mariage, Bethléem revêtit sa robe de mariée.

Quand Grégoire détacha le cheval du piquet, le lit n'avait pas été défait.

* * *

Bethléem apparut dans le petit village tout de brique rouge et de planches grises. Des maisons solides à galeries de bois, à colonnettes graciles, révélaient le confort et le bien-être des villageois.

Les nouveaux mariés montaient sur le parvis de l'église. Les gens regardaient le jeune couple avec curiosité. Les paroles et les regards touchaient Bethléem au passage. Trois faces de vieilles dames, soudées l'une à l'autre par une même ressemblance, dévisageaient effrontément Bethléem. On la désignait du doigt :

– C'est la femme du jeune Beaupré qui a acheté la terre des Baillargeon. Tu sais, cet infirme !

Les cloches folles carillonnaient inlassables et les oiseaux, emportés par un souffle panique, voltigeaient du clocher aux arbres. Et d'autres cloches répondaient des villages voisins. Pour Grégoire et Bethléem, elles sonnaient l'amour. C'était dimanche, jour de repos, de promenade.

* * *

Au retour de la messe, Bethléem et Grégoire coururent à l'étage changer leurs tenues du dimanche pour une vêture plus rudimentaire. Bethléem attacha un tablier sur ses hanches. Constant se rasait, Grégoire se berçait. La jeune femme éplucha trois patates et les couvrit d'eau froide.

– Viens me montrer tes champs de cultures. Je veux voir ce qui nous appartient.

– Ce sera long, tu sais, mais si tu te sens assez en forme pour marcher jusqu'au bout de la terre par cette chaleur écrasante, allons-y !

Bethléem ne répondit pas. Elle s'attifa d'un chapeau de paille troué et accorda son pas à celui de Grégoire. Ils prirent le sentier des vaches. Devant eux, les champs s'étalaient, regorgeant de tabac, de maïs, de blé, d'orge. Bethléem admirait le travail de Grégoire, mais lui, même s'il était fier de sa récolte, restait silencieux. Ils étaient mariés de la veille et leur union n'avait pas encore été consommée. Sa Bethléem était là, sous son petit chapeau de paille, belle comme le jour. Ils étaient seuls et Grégoire la désirait. Le sang battait dans ses veines et fouettait ses tempes. Il se dit: «Pourquoi pas, ici même?» Il la poussailla, la poursuivit et, sur le point de l'attraper, Bethléem s'échappa vivement. Elle effectua un virage à droite, puis à gauche. Elle lui cria: «Gagne-moi d'abord, Grégoire Beaupré!» ce qui les fit rire. Finalement, à bout de souffle, elle ralentit sa course. Grégoire saisit le bas de sa robe et la fit basculer. Elle resta là, allongée sur le sol, à lui offrir son corps. Grégoire se laissa tomber à genoux, puis s'allongea à plat ventre sur elle. Les épis de blé, pliés sous leur poids, formaient un grand lit doré. Et là, dans le cadre d'une campagne fertile et verdoyante, Grégoire posséda Bethléem pour la première fois.

Bethléem était aussi chaude que dans ses rêves. Quand elle se releva, tout échevelée, le soleil riait, les épis se balançaient, les oiseaux chantaient et Grégoire souriait. Il enlevait des brindilles accrochées à ses cheveux, secouait sa robe terreuse, puis il lui tendit son chapeau. Bethléem s'amusait de voir son mari l'entourer de petites attentions.

Grégoire se sentait un peu coupable de lui avoir fait l'amour en pleine nature, parmi les criquets et les sauterelles quand, à la maison, un bon lit les attendait. Bethléem l'avait-elle trouvé un peu rustre?

Il s'excusa, la bouche moqueuse:

– C'est toi qui m'as provoqué. Moi, j'en pouvais plus de résister. T'es trop belle, ma Bethléem!

Elle colla son corps contre le sien et les yeux fixés sur son mari, elle avoua en toute sincérité :

– Je l'ai cherché. J'aurais été gênée que Constant soit témoin de nos premiers ébats.

Bethléem remit son petit chapeau de paille un peu de travers sur sa tête et ajouta :

– Viens, courons. Il faut mettre les patates au feu.

* * *

Le soir, épuisée par la fatigue de la noce et le manque de sommeil, Bethléem suivit Grégoire dans l'escalier, jusque dans la chambre en mansarde meublée d'un grand lit.

De la lucarne ouverte, elle entendit un bruissement dans les branches. Ce ne pouvait être le vent. Depuis trois jours, le temps était d'un calme inquiétant, comme c'est souvent le cas avant une tornade. Bethléem regarda mieux. Des oiseaux piaillaient dans l'arbre qui ombrageait la chambre.

– Viens voir, Grégoire, des tourterelles !

Bethléem lui indiqua du doigt, un nid et toute une couvée d'oisillons.

Grégoire était là, juste dans son dos. Bethléem ne l'avait pas vu s'approcher, mais elle sentait son souffle chaud sur sa nuque. Elle renversa la tête sur son épaule et ferma les yeux.

Grégoire la souleva dans ses bras et, le menton dans le cou de sa bien-aimée, il la déposa dans les draps laineux. Il souffla la chandelle qui se doublait à la fenêtre. Puis la nuit les prit, les souda et les berça d'un sommeil de plomb qui les assomma jusqu'au petit matin. Avant de s'arracher du lit, les jeunes mariés firent de nouveau grincer le sommier. Ils se fichaient éperdument du violent orage qui tambourinait sur le toit de tôle.

Au réveil, la grêle avait détruit toute leur récolte. Bethléem était renversée. Sa voix tremblait, sa bouche se tordait.

– Pauvre Grégoire ! Tant de travail pour en arriver à pareille catastrophe ! Ton tabac qui était magnifique.

Grégoire ne se laissa pas abattre. D'abord, il ne pouvait rien y changer.

– Je veux pas de braillage ! Reste à se retrousser les manches. L'été est trop avancé pour réensemencer. On va prier pour pas mourir de faim.

# XXVI

Le temps de la reconstruction de leur maison, la famille de Pierrot et Joséphine logeait chez Pierre Chénier, le médecin du village.

C'était une nuit de chaleur insupportable où les draps humides vous collent à la peau. Les derniers promeneurs de la rue principale ne se décidaient plus à rentrer, leurs talons martelaient le trottoir de bois et les voix montaient jusqu'au deuxième.

Joséphine se leva et se dirigea vers la fenêtre. Enceinte de six mois, la jeune femme suffoquait.

Dans la chambre, les rideaux pendus aux croisées ouvertes ne bougeaient pas d'un cheveu. Joséphine regarda Pierrot. Comment son mari arrivait-il à dormir par ce temps écrasant, précurseur d'orages ?

Après avoir subi les effets dévastateurs de la foudre, Joséphine demeurait craintive.

Douze coups sonnèrent à la pendule. À cette heure pleine de silence, la jeune femme descendit l'escalier à pas de loup et traversa la cuisine sombre. Elle sortit sur le perron où elle se cala dans un invitant fauteuil d'osier. Devant la résidence, le réverbère au gaz jetait une lueur sur les dalles de pierres grises.

Les passants saluaient Joséphine d'une inclination de tête discrète et celle-ci répondait machinalement. Elle n'était intéressée à aucun mouvement autour d'elle, n'en subissant que trop ces derniers temps.

« Quelle nuit ! » se dit-elle. Il lui semblait que toute la lourdeur de sa tâche, de sa grossesse, de sa cohabitation avec la famille du médecin, refluait vers sa tête. Depuis l'incendie de leur maison, leur brusque arrivée chez les Chénier avait amené un changement de vie, autant pour Léocadie que pour Joséphine. Toutes les pièces de la résidence étaient maintenant occupées et encombrées et parmi ce mélimélo, les enfants sautaient, criaient, se querellaient. La maison du médecin avait beau être grande, les occupants s'écrasaient les pieds. Joséphine aspirait à la tranquillité et au silence. L'obsession de rentrer dans sa nouvelle maison ne la quittait plus et hantait jusqu'à son sommeil.

Joséphine quitta le fauteuil d'osier et retourna à sa chambre sur la pointe des pieds. Toute la maisonnée était endormie. Au deuxième, on suffoquait. La jeune femme retourna à son lit et laissa tomber sa tête sur l'oreiller. Elle sentit une main effleurer sa joue.

– D'où tu viens ?

– Du perron ! Je cherchais un peu d'air. Le temps est à l'orage. J'ai vu des éclairs au loin. Pourvu que la grêle fasse pas de ravages comme à Saint-Alexis !

– Pense pas à ça ! Essaie de dormir.

Il suffisait de simples mots de son mari pour que Joséphine se sente rassurée. Elle emprisonna la main de Pierrot dans la sienne et resta éveillée. La couverture en cretonne imprimée eut tôt fait de coller à sa chair moite. Elle s'étira, roula et roula. Elle entendit sonner la messe de sept heures au clocher, puis plus rien. Au moment où les gens se levaient, Joséphine sombrait dans un sommeil de mort.

* * *

À sept heures trente, des cris d'enfants et des petits pas précipités envahissaient le passage.

Joséphine, mal réveillée, entrouvrit les yeux et étira ses longs membres. Suite à sa nuit blanche, un irrésistible besoin de paresser tenait la jeune femme clouée au lit. Ce matin-là, elle aurait donné cher pour se décharger de ses responsabilités et se laisser aller à dormir tout son soûl, à rêvasser au petit être qui bougeait dans son ventre. Mais Joséphine ne pouvait se permettre de traînasser. Ses deux jeunes frères, dont elle avait la charge, avaient pris l'étage d'assaut et réveillé Adèle, couchée derrière la commode. Joséphine devait s'occuper des gamins avant qu'ils ne réveillent le petit Philippe, le fils des Chénier. « Quel fardeau, se dit-elle, d'élever des enfants qui ne sont pas les vôtres et qui vous tombent sur les bras, trois du coup ! » Elle adressa une prière au ciel. « Qu'est-ce qu'on fait maman, quand on n'en peut plus ? »

En bas, sa sœur Louisa s'affairait au déjeuner. La jeune fille travaillait comme domestique chez les Chénier. Le médecin la traitait avec beaucoup d'égards et la présentait aux clients comme sa petite protégée.

De son lit, Joséphine entendait les tasses et les ustensiles s'entrechoquer. Déjà, les odeurs invitantes du café mêlées à celle des rôties montaient aux chambres et chatouillaient l'appétit.

Elle se pelotonna en boule. Quel grand bien, elle trouverait à paresser, à s'éparpiller, à ne faire que ce qui lui plaît. La jeune femme tourna la tête et ouvrit un œil en direction de la porte. « Un coup de cœur ! se dit-elle. Le premier effort est le plus difficile. » Elle s'arracha des draps et descendit du lit au moment où Isaac et Jonas, deux gamins de cinq et sept ans, pointaient le nez dans l'embrasure de la porte. Joséphine oublia son confort au profit des enfants. Elle enfila à la hâte une jupe à fleurs qui lui descendait aux mollets, attrapa brusquement les gamins par un bras et les retourna à leur chambre.

– Allez vous cacher. Je veux pas en voir un descendre à la cuisine les fesses à l'air.

Les petits, que la faim dévorait, ne voulaient rien entendre. Ils s'accrochaient à la jupe de leur sœur qui s'affairait à enlever leurs draps mouillés et, tout en échangeant un sourire complice, les gamins s'amusaient à chanter en trépignant d'impatience :

– On veut manger ! On veut manger !

D'un geste déterminé, Joséphine les écarta.

– Vous aviez juste à pas faire pipi au lit ! Patientez, je reviens dans la minute. En attendant, faites votre prière.

Du haut de l'escalier, Joséphine poussa du pied un tas d'alaises et de draps souillés qui dégringolèrent les marches en roulé-boulé.

Devant l'évier, Pierrot savonnait tranquillement ses mains. Joséphine bouillait de le voir s'approprier le miroir de façon abusive, sans égard pour le médecin, attentionné à se raser le menton. Ce dernier devait se contorsionner pour arriver à couper ses poils sans se taillader le visage.

Léocadie puisait de grands gobelets d'eau chaude du réservoir attenant au poêle et les versait ensuite dans la cuvette pour la toilette de chacun. Enceinte d'un deuxième enfant, Léocadie se faufilait entre son mari et Pierrot pour recueillir un peu d'eau de remplacement. On ne devait pas laisser épuiser la réserve. À sec, la tôle risquait de brûler et percer.

Derrière eux, Joséphine passait une main impatiente dans ses cheveux en désordre. Maintes fois, ses paupières lourdes tombaient sur ses yeux, comme un rideau qui se baisse. Un besoin de manger malmenait son cœur fragile de future maman et le soulevait légèrement. Elle tenait à la main une bassine de cuivre vide, destinée à laver les fessiers des petits incontinents. Son tour de passer à l'évier n'arrivait plus.

Pendant ce temps, en haut, les garnements sautaient sur les matelas et rebondissaient sur le plancher. En bas, le plafonnier de la cuisine tremblait sous les coups. Joséphine leva des yeux désespérés au plafond.

– Tu les entends, Pierrot?

Pierrot semblait sourd.

Joséphine monta tranquilliser les enfants et quand elle réapparut à la cuisine, l'agitation avait cessé. Léocadie et les hommes, attablés confortablement, profitaient du déjeuner pour s'intéresser aux derniers événements parus dans *La Presse*. Marie Curie participait à la recherche du radium. Le docteur Chénier portait un vif intérêt à tout ce qui concernait les découvertes médicales. Quelques pages plus loin, on présentait les plans de la future basilique du Mont-Royal.

Joséphine, avide de se renseigner sur les dernières nouvelles, étirait le cou et tendait l'oreille. Elle aurait bien aimé se mêler à la conversation et s'intéresser aux événements saillants de l'actualité tout en sirotant lentement un café, mais elle dut réprimer ses caprices et monter. En haut, le devoir l'appelait. Elle poussa un profond soupir. Il lui fallait encore une fois gravir les treize marches. Enceinte, les escaliers la tuaient. Elle disparut avec son seau à demi rempli d'eau. Sa besogne terminée, elle descendit précédée de Jonas et Isaac. Les hommes avaient disparu.

Joséphine lava ses mains à l'eau glacée. Les minutes étaient comptées serré et il n'en restait aucune pour se dorloter. Elle poussa le journal sur le bout de la table et servit le déjeuner aux enfants. À force de courir du chaudron aux assiettes, sa bolée de flocons d'avoine avait tiédi et, quand vint son tour de manger, sa rage de faim était complètement passée. Qu'il s'agisse des repas ou du sommeil, la jeune femme devait ramer à contre-courant. Elle s'assit devant un café froid. Elle qui avait si faim tantôt. La cohue grouillante l'emportait sur son appétit et elle dut se forcer pour avaler quelques cuillerées de céréales. Les garçons sortis de table, sa routine ne lui permit pas un instant de répit pour étirer un café ou lire les gros titres du journal que son peu d'instruction lui permettait. Tous les matins, c'était la confusion.

Joséphine se rappela le temps où elle travaillait comme bonne dans cette même maison, alors que la vie coulait tranquille et qu'elle profitait du confort et des largesses de Léocadie. Dans le temps, ses occupations lui laissaient le loisir de broder, de soigner son apparence. Toutefois, la jeune femme ne regrettait pas son mariage. Elle aimait tendrement Pierrot et l'enfant qui s'annonçait comblait ses attentes. S'il n'y avait pas eu ce sacré feu pour chambouler leur vie !

Depuis quelques semaines, la résidence des Chénier, autrefois calme et reluisante comme un couvent, s'était transformée en tornade.

Les garçons avec leurs querelles ne se gênaient pas pour pousser des cris stridents sujets à déranger les consultations du médecin dont le cabinet se trouvait à proximité de la cuisine.

Joséphine s'évertuait inutilement à rappeler les enfants à l'ordre avec une patience d'ange, afin de conserver l'harmonie de la maison, mais sa méthode douce ne donnait plus aucun résultat. Les petits garçons, ébranlés par les changements subits dont ils étaient victimes, étaient devenus incontrôlables. En bout de ligne, Joséphine perdit tous ses moyens.

Elle ne voyait plus le jour où enfin elle s'installerait dans sa nouvelle maison. Sans cesse sur le qui-vive, elle devint rapidement nerveuse et agitée. Ces derniers jours, elle dut bien souvent refouler ses larmes et finalement, son estomac se détraqua.

Joséphine sentait sa famille devenir une charge pour Pierre et Léocadie. Leur invitation à demeurer chez eux partait bien sûr d'une bonne intention, mais Joséphine se demandait si les Chénier avaient pu prévoir tout le chambardement que leur générosité leur ménageait, ils n'auraient pas plutôt opté pour leur tranquillité. Ce côtoiement des deux familles était si décevant ! Joséphine craignait par-dessus tout que leurs bonnes relations se détériorent. Elle était prête à se saigner pour conserver l'harmonie existante entre les Tremblay et les Chénier.

Monsieur le docteur se gardait bien de se plaindre ; son éducation l'en empêchait, mais il n'était pas sans remarquer que Joséphine perdait le contrôle des garçons et que ceux-ci profitaient de la situation pour se permettre l'intolérable.

* * *

Après le dîner, Joséphine se pressa de remettre la maison en ordre, tout en initiant Adèle à essuyer la vaisselle. Jonas et Isaac couraient d'un bout à l'autre de la cuisine jusqu'au fond du passage. Ils s'amusaient à faire claquer à tour de bras la petite porte d'une penderie qui se rouvrait à chaque contre-choc. À trois ans, le petit Philippe imitait leurs exploits. Joséphine infligea à ses frères une sanction légère. Elle les mit en pénitence, face au mur. Mais deux minutes plus tard, les garnements reprenaient leurs ébats de plus belle.

De l'autre côté de la cloison, la salle d'attente était comble et le sol trépidait comme le plancher d'un train.

Joséphine avait beau rappeler les enfants à l'ordre, ils n'en faisaient qu'à leur gré. Soudain, la porte du cabinet s'ouvrit et le médecin, l'air sévère, étira le cou. Il ne dit rien. Il n'avait pas besoin de réprimander, son air autoritaire à lui seul formulait le plus mortel reproche.

Joséphine se sentit piquée au vif. Elle ravala péniblement sa déception et, la bouche tremblotante, elle murmura quelques paroles inaudibles. Pour ajouter à sa peine, Léocadie avait assisté à la scène sans intervenir.

Joséphine s'attendait à ce que sa belle-sœur, sans prendre parti contre son mari, minimise l'offense aux yeux de celui-ci. Bien au contraire, Léocadie, par son silence, marquait l'appui invétéré qu'elle accordait à son homme. Joséphine se sentait rejetée. Tout le monde se liguait contre elle. Le cœur en compote, elle laissa la vaisselle en plan et attrapa les garçons par un bras.

– Venez ! On s'en va. Viens, toi aussi, Adèle.

Léocadie s'informa où elle allait comme ça, mais Joséphine passa la porte, telle une sourde-muette, avec le marcher lourd d'un homme de deux cents livres.

Léocadie, plantée devant la fenêtre, suivait la petite clique des yeux. « J'espère que Joséphine va pas se remettre à mendier ses couchers », se dit-elle.

Le soleil était encore haut dans le ciel et la température toujours écrasante.

La jeune femme enceinte se dirigeait d'un pas décidé vers la ferme familiale. Ce jour-là, elle ne sentit pas les odeurs de boulangerie, pas plus qu'elle ne vit le forgeron, planté dans sa porte ouverte, ni l'organiste traverser la rue, la figure enfarinée de poudre de riz.

* * *

Léocadie appela aussitôt Louisa occupée à ranger les chambres du haut.

– Prends le cabriolet du docteur et va reconduire Joséphine où elle veut bien aller. Si elle refuse, insiste et dis-lui qu'elle est toujours la bienvenue ici. Amuse-toi pas en chemin, au cas où surviendrait une urgence.

La petite servante dénoua son tablier et le lança sur le dossier d'une chaise. Elle détacha Catin du piquet et légère comme une mouche, se jucha allègrement sur la banquette de la voiture. Les rênes enroulées autour de ses mains, Louisa fit claquer sa langue et aussitôt, la pouliche prit le trot.

Elle ne fit pas long qu'elle reconnut la jupe à fleurs et le ventre bombé de sa sœur. Joséphine la précédait de quelques arpents seulement. Elle marchait comme une condamnée en regardant droit devant, la tête haute, le pas allongé. Les gamins, qui avaient peine à suivre, trottinaient à ses côtés.

Arrivée à leur hauteur, Louisa tira les guides et cria : « Whooo ! » Joséphine faisait pitié à voir. Elle avait la figure inondée de larmes. Le cœur de Louisa se serra. Les enfants éprouvaient une émotion extrême à voir pleurer leur sœur. Dans les épreuves, une même souffrance les atteignait et les rapprochait tous. Depuis la mort de leurs parents, ils n'avaient plus qu'elle sur qui compter. Joséphine représentait leur mère.

– Montez ! ordonna Louisa, et toi Joséphine, dis-moi où je dois vous conduire.

– Chez nous !

Louisa eut beau poser mille questions au sujet de ce départ précipité, Joséphine restait muette. Son cœur lui conseillait de se taire. Ce fut Adèle qui rapporta les faits. Et Isaac, avec ses yeux de biche et ses lèvres charnues, ajouta, l'air piteux :

– C'est de notre faute, on n'a pas été sage.

– Dis plutôt que vous avez mené le diable, rectifia Joséphine.

Joséphine sentait la petite main repentante d'Isaac caresser son bras.

– T'en veux aux Chénier, Joséphine ? questionna Louisa.

– Non, mais j'ai honte, tellement honte. Je vois ben que notre présence cause des embêtements à monsieur le docteur. Surtout que les petits sont ma propre responsabilité. Ils n'ont aucun lien de parenté avec lui.

Qu'est-ce que tu comptes faire maintenant ?

– J'en sais rien ! Je peux quand même pas me servir d'un fouet pour les dresser comme on le fait pour les animaux. Je vais d'abord parler à Pierrot. Joséphine murmura comme pour elle seule : « Si maman était là, aussi... »

La jeune femme essuya ses yeux du revers de la main. Louisa s'inquiétait pour sa sœur.

– Allez-vous revenir chez Léocadie ?

– Où veux-tu qu'on aille ? On est à la rue. On peut toujours pas coucher dehors. Mais je suis pas aveugle, je vois ben le branle-bas que ma famille cause aux Chénier. Et puis, c'est trop pour Léocadie. Déjà qu'elle file mal !

– Après quelques minutes de réflexion, Joséphine reprit : Si ce n'étaient des enfants, je m'installerais dans la laiterie avec Pierrot, mais la pièce est ben trop petite pour y dormir à cinq ! Tiens, j'ai une idée, je viendrai passer la journée à notre nouvelle maison avec les petits et je rentrerai chez monsieur le docteur seulement à l'heure du coucher.

– Et les jours de pluie ? Et les dimanches ? La chamaille recommencera ?

– Dimanche, après la messe, j'amènerai les enfants prier sur la tombe de nos parents. On demandera l'aide d'en haut.

– Dommage que j'aie pas ma propre maison ! Je vous prendrais chez moi. Après tout, les enfants sont pas plus à toi qu'à moi.

Joséphine serra le poignet de sa sœur.

– T'es ben fine, Louisa ! Au moins, je sens quelqu'un de mon bord !

– Je me souviendrai toujours quand maman est morte et que t'as refusé de nous placer à l'orphelinat. Je vivrai jamais assez vieille pour oublier tes bontés. Je te remettrai ça.

Louisa raisonnait en adulte responsable. Prise par son propre bonheur, Joséphine n'avait pas suivi l'évolution de sa sœur. Celle-ci venait de faire un bond de l'adolescence à la maturité. Elle la regarda autrement. Louisa avait grandi de taille et de cœur. Elle aussi était prête à tout pour les siens. Quel courage la menait!

Joséphine lui témoigna sa reconnaissance.

– Notre arrivée dans la maison du médecin t'a apporté un surcroît de travail. Tu sais, j'ai deux yeux pour le voir. Et puis, dans tout ça, c'est encore toi qui vas devoir payer pour. Il te faudra laver les draps des petits et te taper tout le travail seule.

– T'en fais pas pour moi! Comme c'est là, t'en as déjà assez sur les épaules.

Arrivée chez elle, Joséphine vit de nouveau sa parenté et ses voisins avec planches, scies, et marteaux en main. Chaque jour, les ouvriers reprenaient vaillamment le travail de la veille. La solidarité était leur loi. Leurs récoltes étaient ajournées et personne ne s'apitoyait sur son propre sort.

Les jeunes mamans avaient couché leur dernier-né à l'ombre d'un vieux cerisier et s'affairaient à ramasser les restes du dîner. Ce spectacle décupla les forces de Joséphine et releva son courage. La pente nord du toit était recouverte de petites tuiles argentées, plates et rondes, semblables à des écailles de poisson et déjà, on pouvait compter les ouvertures réservées aux fenêtres.

Joséphine refusa d'afficher ses ennuis devant la parenté: «Ce serait ingrat de se plaindre. Tout le monde trime du matin au soir au profit de ma petite famille.» Elle compta cinq semaines depuis la foudre dévastatrice et déjà la maison se relevait de ses cendres.

N'empêche que Joséphine refoulait une forte envie de pleurer.

Maria s'avançait vers elle, les manches retroussées jusqu'aux coudes. Cette tante était comme une seconde mère pour Joséphine. Ces derniers temps, elle avait remarqué les traits tirés, la maigreur et les yeux cernés de sa nièce, même sa voix prenait des intonations de déprime. Maria trouvait inconcevable qu'une jeune femme perde du poids pendant sa grossesse. Elle pinça une joue flasque.

– Ça va pas, toi ? Je te trouve un peu blême et pis, tu fonds à vue d'œil.

Maria recula d'un pas et toisa Joséphine pour mieux s'assurer que ses remarques étaient bien fondées, qu'elle n'exagérait rien.

– Peut-on demeurer sous le même toit qu'un médecin et dépérir de la sorte ! Faut dire que vivre entassés les uns sur les autres doit pas être tous les jours facile.

– J'ai pas à me plaindre. Les Chénier se fendent en dix pour nous rendre service. Si ce n'étaient des enfants. Ils profitent de la situation pour mener le diable tant qu'ils peuvent.

– Des enfants, ça se dompte, tu sais ! Une claque dans le chignon à l'occasion a jamais fait mourir personne.

– Je pourrais pas ! C'est pas les moyens que j'emploie.

Maria, l'air désapprobateur, leva des yeux implorants vers le ciel.

Joséphine tenta de couper court à la discussion avant qu'elle ne s'envenime.

Maria était une femme volontaire qui s'imposait et s'exprimait directement, souvent sans délicatesse, mais sous sa forte nature se cachaient de grandes qualités de cœur. Joséphine ne désirait pas s'en faire une ennemie.

Elle s'approcha de Pierrot qui n'en fit pas de cas. Il fournissait les matériaux aux hommes et, entre-temps, il bouchait les interstices des murs avec de l'étoupe goudronnée. Sa tâche le prenait tout entier. Joséphine ne réussit pas à lui parler en privé, à lui dire que les petits avaient fait les fous toute la matinée. Pierrot ne l'avait même pas saluée à son arrivée. Comment aurait-il pris la peine de l'écouter ?

Joséphine choisit un endroit un peu en retrait où personne ne serait témoin de sa conversation. Elle invita les enfants à s'asseoir dans l'herbe et leur fit ses recommandations.

– Si vous continuez de mener le diable chez monsieur le docteur, il va nous renvoyer et nous serons obligés de coucher dehors, même par temps de pluie et vous serez tous malades. Vous aurez couru après !

Isaac se leva, mais Joséphine le rattrapa aussitôt par un poignet.

– Bouge pas d'ici, toi. J'ai pas fini. Je vous défends de courir dans la maison, de sauter dans les escaliers et, à la table, je veux pas entendre un seul mot.

– Et si je veux du lait ou du beurre ? questionna Isaac.

– Tu lèveras le doigt et t'attendras qu'on te réponde.

– Pareil comme un sourd-muet ?

– En plein ça ! À l'avenir, je tiens à ce que ce soit de même à toutes les tables où vous serez reçus. Vous faites mieux de vous rappeler de ça !

Joséphine les menaça, au moindre accroc à la règle, de les coucher sans souper. Puis elle ramassa sa jupe et se leva.

– Maintenant, vous pouvez aller jouer.

Isaac n'aimait pas voir Joséphine de mauvaise humeur. Cet enfant trouvait toujours le moyen de l'attendrir.

– Je t'aime comme une sœur, dit-il.

– Mais, je suis ta sœur.

– Oui, mais toi, t'es plus gentille !

Joséphine lui fit un gros câlin.

* * *

Avant le souper, Joséphine débarbouilla les enfants et les fit asseoir sur le banc qui longeait le mur. Même si les petits estomacs criaient famine, les enfants observèrent un silence absolu.

Louisa, la figure rougie par la chaleur, poussa le pouding au suif sur le bout du poêle. Elle tira du four, un immense plat de macaroni aux tomates qu'elle déposa au beau milieu de la table. Joséphine distribuait les assiettes et les ustensiles. Pendant ce temps, Léocadie, retirée au fond du passage, vomissait dans un bol granité.

Le médecin, assis au bout de la table, joignit les mains et récita le bénédicité.

À la première bouchée, des coups frappés au carreau firent retourner toutes les têtes. La porte s'ouvrit en coup de vent et claqua derrière l'oncle Roger, le propriétaire de la manufacture de portes et fenêtres. L'homme ne se donna pas la peine de saluer. Il s'adressa à Pierrot.

– Je viens livrer tes châssis. C'est un travail d'expert, mon Pierrot. Dis-moi où les ranger. Ça prend un endroit à l'abri de la pluie.

– On pourrait les mettre dans le hangar à bois, proposa Pierrot. Joséphine y sera plus à l'aise pour les peindre et mastiquer les vitres.

Le médecin se leva de table, jeta un œil à la fenêtre. L'oncle avait raison. C'étaient de belles fenêtres à croisillons avec des espagnolettes luisantes.

Il s'adressa à Pierrot.

– Fais porter tout ça chez Luc. L'été, sa grange est vide. Que ton frère fasse sa part lui aussi ! S'il s'obstine, je me charge de lui faire entendre raison. Et puis, tu trouveras quelqu'un d'autre pour poser le mastic. Joséphine en a par-dessus la tête de s'occuper des enfants, elle n'est pas en condition d'abattre pareilles besognes. Peut-être devrais-tu organiser une corvée ?

– Une corvée ? Quand tout le monde est déjà à mon service gratuitement ? Je m'arrangerai avec le masticage. J'aurai qu'à travailler plus tard le soir.

– Ce n'est pas tout, ajouta Pierre Chénier, je veux voir tes frères avec leurs épouses dès ce soir. On devra placer les enfants ailleurs avant que nos femmes flanchent. Les petits seront sans doute éparpillés d'un bord et de l'autre, mais comme c'est l'histoire de quelques semaines seulement !

Personne ne transgressa les ordres de Pierre Chénier. Le médecin du village était digne d'un respect absolu au même titre que le prêtre. Tout ce qu'il disait était inviolable, sacré et respecté.

Joséphine refoula un gros « ouf ! » qui tentait de s'échapper de sa gorge. « Ça y est ! se dit-elle. Là-haut, maman doit avoir entendu mon appel au secours, en tout cas, tante Maria a tenu promesse! » La jeune femme se sentait soulagée d'un poids énorme. Les enfants placés, elle profiterait d'un peu de répit, autant pour elle que pour Louisa et les Chénier. Joséphine lança à Léocadie un regard de contentement, presque un sourire. Enfin, la maison retrouverait son calme et les futures mamans seraient libres d'ajouter une heure ou deux de sommeil à leurs courtes nuits.

Adèle se mit à pleurer et les garçons enchaînèrent.

– Cessez vos pleurnicheries! Trancha Joséphine. Après tout, vous en mourrez pas. La parenté, c'est pas l'orphelinat. Prenez ça comme une vacance. Vous vous amuserez avec vos cousins et, dès que la maison sera habitable, nous irons vous chercher. Les dimanches et les jours de beau temps, on se retrouvera tous sur le chantier.

* * *

Les enfants placés, quelques semaines suffirent pour transformer Joséphine. Ses joues s'arrondirent, ses lèvres rosirent et elle retrouva son adorable sourire.

Chaque dimanche donnait lieu à des retrouvailles. Après la messe, Joséphine réunissait ses frères et sœurs et pendant que les hommes devisaient sur le perron de l'église, les Jobé se rendaient faire une courte visite au cimetière. Joséphine déposait sur la tombe de son fils quelques fleurs cueillies dans les plates-bandes de Léocadie. Suivait le pique-nique sur l'herbe à la campagne.

Pendant que les enfants jouaient à cache-cache autour des bâtiments, Joséphine, assise sur un tas de planches inutilisées, respirait la bonne odeur de bois scié. Elle ne se lassait pas d'admirer la solide charpente de madriers. Elle imaginait déjà la façade blanchie à la chaux, les rideaux de dentelle aux fenêtres jumelles et des pots de géranium sur chaque appui de châssis. Si quelqu'un lui avait dit qu'un jour elle habiterait une maison neuve, elle ne l'aurait pas cru. Puis, elle s'attendrit à la pensé de sa chère vieille pendule dans sa cage de noyer doré qui tantôt dormait tranquille, tantôt sonnait les heures. Ce trésor, qui avait appartenu au cercle de la famille, n'était plus. Tout était en cendres : la berçante cannelée, la huche à pain, la longue table et mille autres objets précieux, même le poêle à bois avait perdu sa forme et était devenu inutilisable.

Joséphine monta sur un madrier instable qui servait d'escalier extérieur et s'engagea dans le corridor. Pierrot était là qui s'occupait à glaner quelques clous carrés qui traînaient sur le sol. On ne laissait rien perdre. Pierrot allait dégauchir d'un coup de marteau les clous recourbés, afin de les réutiliser.

Joséphine s'approcha de son mari.

– Je me demande si notre maison sera prête pour la rentrée des classes.

– Sans doute !

– J'aimerais ben ça m'installer avant les pluies froides d'automne.

Soudain, Joséphine saisit le poignet de son mari pour l'immobiliser et plongea son regard charmeur dans le sien.

– Tu sais, c'est pas tant l'école et la pluie qui me tracassent le plus, c'est que je m'ennuie de toi, Pierrot !

– Pourtant, on se voit tous les jours.

– Je sais ben, mais t'es toujours si occupé ! On a même plus le temps de se dire un mot. J'ai hâte qu'on reprenne notre petite vie tranquille, qu'on se retrouve tous les soirs au salon, comme autrefois, devant un casse-tête. Tu te souviens de ces bons moments passés ensemble ?

– Avec la construction, les vitres à mastiquer et le travail à l'étable, il me reste plus grand temps pour rêvasser.

Pierrot se dégagea et alla lancer sa poignée de clous dans un minuscule baril de bois.

Joséphine sentait son mari lui échapper. Il ne prenait même plus le temps de l'embrasser, de lui dire qu'il l'aimait. Le travail de Pierrot était-il en train d'engloutir tous les bons moments qui les unissaient et peut-être même leur amour, comme les vieux couples qui restent ensemble par habitude ? Depuis le début de la construction, Pierrot, toujours pressé, semblait l'ignorer. Au coucher, si elle tentait une conversation ou un rapprochement, Pierrot s'endormait chaque fois sur les premiers mots, les premières caresses. Joséphine ne se résignait pas à cet aboutissement. Elle se jurait qu'après leur aménagement dans cette nouvelle maison, tout redeviendrait comme aux premiers jours de leur mariage.

Elle regardait Pierrot et le désirait. Il était là qui triait les quelques bouts de planches réutilisables et les empilait dans un coin. « Dire que deux ans plus tôt, il aurait tout lâché pour me serrer dans ses bras ! »

Joséphine saisit une brosse à poils rudes et se mit à balayer les éclisses et la sciure de bois.

# XXVII

Le jour tant espéré vint enfin où Joséphine et Pierrot entrèrent dans leur nouvelle maison. Joséphine descendit de voiture. Un court escalier de bois avait remplacé le madrier branlant qui conduisait au perron.

Pierrot prit la main de Joséphine et l'entraîna à la cuisine où un énorme poêle à bois, agrémenté de chrome et de porcelaine, trônait au centre de la pièce. Un miroir ovale surmontait le réchaud. Joséphine tira la clé, souleva les ronds, ouvrit les portes à feu, à cendres, puis celle du four et du réservoir à eau chaude. Incrédule, elle questionna Pierrot du regard.

– Lis ! dit-il.

Une feuille de papier était placée bien en vue sur un des six ronds. Joséphine se colla contre Pierrot et lut lentement :

– Don de Benoît et Annette.

Joséphine reconnaissait maintenant le poêle de la cuisine d'été de ses beaux-parents. Son cœur se serra d'émotion. Les vieux avaient fait le sacrifice de leur cuisinière à son avantage. Pierrot expliqua :

– Papa a dit qu'à leur âge, ils en ont assez des déménagements, et qu'ils passeront leurs étés dans la cuisine d'hiver. Je l'ai pas cru. Tu connais papa ! Ce serait pas son genre de dire : « Mes enfants, Annette et moi, on se prive pour vous. »

Joséphine glissait ses doigts sur le chrome.

– C'est un gros morceau ! Madame Annette a un cœur d'or. Ici, il va servir à l'année longue.

Joséphine se retourna. Pierrot avait disparu.

Depuis le début de la construction, le travail poussait Pierrot au point qu'il ne savait plus se reposer.

Joséphine profita d'un moment de solitude pour faire encore une fois le tour du propriétaire. Elle ressentait une émotion si profonde qu'il lui semblait que son cœur allait éclater de joie. Elle était enfin chez elle.

Elle, la petite mendiante d'autrefois, avançait maintenant avec une dignité de reine. N'était-elle pas l'épouse d'un roi, la souveraine de son royaume ? Quelle auguste majesté pouvait se vanter d'être plus heureuse, plus comblée ? Joséphine sourit de se surprendre à divaguer. Et puis, pourquoi ne se permettrait-elle pas cette folie la plus folle ? Elle ne dérangeait personne.

Elle ne se lassait pas d'admirer ses pièces. La finition était reportée. Les portes des chambres et des placards empilées par terre attendaient d'être pendues. Les plinthes manquaient et seuls les murs de la cuisine étaient peints. Les fenêtres étaient nues, mais en revanche, elles décuplaient la chaleur d'un soleil d'automne. Toutes les pièces étaient habitables. À part la cheminée, le travail, qu'on nommait la petite finition, pouvait être reporté à l'hiver.

Joséphine aspirait à pleins poumons la bonne odeur du bois neuf. « La chambre du bébé », se dit-elle avec une tendresse dans le cœur ! « Un garçon ou une fille ? »

Joséphine imaginait déjà son enfant dans le décor, quand un bruit vint distraire ses pensées.

Un attelage foulait le sol. La jeune femme étira le cou à la fenêtre. Maria et Martha venaient à son aide. Fini de rêvasser ! Il fallait balayer méticuleusement les restes de sciures avant de monter les lits.

Heureusement, les tantes avaient offert de prolonger le séjour des enfants afin de permettre à Joséphine d'emménager en toute tranquillité. Léocadie alloua deux jours de congé à Louisa dans le but de prêter main-forte à sa sœur. Elle aussi ressentait le besoin de se retrouver seule avec son beau docteur.

* * *

Des dizaines de boîtes étaient entassées dans un coin de la laiterie. Les unes, remplies de vêtements passés de main en main, les autres, d'objets usagés, venus de tout un chacun. Certains bienfaiteurs s'étaient débarrassés de vieilles commodes, de chiffonniers, de chaises encore utilisables qui moisissaient dans les granges. Joséphine les rafraîchirait d'un coup de pinceau et prolongerait leur durée. À leur vingt-cinquième anniversaire, les Sincerny du bas du village avaient reçu en cadeau un ameublement de salle à manger. Ils firent don à la petite famille de leur ancienne table et de huit chaises encore en bon état.

Pierrot se servait de la brouette pour le charriage des petits objets, mais après quelques allers et retours épuisants, il attela le cheval à la charrette.

À l'intérieur, Martha plaçait les boîtes devant la chaise de Joséphine. Celle-ci les vidait et donnait ses directives à Maria et Louisa, à savoir où placer les objets et les vêtements.

Comme Joséphine soulevait le couvercle d'un gros carton, sa surprise fut telle qu'elle en resta bouche bée.

Maria poussa Martha du coude pour ne pas profaner le moment sacré. Elle donna un coup de tête vers la jeune femme qui déballait une superbe horloge en chêne verni. Une œuvre sublime. Deux oiseaux finement sculptés et coloriés au lavis surmontaient le cadran aux chiffres de bronze. Joséphine tenait le bijou sur ses genoux pour mieux l'admirer.

– Qui a ben pu ? Cette boîte est sûrement arrivée là par mégarde. On se débarrasse pas d'un pareil trésor.

– Non ! Elle est pour toi et Pierrot !

– Comment pouvez-vous savoir ? Vous me semblez ben mystérieuse, tante Maria.

– Ouvre la petite porte en arrière et fouille un peu, voir si tu trouverais pas quelque indice.

Joséphine retira une masse de papier fripé qui empêchait le balancier d'osciller et un sachet de tissu dans lequel se trouvait une clé à remontoir. Maria s'amusait de la voir chercher parmi les découpures de journal si elle ne trouverait pas un mot. Finalement, Joséphine remarqua au dos de l'horloge, une toute petite signature en lettres gravées en creux, Constant B.

Joséphine s'écria :

– Ah ben, l'infirme ! Si je m'attendais ! Mais comment Constant a-t-il pu ? Il avait rien à lui, pas un sou, rien !

– Constant a pas l'usage de ses jambes, mais il lui reste ses mains, reprit Maria. Il passe ses journées à sculpter. À force d'acharnement, Constant est devenu un artiste. Tout ça à cause de toi.

– Voyons donc ! Qu'est-ce que vous racontez là ? La dernière fois que je l'ai vu, je devais pas avoir beaucoup plus de onze ou douze ans.

– Il serait peut-être temps que tu lui fasses une petite visite. Il te racontera lui-même comment il en est venu à changer un morceau de bois en objet de grande valeur. Tu iras le remercier.

– J'y manquerai pas !

Joséphine regardait maintenant l'horloge sous un angle nouveau, comme si les mains et l'âme de Constant y étaient incrustées.

– Et le mécanisme ? Il a dû l'acheter ? Avec quel argent ?

– Constant a des revenus. Il fabrique maintenant des horloges pour le grand magasin Eaton.

Joséphine n'en revenait pas de sa surprise.

– Je croyais qu'il m'avait oubliée, celui-là !

Elle se réjouissait pour le pauvre Constant qu'elle revoyait en pensée, prisonnier de sa chambre. Maintenant, il ne devait plus s'ennuyer.

– C'est bon qu'il occupe ses journées. Mais dites donc, vous deux, vous avez l'air d'en savoir ben long sur lui !

Maria souriait. Ça l'amusait d'entourer Joséphine d'un petit mystère. Elle l'aimait bien sa nièce. Elle en prenait soin comme sa fille. En retour, le sourire de Joséphine lui faisait tellement plaisir.

# XXVIII

La nuit précédente, Joséphine, poussée par un besoin constant de changer de position, avait supporté de longues et fréquentes insomnies. Au lever, elle était convaincue qu'à force de s'affairer, sa vigueur prendrait le dessus sur sa mollesse. Elle monta ranger les chambres du deuxième et, à chaque marche où elle posait le pied, son bedon de neuf mois pesait davantage sur ses cuisses et gênait sa montée, ce qui la rendit perplexe. Joséphine n'avait pas remarqué ce changement à sa première grossesse. Elle en parlerait au docteur.

Après avoir mis de l'ordre dans la maison, elle demanda à Adèle de surveiller ses frères, le temps d'une sieste.

– Si tu me le permets, je vais les amener marcher. On se rendra chez tante Maria. On va jaser un peu Alice et moi.

– Chez Alice ? C'est un peu loin pour les petites jambes des enfants.

– Je vais prendre la charrette. Rendus là, on se reposera un bout de temps dans la balançoire.

– Apporte des pommes, si jamais les enfants ont faim qu'ils aillent pas quémander de nourriture à tante Maria.

Joséphine s'enfonça confortablement dans son lit de plumes moelleux et plongea aussitôt dans un sommeil profond.

Son travail à l'étable terminé, Pierrot entra en trombe. Celui-ci fut un peu étonné de trouver une cuisine vide et silencieuse. La veille, ils avaient tout prévu pour un voyage à la ville. Il poussa sans ménagement la porte de chambre où Joséphine dormait et secoua son épaule.

– Lève-toi, Joséphine ! Le train part à dix heures pile.

Après la mort des Jobé, c'était au tour des héritiers à effectuer un voyage d'affaires à Montréal afin d'encaisser les loyers et renouveler les placements d'argent. Par la même occasion, Pierrot voyait à l'entretien des maisons à logements, puis chaque fois, le couple profitait de l'occasion pour se rendre au grand magasin Dupuis & Frères, d'où ils revenaient les bras chargés de vêtements et d'effets divers.

* * *

Joséphine écarta ses cheveux qui inondaient son visage et ouvrit lentement les yeux. Elle dut faire un effort suprême pour desserrer les lèvres.

– Ça me tente pas d'aller à Montréal. Aujourd'hui, j'ai juste le goût de paresser.

Pierrot observait sa femme d'un air surpris. Habituellement, Joséphine ne se faisait pas prier. Ces petits voyages à la ville s'avéraient chaque fois une fête pour elle.

– Hier encore, tu parlais de hausser les loyers, d'acheter des chaussures aux garçons et du linge de bébé. Viens donc ! On ira manger au restaurant.

L'invitation était tentante. C'était un repas de moins à préparer, mais Joséphine se sentait si lourde !

Elle s'assit sur le côté de lit et frotta ses yeux ensommeillés.

– C'est bon, c'est bon ! Je vais y aller, mais c'est ben juste pour te faire plaisir. Faudra demander à Lucienne si elle peut s'occuper des enfants à leur retour de chez tante Maria.

Pierrot sauta dans son pantalon du dimanche en sifflotant entre ses dents un air d'allégresse qui emplit toute la maison.

Joséphine sourit de l'entendre. Pierrot savait si bien semer la joie sur son passage.

– Je vais m'arranger avec les enfants. Tantôt, je passerai les prendre chez ta tante pour les mener chez Lucienne. Fais ça vite ! J'aimerais ben que tu sois prête à mon retour.

La jeune femme leva sa lourde carcasse et perdit un temps précieux à s'étirer.

Pierrot remonta en vitesse ses bretelles élastiques, puis il s'attaqua aux boutons de manchettes. Il fallait être adroit pour réussir d'une seule main ce que Joséphine réalisait en un rien de temps. Il jeta un œil de son côté, espérant qu'elle vienne à son aide. Il était si malhabile de sa main gauche. Elle était là qui lambinait. À petites tapes répétées, elle tentait de défroisser la courtepointe toute chiffonnée à l'endroit où elle s'était allongée.

Pierrot s'impatientait.

– Arrête de tâtonner et grouille-toi un peu si tu veux pas manquer le train de dix heures !

– J'arriverai jamais à défriper cette couverture.

La jeune femme décrocha de la penderie une robe marine qu'elle étendit sur le lit et, tout en enfilant une paire de bas en cachemire, elle repassait dans sa tête les achats indispensables à effectuer.

***

Pierrot, impatient, colla la voiture au perron. Sitôt sa femme assise, il cria « hue ! » de toute sa poitrine et fouailla sa jument à tour de bras. La bête, la croupe abaissée, partit au grand trot. Joséphine avait du mal à tenir son chapeau en place. Ils arrivèrent à la gare à dix heures pile. Le quai était désert et la locomotive, sur le point de s'élancer, crachait une grosse fumée noire. Joséphine et Pierrot coururent sur le quai de bois pour attraper le train de justesse. Le contrôleur se pointa à la porte d'un wagon et leur fit signe de monter. Pierrot lui adressa un large sourire. Le couple escalada le petit escalier de fer. Il n'y avait qu'une banquette libre et Joséphine, essoufflée s'y laissa choir. Le train prit aussitôt sa course vertigineuse et, telle une couleuvre, glissa sur les rails qui coupaient en deux champs et villages. Pierrot avait le visage fendu d'un large sourire.

Joséphine eut tout juste le temps de s'asseoir qu'une douleur au ventre la tracassa. Elle en fit part à Pierrot. Celui-ci tapota affectueusement sa cuisse.

– T'en fais pas tant avec des riens, dit-il. Il y a pas de quoi s'inquiéter.

– Justement, je m'inquiète !

Joséphine trouvait curieux que son mari se préoccupe davantage de l'heure du train que de ses malaises. Sitôt partie, elle regrettait déjà d'être venue.

Assise contre le mur, elle appuya sa tête sur la vitre et ferma les yeux. Le train tremblait sur les rails et la jeune femme sentait les secousses dans ses entrailles. Elle craignait d'accoucher en chemin, comme sa mère, à la naissance d'Adèle. Les crampes se succédaient à intervalles réguliers. Soudain, Joséphine chuchota à l'oreille de Pierrot :

– Ça y est ! Je sens le bébé qui vient.

Pierrot, l'air abasourdi, regarda Joséphine.

– Quoi ?

Il figea. Pierrot était complètement inutile quand sa femme accouchait. Il regarda autour de lui, empêtré, paralysé, ne sachant que faire. Le wagon était plein à craquer et il se sentait seul, perdu au milieu des voyageurs.

– Essaie d'attendre ! Tu vas me dire que c'est difficile, mais as-tu le choix ?

– Non, j'ai pas le choix.

Joséphine, la larme au bord de l'œil, dut avoir recours à la dame assise en face d'elle.

– Madame ! S'il vous plaît, appelez le contrôleur. Je suis en train d'accoucher.

La femme se leva d'un bond et disparut aussitôt en criant : « Un docteur, vite ! Y a-t-il un docteur dans le train ou du moins, une infirmière ? Une femme est en train d'accoucher. » Un murmure parcourut tout le wagon. Le regard oblique de ses voisins de banquette préoccupait terriblement Joséphine. Au moment de la naissance, allait-elle aussi exposer sa nudité devant ces étrangers ? La jeune femme craignait de se donner en spectacle. Elle enfouit son visage dans ses mains pour cacher les grimaces de douleurs qui déformaient ses traits et se recroquevilla sur le siège, inconfortable, frileuse, perdue. À chaque contraction, elle serrait les dents pour s'empêcher de crier. Les gens étiraient le cou dans sa direction puis les voix s'amplifiaient. Finalement, tout le compartiment se trouva au courant de l'événement pour le moins, hors du commun. Le contrôleur apparut suivi d'un médecin et de sa dame. L'homme, en uniforme et casquette, refoula les voyageurs dans les cages précédentes.

Le train s'arrêta en douceur. Joséphine, surexcitée par le déclenchement de l'accouchement, pleurait tout bas.

Pierrot, impuissant, caressait son front. Il éprouvait un élan de tendresse pour celle qu'il aimait, mais il n'osait l'exprimer devant le médecin. Il leva les yeux et son regard rencontra celui de Pierre Chénier. Léocadie se tenait près de son mari. Pierrot respira d'aise.

– Vous deux, ici ? Quelle surprise !

– Cet après-midi, Pierre a un colloque à l'université. Par la même occasion, nous devions aller visiter les tantes de la ville. C'est tout un hasard !

– Pierrot distrait n'entendait rien.

– Regarde Joséphine qui est avec nous.

Joséphine sanglotait, les mains sur son visage. Elle ne voulait voir personne.

Pour plus de commodité, le docteur fit allonger sa parturiente en travers de la banquette. C'est alors que Joséphine reconnut sa voix. Elle murmura, soulagée :

– Monsieur le docteur ! Vous, ici ?

L'accoucheur ne répondit pas, mais comme Léocadie glissait une toile sous les reins de Joséphine, il posa une main réconfortante sur son épaule.

– Sois confiante ! On s'occupe de toi, Léocadie et moi. T'es toute tendue, détends-toi. Tiens, laisse-toi aller comme tu le ferais chez toi.

– Je veux pas accoucher ici. Je vais attendre d'être à la maison, dans mon lit.

– Oublie ça ! intervint le médecin. Encore une contraction et le bébé sera là. Pousse !

Joséphine grimaça et força. Le médecin lui parlait pour l'encourager.

– C'est bien ! Mais tu n'as pas forcé beaucoup. Encore un effort, un dernier. J'aperçois le sommet de la tête. Pousse ! Pousse fort, cette fois !

Après trois poussées, le médecin reçut le bébé dans ses mains.

– C'est une fille !

Il attacha le cordon ombilical.

C'était une petite brunette à la peau rouge et ridée comme une vieille pomme ratatinée. Joséphine la trouvait belle. Elle était si heureuse qu'elle en oubliait l'inconfort de la banquette dure. Pierrot était ébahi ; un petit cœur battait et c'était lui le géniteur. Il caressa la menotte plissée du bébé.

– Bonjour, ma petite Riette !

– Henriette, rectifia Joséphine.

– Henriette, c'est un peu long comme nom. Pour moi, ce sera Riette

Joséphine caressa le bras de Pierrot.

– T'es pas trop déçu d'avoir une fille?

– Mais non! On se reprendra plus tard pour un garçon.

– Moi, c'est ce que je voulais, une fille! Il me semble qu'un garçon serait venu voler la place de notre premier.

À ce rappel douloureux, le menton de Joséphine tremblait.

– Qu'est-ce que tu rabâches là?

– Ben, je veux dire qu'au fond de moi, j'avais peur qu'un petit garçon nous fasse oublier l'autre.

– Mais non! T'arrête pas à des choses aussi tristes. On a une belle fille en santé.

– Avec tout ça, j'ai gâché ton voyage.

– Dis pas ça, Joséphine, c'est le plus beau jour de ma vie.

Pierrot pinça les joues blêmes de sa femme pour lui ramener le sourire.

– Je veux te voir rire.

Joséphine frissonnait.

Le docteur déposa l'enfant sur le ventre de sa mère.

– Qu'on apporte au plus vite une couverture pour la mère et une pour l'enfant.

Le médecin s'assit sur la banquette d'en face et expliqua à la jeune maman:

– Maintenant, tu dois rester couchée. Sitôt arrivés à Montréal, on va te conduire dans un dispensaire avec ton enfant et tu y demeureras pendant dix jours. Ça va coûter une jolie petite somme, mais tu n'as pas le choix. T'en profiteras pour bien te reposer. Maintenant, essaie de dormir.

Léocadie enveloppa la petite dans une couverture et l'installa au creux de son bras. Elle lui parla doucement, sans se soucier d'être entendue, comme si, à peine née, la petite pouvait tout comprendre.

– T'as arrêté le train, ma puce. T'as arrêté le train ! On rit pas ! C'est tout un exploit, tu sais.

Léocadie sourit et se mit à lui raconter :

– Un jour, j'ai lu dans le journal que le petit roi Michel de Roumanie voyageait avec ses parents à travers l'Europe. Le petit bonhomme avait quatre ans. Tout à coup, comme ça, sans raison, il ordonna : « Je veux qu'on arrête le train ! » Sa mère refusa. Elle eut beau lui expliquer qu'on n'arrête pas un convoi juste par simple caprice, le petit roi défendait son point de vue. « C'est moi qui commande, dit-il. Je suis le roi ! Vous avez dit que tout le monde doit obéir aux ordres du roi. Je veux qu'on arrête le train ! » Bien sûr, personne n'a plié à son caprice, mais ce que le petit roi n'a pu réussir, toi, ma puce, une fille ordinaire, un simple sujet, au moment même de ta naissance, tu y es parvenue. Tu vois, t'as plus de pouvoir que le roi lui-même. »

Tout le monde sourit de cette comparaison amusante, sauf bébé Henriette qui, au pays des anges, suçait son poing.

# XXIX

Grégoire anticipait un rapprochement avec sa sœur Joséphine. Il craignait pourtant une réaction de la part de Pierrot. Toutefois, quand ce dernier apprendrait que Joséphine était sa sœur, c'en serait fini de sa jalousie.

Pierrot se berçait quand il vit approcher un attelage. Il se leva promptement et étira le cou à la fenêtre.

– Ah ben ! Une jument bleue ! J'ai jamais vu ça de ma sainte vie ! Viens voir, Joséphine.

Pierrot allait sortir sur le perron quand il constata, étonné : « Ma foi, c'est le maudit Beaupré ! Qu'est-ce qu'il vient faire dans les parages, celui-là ? Sa femme lui suffit pas ? »

Pierrot considérait toujours Grégoire comme un rival. Il attendit le moment où la voiture enfilait dans la cour pour lâcher contre lui le chien de garde de la ferme. Puis il sortit attendre son rival, planté dans l'encadrement de sa porte. Il lui montra ses poings.

Joséphine tenta de le modérer.

– Tu vas pas te battre comme un écolier. Prends au moins le temps de savoir ce qu'il te veut. Si jamais Constant était malade !

Joséphine pensa à sa belle horloge. Elle n'avait encore pas remercié l'infirme pour son cadeau et elle en souffrait. Le temps passait et elle remettait toujours. Pierrot n'accepterait jamais qu'elle se rende chez l'infirme où elle risquerait de rencontrer Grégoire. Seulement d'en parler, Pierrot s'emporterait. Pour conserver la paix de son foyer, Joséphine n'en souffla pas un mot.

Pierrot n'était pas d'approche facile. Toutefois, Grégoire ne le craignait plus, pas plus qu'il ne craignait son chien avec sa gueule retroussée prêt à mordre. Maintenant, Grégoire avait la carrure et la force à son avantage, mais son intention n'était pas de se battre. Bien au contraire, Grégoire tentait de tisser des liens avec sa nouvelle famille et, pour y arriver, il fallait inévitablement se réconcilier avec Pierrot. Mais celui-ci, le poing en l'air, ne semblait pas disposé à l'accueillir dans sa maison.

Grégoire fit demi-tour. Il n'allait pas lui procurer le plaisir de l'envoyer paître. Il avait sa fierté.

Sur le chemin du retour, il pensa à écrire une lettre à Joséphine dans laquelle il lui expliquerait son lien de parenté. À partir de là, sa sœur déciderait elle-même de reprendre ou de couper tout contact avec lui. Mais comme Joséphine éprouvait beaucoup de difficulté à lire, sans doute Pierrot le ferait pour elle, et si Pierrot décidait de détruire ou de dissimuler la missive à l'insu de Joséphine, ses chances de renouer seraient à l'eau et il ne recevrait jamais de réponse.

Grégoire pensa à envoyer Bethléem comme médiatrice; Pierrot ne la connaissait pas. Si Bethléem arrivait à parler seule à seule avec Joséphine, celle-ci pourrait faciliter une approche entre eux. Ensuite, Joséphine, en toute connaissance de cause, déciderait elle-même de donner suite ou de mettre fin à de nouvelles relations familiales.

Au pis aller, il restait encore Louisa, Adèle et les garçons. Eux aussi auraient leur mot à dire au sujet de leurs rapports familiaux.

Grégoire mit sa femme au courant de ses anciens sentiments envers Joséphine. Il raconta tout, sauf le coup de sifflet qui avait retardé son mariage avec Pierrot et dont il n'avait pas à se vanter.

Bethléem, bien sûr, en prit ombrage. Un sentiment douloureux l'assaillit aussitôt: la crainte de perdre l'amour de Grégoire au profit de Joséphine. C'était là, le premier conflit entre elle et son mari et il était de taille. Grégoire avait beau argumenter, raisonner, sa jeune femme se butait et refusait de participer à ces retrouvailles. Pour elle, Joséphine était une rivale dangereuse. Bethléem n'avait-elle pas conquis son homme à force d'attentes, d'inquiétudes, de stratagèmes et de larmes. Non, elle ne permettrait à aucune femme de patauger dans ses plates-bandes.

Au fil des jours, Bethléem devint soucieuse, renfrognée, boudeuse, au point que Constant, qui partageait la même cuisine, remarqua le changement qui s'opérait chez la jeune femme. Il fit part à Grégoire de ses commentaires.

Le soir, dans l'intimité de leur chambre, Grégoire enlaça tendrement Bethléem et la rassura.

– Je cherchais rien d'autre que de renouer avec ma famille, mais il faut croire que j'y ai pas droit! Ce doit être mon destin. Maintenant, oublie ça. Si j'avais pensé une minute que je pouvais te causer du chagrin, je me serais abstenu de t'en parler. C'est toi que j'ai choisie et c'est toi la plus importante à mes yeux. Tu sais ben que je t'échangerais pour rien au monde ni avec Joséphine ni avec personne d'autre.

Grégoire n'en parla plus.

En peu de temps, Bethtléem retrouva sa mine joyeuse, son air ouvert.

* * *

Un mois passa. Bethléem n'arrivait pas à effacer de ses pensées que Grégoire avait deux familles et qu'il n'en fréquentait aucune. Grégoire devait souffrir en silence de cette pénible situation. Bethléem se rendit à l'écurie, atteler la Bleue.

Grégoire surgit derrière elle.

– T'as des commissions au village ? Je peux t'accompagner.

– Non ! Je m'en vais voir Joséphine. Finalement, après mûre réflexion, je me suis faite à l'idée qu'elle faisait partie de notre famille et j'ai pensé que t'avais raison de vouloir prendre contact avec les tiens.

Grégoire sourit.

– Rends-toi d'abord au village de Saint-Jacques et laisse l'attelage chez le forgeron. De là, tu devras marcher jusque chez Joséphine. À pied, c'est un peu loin, mais c'est faisable ! Sinon Pierrot va reconnaître ma jument et il te laissera pas entrer chez lui.

– J'aurais dû y penser.

– Essaie de parler à Joséphine en privé et dis-lui que je détiens une lettre de ma mère qui prouve que nous sommes du même père, elle et moi. Dedans, tout est écrit noir sur blanc.

– Tu veux que je lui montre ?

– Non ! Qu'elle vienne la voir ici, si ça lui chante. Si elle semble pas intéressée, insiste pas et reviens au plus vite.

– Et si, plutôt, on approchait Louisa en premier ? Elle pourrait établir elle-même un contact avec Joséphine.

– Non ! Louisa est un peu jeune. Si on échoue, on tentera notre chance de son côté.

– Si tu le dis !

Grégoire s'assit dans le petit escalier et regarda Bethléem disparaître. « Bethléem et Joséphine, deux filles tellement différentes », se dit-il.

Non, il ne changerait pas sa jeune femme pour tout l'or du monde. Tous ses petits défauts étaient devenus des qualités à ses yeux. Elle était un soleil dans sa vie et il éprouvait un grand bonheur à vivre à ses côtés. Grégoire resta là encore un bon moment à se demander quelles qualités l'avaient autrefois attiré vers Joséphine. Sans doute, la petite mendiante était-elle arrivée au moment où il avait besoin d'une amie, d'une oreille attentive et, ce qui ne gâchait rien, elle était si jolie.

Le marteau du maréchal ferrant cassait l'air. Bethléem attacha la Bleue au poteau et entra demander la permission de laisser sa jument pour quelques heures.

Sa jalousie apaisée, elle trouvait amusant son rôle de reformer une nouvelle famille dont elle et Grégoire faisaient partie, qu'on le reconnaisse ou non.

Une chaleur terrible pesait sur la campagne et la route gravillonnée brûlait les semelles de Bethléem. Pas un seul coin d'ombre sur ce chemin où se reposer. Soudain, un porc gras et rose lui barra la route et de quelque côté où la jeune femme s'engageait, le goret surpris l'interceptait à nouveau. « Pas assez des chiens qui courent les chemins, pensait Bethléem, maintenant les cochons ! »

À toutes les fenêtres, un rideau bougeait et des faces curieuses apparaissaient. Tout le rang regardait passer l'inconnue à la démarche dégingandée. Une étrangère qui n'avait pourtant pas l'allure d'une mendiante foulait leur chemin graveleux. Elle devait marcher depuis longtemps, elle paraissait fatiguée. On se demandait bien qui elle était.

Elle portait un joli petit chapeau de paille et une robe d'été jaune avec des fleurs de cerisier. Elle ne s'arrêtait à aucune maison.

La route était longue et très droite. Ici, un vieillard se chauffait au soleil devant sa porte. En face, deux fillettes s'amusaient à habiller un petit chien d'une veste bleue pendant que des garçons culbutaient avec la souplesse de jeunes fauves. Bethléem sourit de leur audace. À la maison suivante, accrochés à une corde, des vêtements frais lavés pendaient comme des drapeaux. Plus loin, des gens travaillaient la terre de leur potager. Ils laissèrent tomber serfouette et râteau. La curiosité de voir la passante mit fin à leur boulot. Leur regard indiscret suivait la promeneuse.

Arrivée à leur hauteur, Bethléem remarqua mieux la femme, une grosse rousse, accoutrée d'une combinaison d'homme. Une femme en pantalon, c'était plutôt étrange. Bethléem l'entendit murmurer :

– C'est pas une fille de la place.

Et l'homme de répondre :

– Elle vient peut-être d'une paroisse voisine.

– Je me demande ben ce qu'elle viendrait faire dans le coin. Et à pied en plus !

– Elle marche comme si ses souliers mesuraient un point trop petit.

Bethléem passa son chemin, la tête haute, l'esprit ailleurs, aux chantiers. Là-bas, avec le travail qui commandait, on ne perdait pas son temps à dénigrer ainsi les gens.

Tout en s'amusant à surveiller l'ombre instable de sa silhouette qui prenait des proportions dérisoires, Bethléem se demandait quelle réception l'attendait chez Joséphine. D'après les dires de Grégoire, Joséphine avait un mari violent. Ou était-il un peu trop possessif avec sa femme ?

À la ferme suivante, une longue corde à linge attachée aux colonnes de la galerie était chargée de draps blancs dans une immobilité totale. Le toit de la maison était couvert de petites tuiles argentées qui ressemblaient à des écailles de poisson. Une maison neuve à deux étages. C'était bien ce que Grégoire avait spécifié.

Bethléem glissa un doigt sous son chapeau que la sueur lui collait au front. Elle promena un regard inquisiteur autour d'elle. Au bout du champ, un homme penché sur sa pioche avançait en mettant lentement un pied devant l'autre. Un chien le suivait au pas, la tête inclinée vers le sol, comme s'il inspectait soigneusement le travail de son maître.

« Cet homme qui travaillait au bout de la terre devait être le mari de Joséphine, présuma Bethléem et, par le fait même, son beau-frère.» Elle serait ainsi en mesure de parler seule à seule avec Joséphine. Elle se sentit soulagée. Elle frappa et la porte s'ouvrit sur un petit garçon. C'est alors que Joséphine apparut. Elle était habillée simplement d'une robe de semaine en étoffe de coton. Ses cheveux, couleur de blé mûr, tordus à la diable, pendaient sur son chignon. Un linge à vaisselle était plié à la saignée de son bras. Qu'elle était jolie ! Bethléem ressentit un petit pincement de jalousie au ventre. Elle dut ravaler sa surprise avant de pouvoir s'exprimer.

– Je suis la femme de Grégoire Beaupré. Vous êtes ben Joséphine Jobé ?

– Oui !

– Je dois vous faire part de certaines révélations concernant mon mari et vous.

– Passez à la cuisine.

Au fond de la pièce, un tout petit bébé dormait dans un berceau. Bethléem étira le cou pour mieux le voir.

Joséphine offrit une chaise à la visiteuse, déposa son linge à vaisselle encombrant sur la table et s'amusa à l'étendre en le lissant de la main d'un geste nerveux. Que désirait savoir cette femme au sujet de sa relation avec Grégoire Beaupré ? Leurs fréquentations étaient chose du passé et elle ne parlerait pas.

Deux petits curieux, avec du rire plein les yeux, vinrent se planter devant l'inconnue. Tout en mangeant des biscuits au gingembre, ils attendaient que la dame engage une conversation.

Joséphine se leva, fort occupée par quelque chose qui ressemblait à une soupe ou un bouilli de légumes.

Bethléem, embarrassée ne savait trop par quel bout commencer. Elle regrettait de ne pas avoir préparé d'avance cette entrevue avec Grégoire. Elle dit simplement :

– Mon mari a retracé ses origines. Il est votre frère.

Un silence farouche s'ensuivit.

Puis Joséphine expédia les gamins dehors.

– Vous deux, allez dans la balançoire.

Joséphine se demandait jusqu'où Grégoire était prêt à aller pour reprendre contact avec elle. Grégoire avait sans doute entendu parler de sa nouvelle famille, les Masse, et il tentait certainement de parodier la même scène. « Quelle prétention ridicule ! pensait Joséphine. Et en plus, venant de sa femme. »

– C'est impossible !

– Vous savez que Gildas Beaupré est pas son père ?

– On raconte ça dans la place. On peut pas empêcher le monde de parler.

Joséphine ne semblait pas intéressée par ses propos. Elle était décourageante, mais Bethléem s'entêtait. Elle n'avait pas fait tout ce chemin pour s'en retourner chez elle bredouille. Elle y était et elle sortirait de cette maison seulement quand elle aurait vidé son sac.

Sa petite tête fragile, penchée sur le côté, Bethléem regardait Joséphine dans le blanc des yeux et s'acharna à lui faire entendre raison.

– Je vais tout vous raconter.

– Ce serait pour rien.

– Écoutez ! Laissez-moi aller jusqu'au bout ; ensuite je partirai. Avant sa mort, madame Beaupré a écrit une lettre à Grégoire et lui a dévoilé le nom de son père. Clément

Gamache. Dans le temps, monsieur Gamache avait été appelé à la guerre des Boers et il n'a jamais su que madame Violaine attendait un enfant de lui. C'est monsieur le curé qui a retracé la vraie famille de mon mari. Vous aurez juste à lui demander. Grégoire a en sa possession une lettre qui prouve les faits. Si vous préférez voir le notaire Duguay, lui aussi détient une preuve.

– Le notaire Duguay ? Comment se fait-il…

Joséphine n'acheva pas sa question. Tout correspondait. Clément Gamache, le notaire Duguay, ces noms étaient réels donc l'affaire ne pouvait pas être inventée. Joséphine blêmit.

Elle pensa un moment à l'héritage de ses parents. Si cette histoire était évidente, Grégoire voudrait sûrement sa part du gâteau. Peut-être l'avait-on déjà mis au courant de ses droits.

– Vous avez dit Gamache ?

– Oui ! Clément Gamache.

Joséphine se mit à tortiller sans ménagement son linge à vaisselle. Elle craignait que sa visiteuse devine sa confusion. Elle sentit le besoin de bouger pour s'empêcher de trembler.

– Voulez-vous un verre d'eau ?

– C'est pas de refus. Le soleil m'a chauffé la couenne pas pour rire et, avec tout ce chemin parcouru, je suis en train de sécher.

Tandis qu'elle attendait, les coudes sur la table, Bethléem tua le temps à satisfaire sa curiosité. Son regard fit le tour de la pièce. La cuisine était peinte en vert et en beige ; les couleurs du grand monde, le soleil incendiait les vitres et sur le bout du poêle, une marmite aux flancs roussis par la flamme échappait une odeur de choux qui se répandait dans toute la cuisine et lui soulevait le cœur. Elle desserra discrètement la ceinture qui enserrait sa taille.

Joséphine manœuvra la pompe cinq ou six fois et l'eau surgit brusquement. Avant de se rasseoir, elle jeta un coup d'œil à la fenêtre et put apercevoir Pierrot au bout du champ. Comme elle aurait eu besoin de sa présence, de ses conseils, de ses impressions.

Elle déposa un grand verre d'eau glacée devant Bethléem.

– Tenez ! Buvez lentement, le froid et le chaud font pas bon ménage. Mais, dites-moi, pourquoi faites-vous cette démarche ? Qu'est-ce que vous attendez au juste de moi, de nous ?

– Que mon mari retrouve sa famille ! Il y a droit. Grégoire m'a aussi parlé de Louisa et Adèle, elles aussi sont ses sœurs.

– Je sais pas quoi vous dire, mais j'hésite à le croire.

– Je peux pas vous y obliger, mais je pense plutôt que vous refusez de le croire

Bethléem s'épuisait à étirer une conversation qui agonisait et puis, elle avait perdu foi en sa mission.

Son verre à moitié plein, elle se leva et ajouta :

– Je vous remercie pour l'eau. Vous serez toujours la bienvenue dans notre maison.

Joséphine la reconduisit et s'immobilisa sur le pas de la porte, songeuse.

Joséphine réalisa ce pourquoi Grégoire s'était amené chez elle, cette fois où Pierrot avait lâché le chien à ses trousses. Maintenant, Grégoire envoyait sa femme. Que penserait Pierrot de toute cette histoire? Il allait sans doute rugir!

Joséphine regardait Bethléem s'éloigner. Soudain, elle plissa les yeux sous le soleil pour mieux voir. Là-bas, sur le bord du chemin, Bethléem, pliée en deux, vomissait comme un volcan. Joséphine accourut.

– Vous êtes souffrante?

Bethléem leva la tête, le menton barbouillé de vomissure. « Qu'elle s'en aille! » se dit-elle. C'était la première fois de sa vie que Bethléem dégobillait et elle se trouvait répugnante.

– Faites-vous-en pas pour moi! C'est juste une bouffée de chaleur. Ça va passer.

– Revenez à la maison laver votre visage. Un peu d'eau froide va vous rafraîchir.

Bethléem remercia et, dès que Joséphine fut disparue, elle cueillit quelques feuilles de plantain, en essuya sa bouche et reprit sa route sous un soleil d'enfer. « C'est la faute à sa diable de soupe! » se dit-elle.

Bethléem entreprit le chemin du retour pas plus avancée qu'à son arrivée. Le cri de la cigale s'enflait et le soleil la brûlait comme l'exaspération qui la consumait. Madame Joséphine n'avait pas répondu à son invitation. Tout ce chemin pour rien! Certes, elle avait tiré les choses au clair au sujet de leur lien de parenté, mais elle ignorait si Joséphine admettait ou rejetait les faits et si elle accepterait un rapprochement. Au contraire, rien ne laissait présager un tel dénouement.

Au retour, Bethléem n'aurait rien à dire à Grégoire et pour elle, cette visite s'avérait un échec. Elle avait parcouru tout ce chemin tuant pour rien.

À la maison voisine, la grosse rousse en salopette abandonna son jardin et Bethléem la vit se diriger d'un pas ferme du côté des Tremblay. La femme avait l'air d'attendre le moment où elle sortirait de la maison pour y entrer à son tour. Bethléem continua sa route jusque chez le maréchal ferrant où elle récupéra son attelage.

Elle entra chez elle, la mine basse, dégoûtée, accablée par la chaleur du jour.

« Quelle démarche et peut-être pour rien ! » Bethléem était prête à sombrer dans un amer défaitisme. Ses yeux exprimaient la plus profonde déception. La jeune femme enleva son chapeau. « J'ai sans doute fait une folle de moi », se dit-elle, déçue.

Bethléem s'effondra sur la première chaise. Et de là, un mal de cœur la conduisit en trombe à la cuvette. Le malaise ne dura pas.

Grégoire s'approcha et d'un bras, entoura ses épaules.

– Qu'est-ce qui s'est passé Bethléem, pour que tu reviennes dans un pareil état ? T'es toute pâle.

– C'est rien. C'est juste une odeur de choux qui m'est restée en travers de la gorge et avec cette chaleur de la route, j'ai le cœur au bord des lèvres. Veux-tu aller dételer ?

– Les Tremblay t'ont pas offert de te ramener ?

– J'aurais pas accepté. J'ai ma fierté.

– Raconte-moi ! Ils t'ont laissée entrer ? Ils t'ont écoutée ? Ils t'ont…

Bethléem se gargarisa par trois fois et avala une gorgée d'eau. Elle expliqua :

– Lui était au bout du champ. On a pu parler à l'aise, mais ta sœur m'a pas crue ! C'est pas tout à fait comme ça qu'elle l'a dit, mais c'est du pareil au même.

Le visage de Grégoire se décomposait. Bethléem ajouta :

– J'ai l'impression que ta sœur me regardait de haut.

– Joséphine ? Regarder les gens de haut ? C'est ben mal la connaître.

– Peut-être ! Moi, j'ai pas pacagé avec elle.

Grégoire laissa passer la réplique blessante, sans argumenter. Bethléem venait d'essuyer une humiliation dans le seul but de lui faire plaisir. Il n'allait pas en rajouter.

– Je savais d'avance que c'était peine perdue, mais je te suis reconnaissant d'avoir essayé. Reste encore Louisa et Adèle, mais c'est pas à toi d'essuyer les refus de tout le monde. Je vais demander à monsieur le curé de me servir d'intermédiaire. Ensuite, si tout le monde refuse, j'en prendrai mon parti et on en reparlera plus.

Grégoire releva le menton de Bethléem et la réconforta d'un sourire.

– Essuie tes yeux, on va aller parler de tout ça avec Constant. Lui, il est un peu mon père.

– Vas-y seul ! Moi, je vais aller m'allonger un moment.

# XXX

Après le dîner, Pierrot avait l'habitude de piquer un roupillon. Ce jour-là, il avait étiré son somme jusqu'au milieu de l'après-midi.

Dans le silence de sa cuisine, Joséphine s'occupait à fabriquer une pièce de tissage. Elle prit soin de fermer la porte de chambre pour ne pas réveiller son homme avec les coups répétés du battant sur le métier. La jeune femme prétendait qu'à la fin de la fenaison, allonger un peu sa sieste ne pourrait qu'être bénéfique pour Pierrot.

Comme l'araignée tisse sa toile, Joséphine tissait une belle pièce de linges à vaisselle à rayures rouges et écrues. La petite navette courait de gauche à droite et de droite à gauche. La tête de Joséphine suivait les allers et retours de la bobine. La jeune femme trouvait du bonheur à accomplir ce travail routinier. La vie lui avait tout donné : l'amour de Pierrot, une petite fille en santé, une grande et jolie maison.

***

Pierrot sortit de la chambre en pieds de bas et, d'un geste furtif, saisit Joséphine par la taille et l'embrassa sur la nuque. Celle-ci sursauta et échappa un petit cri. Le galon à mesurer s'échappa de son cou et glissa doucement par terre.

– Eh que t'es fou ! dit-elle. Des plans pour réveiller le bébé.

Pierrot la tira de son banc et lui fit faire un tour complet dans les airs. Joséphine éclata de rire et tenta de se dégager, mais Pierrot la retenait.

– Aujourd'hui, ma Joséphine, c'est notre anniversaire de mariage et ce soir, je vais nous faire un beau garçon ! Aussi ben s'y mettre au plus vite, si on veut remplir toutes les pièces de la maison.

– Penses-y par deux fois, Pierrot ! La petite a juste un mois. Elle fait pas ses nuits.

Joséphine tenta de refroidir les ardeurs de Pierrot. Elle désigna fièrement sa pièce de tissage.

– Regarde ça ! J'ai eu le temps de tisser un bon quinze pouces le temps que tu paressais.

Pierrot passa sa main sur la surface souple et régulière de fils entrelacés. Puis il regarda l'horloge.

– Pas déjà trois heures trente ! J'ai perdu tout mon après-midi à dormir.

– T'as rien perdu du tout. T'avais justement besoin de récupérer.

Pierrot s'approcha de la fenêtre et souleva le rideau. De lourds nuages, précurseurs d'orages, obscurcissaient la campagne. Il chaussa des bottes en caoutchouc qui montaient jusqu'aux genoux.

– Je vais chercher les vaches avant que l'orage me tombe dessus. C'est si désagréable de traire quand le poil est tout mouillé.

Pierrot saisit un bâton et s'engagea sur la petite route jusqu'au bout du cinq arpents où les bêtes broutaient sur place un beau fourrage vert. Au retour, les vaches formaient une longue file droite. Une paire de bœufs fermait la procession.

Son voisin, Rosaire, avait eu la même idée de ramener le troupeau avant la pluie. Tout en marchant, il saluait Pierrot, en dessinant de grands signes de sa main. Celui-ci lui répondit en secouant sa casquette à bout de bras.

Pierrot pensait à sa femme, à sa petite « Riette », et aux garçons, ils étaient tous beaux et vigoureux. Il était satisfait de son travail et sa ferme prospérait. Il se considérait comme le plus heureux des hommes et n'aurait rien changé de son existence avec quiconque.

Rien chez lui ne laissait présager un drame.

* * *

Les éclairs zigzaguaient dans le gris du ciel et la pluie se mit à tomber dru. Joséphine frissonna au souvenir de sa maison foudroyée, complètement rasée par les flammes. Depuis, elle redoutait qu'un pareil fléau se reproduise. « Si au moins Pierrot était là », se dit-elle.

La jeune femme jeta un œil à la fenêtre. Les vaches de tête du troupeau entraient à l'étable. Encore deux minutes et son mari serait à l'abri de la foudre.

La table dressée, le souper mijotait sur le bout du poêle. Les enfants mouraient de faim, mais Joséphine attendait l'arrivée de Pierrot pour remplir les assiettes. Celui-ci tardait. Peut-être tentait-il de rattraper son après-midi perdu. Elle tendit un manteau de toile à son jeune frère et ordonna :

– Jonas, mets ça sur ta tête et va voir si Pierrot achève son train. Tu lui diras que le souper est prêt.

– Il pleut à verse.

– Va! Tu fondras pas.

Pour tuer le temps, Joséphine se rassit au métier. Jonas saisit un morceau de fromage et disparut. Il ne tarda pas à revenir, penaud.

– Pierrot est pas là et son train est pas commencé. Le chien se lamente, on dirait qu'il braille. Et les vaches beuglent dans l'étable.

Joséphine lui lança un regard de défi. Elle soupçonnait Jonas de ne pas s'être donné la peine de regarder.

– Reste ici et surveille la petite, je reviens tout de suite.

Joséphine brava l'orage. Elle jeta un coup d'œil à l'étable, aux bâtiments. Elle appela, mais toujours rien. Seul le chien gémissait et courait comme un perdu autour des bâtiments. D'un pas ferme, la jeune femme se rendit chez son cousin et plus proche voisin, Rosaire Mireault.

– Pierrot serait pas ici? Il est introuvable et son train est pas commencé.

– Il a peut-être pris le bord du village. As-tu regardé si ses chevaux sont dans l'écurie?

– Oui! Les deux juments sont là! Tu vas dire que j'y vais un peu fort, mais je crains un peu la foudre.

– Il peut pas être ben loin, je l'ai vu ramener ses vaches tantôt. Il m'a même salué. Va, je te suis avec mon engagé. À deux, on va te le trouver ton Pierrot! Un homme, c'est quand même pas une aiguille.

Joséphine lui adressa un sourire de reconnaissance.

– Tant qu'à ça, vous avez ben raison. Je vous dérange peut-être pour rien, mais je trouve ça quand même curieux. Pierrot a jamais agi de la sorte. Je vais aller faire souper les enfants. Ils arrêtent pas de se lamenter.

Au retour, Joséphine se demandait si Pierrot pouvait s'être caché dans l'intention de lui jouer un tour pendable et elle imaginait tout le ridicule de la situation. Si Pierrot pensait la faire rire, il se trompait royalement.

* * *

La pluie cessa net et, derrière les nuages, le soleil se cherchait une trouée pour embrasser la terre.

Après avoir ratissé l'intérieur des bâtiments, sans résultat, Rosaire invita les voisins d'alentour à participer aux recherches. Peut-être la foudre avait-elle frappé une seconde fois chez les Tremblay? Les hommes passèrent les champs et les fossés au peigne fin. Toujours rien. Au bout de trois heures de recherches intenses, le découragement gagnait les voisins.

Ils étaient maintenant huit, attroupés devant l'étable. Certains parlaient d'abandonner les recherches, d'autres, d'avertir les autorités. Rosaire s'opposa:

– Attendez! Si vous voulez mon idée, je crois que Pierrot est pas très loin. Ses vaches sont pas attachées dans l'étable, c'est pas normal. Il est peut-être coincé ou emprisonné dans quelque recoin. Allez voir au puits, moi je vais fouiner une dernière fois autour des bâtiments.

Derrière la grange, Rosaire mit le pied sur une casquette qu'il ramassa. Il lui redonna sa forme en y enfonçant son poing. Chose étrange, Pierrot en portait une semblable en descendant du champ. « On ne lance pas sa casquette comme ça, à tout hasard », se dit-il. Quelques pas plus loin, Rosaire fut témoin d'une scène dont l'horreur dépassait tout entendement.

Dissimulé par le renflement du tas de fumier et par la couleur ocre qui se mariait à celui des vêtements sombres, le corps de Pierrot gisait, à peine visible. L'homme était allongé à plat ventre dans le purin qui stagnait autour du tas de fumier. Non loin, un taureau furieux, cornes en avant, surveillait sa proie, prêt à bondir au moindre mouvement. Tout en gardant sa capture en vue, la bête cruelle fouissait le sol de son pied dur.

Rosaire haletait, ses genoux pliaient et la sueur lui coulait dans le dos. Il détala à toutes jambes jusqu'au puits.

Le couvercle circulaire était enlevé et, tout près, Dufort, le moins lourd des hommes, était attaché à un câble. Rosaire arriva comme on s'apprêtait à descendre le garçon dans le puits qui était presque à sec en ce temps-ci de l'été.

– Non ! Arrêtez ! Venez vite. Venez tous, criait Rosaire. J'ai trouvé Pierrot.

Tous suivirent Rosaire à l'étable. Ce dernier distribua, en guise de défenses, des pelles et des fourches à trois hommes. Mais le temps de se rendre sur les lieux, le bœuf s'était calmé et retiré au bout du champ, complètement immobile. Toutefois, suite à une attaque aussi barbare, on ne s'exposerait pas à mettre une autre vie en danger. Deux hommes firent le guet.

Les autres se tenaient à une distance respectable du corps, avec une épouvante dans les yeux. Tous refusaient d'y toucher. Rosaire, pâle comme un suaire, criait :

– Pierrot, ça va ? Réponds-moi !

Il se décida à tourner le corps. La face qui avait fixé la terre, fixait le ciel.

Il y eut un de ces silences qui ne se font que devant la mort. Tous se recueillirent et se signèrent.

La chemise à carreaux était déchirée et les intestins complètement sortis du ventre.

Rosaire donna aussitôt les ordres :

– Émilien, cours chercher le curé, le médecin et le préfet de police pour les procédures d'usage. Toi, Dufort, va chercher l'échelle appuyée au mur de la maison.

Dufort se conforma à son ordre, satisfait de s'éloigner de cette scène macabre.

Rosaire retira les bottes débordantes de purin.

– Regardez-moi sa face. Il en a plein les yeux, le nez et les oreilles.

Les hommes manipulaient la dépouille de Pierrot avec précaution, comme s'ils craignaient de lui faire mal ou peut-être de le tuer une deuxième fois.

Ils se mirent à quatre pour déposer le corps sur l'échelle qui leur servit de brancard. Ils le portèrent jusqu'au fenil avec une lenteur solennelle, comme si c'était leur propre frère. Le plus grand d'entre eux râtelait le foin pour en faire un coussin où le déposer, mais il devait se contenter du peu qui restait sur le sol ; le fourrage n'était pas encore engrangé. Les vêtements du cadavre dégoulinaient de purin et exhalaient une odeur infecte. Personne ne pensait à s'en plaindre, mais tous détournaient la tête. Beauchamp ouvrit les grandes portes de bois, ce qui forma un courant d'air.

– Si on jetait un peu d'eau sur sa figure ? dit-il.

Rosaire s'opposa.

– Comme il s'agit d'un drame, on ne doit pas nettoyer le corps avant l'arrivée de l'inspecteur de police.

Ne pouvant en supporter davantage, Rosaire sortit de la grange et les autres suivirent, la tête basse.

– Maintenant, le pire est à venir. Que quelqu'un aille avertir sa femme.

Tous se désistaient. La mauvaise nouvelle allait la tuer. À leur regard insistant, Rosaire sentait leur propension à déverser sur lui seul cette lourde responsabilité.

– C'est pas plus à moi qu'à vous que revient cette maudite tâche.

– Pourquoi pas ? T'es son premier voisin et c'est à toi qu'elle a eu recours !

Ils étaient tous surexcités. Beauchamp, le plus âgé du groupe, et peut-être le plus sage, les écoutait argumenter. « Pourvu, se dit-il, qu'ils ne prennent pas la poudre d'escampette à un moment où on a tous tellement besoin de se serrer les coudes. »

– Restons pas là à nous énerver. Il faut faire quelque chose. Si on y allait tous ?

Ils le suivirent et entrèrent dans la maison, la tête basse, sans frapper, sans bruit, sans un mot. C'était à qui se tiendrait le plus près de la porte.

Dans la cuisine, Joséphine s'occupait à débarbouiller les petites figures, comme toute mère de famille heureuse, qui trouve son bonheur dans les petites choses du quotidien. Elle avait chaud, une mèche humide pendouillait devant ses yeux.

Chacun refusait d'être le bourreau qui lui annoncerait la triste nouvelle. Quand Joséphine saurait, son bonheur s'arrêterait là et ce serait la fin du monde pour elle.

À voir leur visage défait, leur silence obstiné, Joséphine comprit que quelque chose de sérieux s'était passé, mais tant que les hommes ne signalaient rien d'important, elle pouvait se permettre d'espérer.

– Pierrot est pas avec vous autres ? Vous l'avez trouvé ? Je suppose qu'il est en train de traire ses vaches ? Ben, restez pas là comme des statues de sel. Dites quelque chose !

Aucun ne se décidait à parler. Ils auraient voulu qu'ils n'auraient pas pu ; les gorges étaient nouées. Celle de Joséphine se nouait aussi, de crainte de ce qu'on lui dissimulait et aussi de rancune contre ces hommes qui lui cachaient, elle ne savait quoi. Ils la traitaient comme si elle était une enfant.

Finalement, Rosaire entoura les épaules de la jeune femme et lui apprit la pénible nouvelle. Il fallait bien que quelqu'un se décide.

– Le taureau a encorné Pierrot. On l'a trouvé éventré près du tas de fumier. Il respirait plus. Dufort est allé avertir le docteur, le coroner et le curé.

– Pierrot ? Le taureau ? Le coroner ?

Joséphine crut d'abord à une mauvaise farce. Jamais elle n'avait entendu pareille histoire, mais à voir les hommes consternés, elle réalisa l'ampleur du drame. Pierrot, son mari était mort ! Est-ce qu'on meurt à vingt ans quand on a une femme et une petite fille? Pierrot s'était engagé à vivre avec elle toute sa vie et il la lâchait bêtement avant d'avoir rempli son engagement. Sa vie s'arrêtait là. Joséphine sentit ses tripes se tordre dans son ventre, comme si le taureau l'encornait aussi. Puis son cerveau se comprima. Elle prit sa tête à deux mains et s'écria:

– C'est pas vrai! Dites-moi que c'est pas vrai!

Des larmes d'impuissance, de rage, de révolte, lui montaient aux yeux.

Sur l'entrefaite, Lucienne entra. Les hommes profitèrent de sa présence pour filer en douce. Lucienne entoura la jeune veuve de ses bras et la serra très fort. Pour la deuxième fois, Lucienne assistait à un drame chez les Tremblay, d'abord à la mort d'un premier bébé, alors que Joséphine avait mis plus d'un an à s'en remettre et aujourd'hui, c'était au tour de son mari de partir pour le cimetière. Le malheur était dans cette maison.

– Je suis avec toi, Joséphine.

À travers ses larmes, Joséphine hoquetait. Puis elle se leva.

– Je veux voir Pierrot.

– Tu ferais mieux d'attendre. Il est pas à son meilleur. Il te laisserait un mauvais souvenir.

– Je me fiche du souvenir. Je veux voir Pierrot.

Lucienne perdait tous ses moyens. Elle tenta d'étirer la conversation. Elle prit les mains de Joséphine dans les siennes, comme si elle voulait se l'attacher et expliqua:

– Personne peut dire ce qui s'est passé exactement, mais Pierrot a été frappé à l'estomac, ça c'est certain. Il a dû étouffer et mourir sur le coup. Il aurait pas eu le temps de souffrir. C'est ce qu'on dit, mais le docteur te donnera une version plus juste des faits.

Tout en parlant, Lucienne gardait un œil sur la fenêtre. La famille n'arrivait pas. Pourtant, on savait déjà. En un rien de temps, la nouvelle s'était répandue et avait consterné toute la paroisse.

Devant l'étable, l'officier de police recherchait des témoins de l'accident et des pièces à conviction. On lui remit la casquette. Il mesura la distance de l'endroit où elle avait été trouvée à celle où gisait le corps. Ensuite, il interrogea les hommes comme s'il cherchait à trouver un autre coupable que le taureau. Il remplit une série de formalités. Les voisins frémirent d'épouvante. Ils étaient venus là dans l'unique but de rendre service et voilà qu'ils se sentaient soupçonnés, presque accusés. Le groupe de mécontents se dirigea ensuite vers la grange. Ils versèrent de l'eau sur le corps.

– La police a ben défendu d'y toucher, intervint Dufort que son jeune âge rendait un peu zélé.

– Lui, il peut ben aller au diable ! Qu'il aille questionner le taureau !

De la cuisine, Lucienne vit deux hommes apporter la dépouille enroulée dans une couverture rouge.

Elle quitta vite la fenêtre et étreignit Joséphine. Bientôt, ce sera le choc. La jeune veuve se dégagea brusquement des bras de sa voisine et s'élança sur le corps. Les porteurs s'immobilisèrent et dévoilèrent seulement le visage. Joséphine toucha la joue froide. Elle avait besoin de toucher Pierrot pour croire. Elle n'avait pas rêvé. On porta le cadavre au salon où se déroulerait l'embaumement. Joséphine restait figée sur place.

Lucienne la conduisit à une chaise et dut peser sur ses épaules pour réussir à la faire asseoir. La jeune veuve, le cœur et l'esprit ailleurs, ne bougea plus. Sa vie s'arrêtait là.

* * *

La vaillante, la solide Maria, que Joséphine surnommait sa deuxième mère, ne tarda pas à arriver. Elle entoura Joséphine de ses bras.

Joséphine sentit tout de suite sa sympathie.

– Le Bon Dieu est venu m'enlever mon mari.

– Ma pauvre enfant ! Je sais pas quoi te dire, sinon que c'est un bête accident qui aurait pu être évité si le bœuf avait porté un carcan ou une chaîne au nez. Du moins, ça l'aurait modéré. De toute façon, ça sert à rien de revenir là-dessus, c'est trop tard. Mais si ça peut servir de leçon aux autres.

– Pierrot disait que ses bœufs étaient calmes. À ce que je sache, il en a jamais eu peur.

– Des bêtes, ça reste des bêtes !

Sur l'entrefaite, Rosaire entrait.

– Le fourgon à bétail doit venir chercher les taureaux tantôt pour les mener à l'abattoir.

Maria prit aussitôt les rênes de la maison.

– Repose-toi, je vais m'occuper de la maisonnée.

La table du souper n'était pas desservie et le manger avait eu le temps de refroidir sur le bout du poêle.

– As-tu mangé ?

– Non, j'attendais Pierrot, mais il est pas rentré pis il rentrera plus jamais. Je veux mourir avec lui.

– Je devine la peine immense que tu peux ressentir et qui, comme ça, sur le coup, te fait dire des idioties. La pire souffrance, c'est de se sentir seule, abandonnée, mais si t'aimes Pierrot, tu le feras vivre dans ton cœur et dans le cœur de ta fille. Ta petite Henriette a perdu son père, elle doit pas perdre sa mère avec. Bon, là, je vais te préparer un bon bouillon et pas question que tu le refuses. Du liquide, ça passera mieux que du solide.

Rien en dehors de Pierrot n'intéressait la jeune veuve.

– Vous savez, ma tante, j'arrive pas à me rentrer dans la tête que Pierrot reviendra pas. J'ai même pas eu le temps de tout lui dire ce que j'aurais voulu.

– Tu lui diras ! Là où il est, il entend tout.

– Peut-être, mais les morts répondent pas.

* * *

Les jours qui suivirent la tragédie, Joséphine se retrouva désemparée. Pierrot ne pouvait être parti ; il l'amenait toujours partout où il allait. Elle se sentait comme une épave éventrée, incapable de diriger ses pensées sur le chemin de la raison. Elle se répétait les mots que Pierrot lui avait dits et imaginait ceux qu'elle aurait voulu entendre. Comme Maria le lui avait suggéré, elle lui parlait et le faisait revivre dans sa cuisine, sur la berçante, sur l'oreiller. Elle recommença encore et encore, jusqu'à ce qu'elle eut usé toutes ses scènes. Le spectre de Pierrot, froid, digne, silencieux, se tenait debout dans le coin où elle posait son balai parce qu'elle le voulait là où il avait vue sur toute la pièce. Mais pourquoi ne la prenait-il jamais dans ses bras ?

Après des mois, le fantôme de Pierrot écourtait et espaçait ses visites. Elle ne devait plus l'intéresser. Pourtant, elle s'ennuyait de lui, de ses bruits familiers, de ses paroles, de son corps qui écrasait le sien. Elle passait son temps à l'appeler et, les rares fois qu'il passait, en coup de vent, elle aurait voulu s'en aller avec lui. Comme si la mort pouvait la faire revivre.

Et revenait le silence, toujours ce silence insupportable, les longues soirées mortellement ennuyeuses. Après des mois, Joséphine finit par voir Pierrot où il était vraiment, six pieds sous terre et, son mari parti, la jeune veuve mourait à petit feu. Elle coula au fond du baril.

C'était toujours dans les bras de Maria que Joséphine apaisait sa détresse

Au début, les gens avaient sympathisé à sa peine et l'avaient soutenue dans son épreuve, mais le service funèbre terminé, chacun était retourné à sa famille et avait tôt fait de l'oublier. Du moins, c'était ce qu'elle s'imaginait. Elle se rappela tous ces gens qui avaient défilé devant la tombe. Certains étaient des inconnus, même Grégoire Beaupré et sa jeune femme étaient venus offrir leurs sympathies et prier au corps. Leur visite avait touché Joséphine. Elle aurait aimé avoir plus de temps à leur consacrer, mais la maison était remplie. Désormais, il lui fallait continuer son chemin, seule, avec un grand vide dans sa vie, dans son âme.

Joséphine devait se surveiller pour ne pas laisser éclater sa peine devant les siens. Les petites têtes d'enfants n'analysent pas, elles subissent. Pour le bonheur de sa fille et de ses frères, elle jouerait le rôle de la femme forte.

Le soir était le temps le plus difficile pour Joséphine. Après le bain de sa fille, la jeune maman sécha à la serviette la petite tête ronde aux cheveux doux comme de la soie. Puis elle revêtit son petit corps frissonnant d'une chemise de nuit en flanelle blanche, dont elle avait elle-même brodé l'encolure d'un point de feston au fil rose. Avant, elle brodait. C'était au temps où elle ne se doutait pas que le malheur allait frapper à nouveau. « Il faut continuer, se dit-elle, être forte, forte comme lui conseillaient tous ces gens qui n'avaient pas perdu un mari. » Elle déposa Henriette dans son berceau. Sur la table de cuisine traînaient bavoir, bas, robe, camisole et serviettes. Joséphine sortit lancer l'eau usée au bout du perron. Son geste était brusque. Depuis le décès de Pierrot, chaque fois que Joséphine pensait à lui, elle avait des sursauts de révolte. Elle lui en voulait. Quel coup, il lui avait asséné ! Elle le revoyait dans son cercueil avec son air si paisible. Il avait presque l'air content d'être là-haut. Il se fichait bien d'elle et de sa fille. Joséphine ramassa la couche mouillée qui traînait par terre et la lança dans une chaudière d'eau, placée à l'entrée du hangar. Pour ce qui était du reste, elle aurait bien le temps plus tard de s'occuper de mettre de l'ordre.

Elle souleva sa fille, qui sentait bon le savon frais, et l'enroula dans une couverture douce qu'elle replia sous les petons nus. Joséphine ne se lassait pas de regarder sa petite Henriette, comme si elle devait le faire pour deux. La seule pensée que l'enfant ne connaîtrait pas son père, lui arrachait les larmes. Elle se mit à la bécoter, puis elle l'emporta dans la berçante où elle émit un ronflement continu qui ressemblait davantage à une plainte qu'à un ronron.

La jeune maman serrait sa petite fille dans ses bras et lui répétait : « Riette, Riette, ma petite Riette ! »

# XXXI

À Saint-Alexis, la vie à la ferme était aussi agréable que Grégoire l'avait souhaité. Bethléem l'entourait, le suivait au travail. Ils faisaient l'amour partout : au fenil, aux champs, au bois. L'amour allumait des chandelles dans leurs yeux.

Constant se réjouissait pour eux. N'était-il pas un peu responsable de leur bonheur ?

Dans son atelier, l'infirme ne voyait plus le temps passer. Il avait beau travailler du matin au soir, il ne fournissait pas à remplir ses commandes. Dernièrement, l'évêché de Montréal lui avait commandé une horloge et Constant était aux oiseaux de voir sa renommée s'étendre. Dans ses temps libres, Bethléem traversait à l'atelier lui donner un coup de main. Pendant des heures, elle polissait le bois au papier d'émeri. Constant était exigeant. La finition devait être impeccable.

L'infirme appréciait ces moments privilégiés partagés avec Bethléem. Chacun profitait de la présence de l'autre pour s'entretenir familièrement de tout ce qui touchait l'avenir de la petite famille. La bonne entente régnait entre eux.

Toutefois, ces dernières semaines, Bethléem négligeait d'aider Constant. Depuis qu'elle attendait un enfant, elle employait ses temps morts à tricoter une robe de baptême en laine et en organsin qu'elle dissimulait aux yeux de tous en la déposant tendrement dans le dernier tiroir de sa commode.

La venue du bébé était un secret entre Bethléem et Grégoire, un précieux secret qui faisait partie de leurs confidences, leur intimité, leur complicité. Ils passaient cette grande joie sous silence et pourtant, ils rêvaient de la partager. Grégoire surtout. Il bouillait d'en parler avec Constant, mais Bethléem, avec sa pudeur vis-à-vis l'autre sexe, le retenait.

À voir leurs yeux se rencontrer et échanger des sourires entendus, Constant devina tout de suite leur cachotterie. Il aurait bien aimé se réjouir avec le jeune couple, mais comme chacun gardait son secret, l'infirme en fit autant. Il se défendait bien de s'immiscer dans l'intimité du jeune ménage, cependant il souffrait d'être mis à l'écart de leur joie, comme si les jeunes ne lui accordaient pas leur confiance.

Un jour, alors que Grégoire balayait les raclures de bois dans la boutique de l'infirme, il ne put s'empêcher de parler de la grossesse de Bethléem.

La jeune femme en prit ombrage.

– Ça me gêne ! Il me semble que Constant va me regarder autrement.

– Tu te fais des idées de mémères. Constant m'a offert de fabriquer un lit d'enfant si je lui donne un coup de main.

– Il a dit ça ?

– Oui, et puis je te jure qu'il est aussi content que si c'était son propre enfant qui s'annonçait.

Bethléem entoura de ses bras le cou de Grégoire et s'exclama en avançant une lippe boudeuse :

– On n'aura plus comme avant un secret à nous deux tout seuls. Ça me déçoit. Il me semble qu'on brise des liens qui nous tenaient très fort. Maintenant, c'est comme si on avait plus rien à nous deux.

– On a notre amour, notre bonheur.

– Oui, mais on a plus rien à cacher aux autres, plus de secret.

Grégoire sourit.

– Je vais aller chercher Anne. Tu lui annonceras toi-même la nouvelle. Notre bébé sera le premier neveu des deux familles.

Grégoire n'eut pas le temps de sortir qu'il entendit des pas sur le perron. Au même instant, on frappait à la porte. Grégoire ouvrit et resta un moment bouche bée.

– Joséphine ? Toi, ici !

– Je vous dérange ?

– Ben non, entre !

Joséphine tenait une enfant dans ses bras. Grégoire avança poliment une chaise que Joséphine refusa.

– J'en ai juste pour une minute, dit-elle, tes frères m'attendent dans la voiture. Je passais vous inviter au mariage de notre sœur Louisa.

Bethléem agit comme si Joséphine avait accepté l'invitation à rester. Elle lui retira la petite fille des bras, la déposa sur la table et tenta de la faire sourire. Grégoire jubilait. Joséphine avait dit « tes frères », « notre sœur ». C'était donc qu'elle s'était enfin rendue à l'évidence et qu'elle le reconnaissait comme son frère.

– Je t'ai, je te garde ! Je vais faire entrer les garçons et tu vas prendre un café avec nous.

Bethléem demeurait silencieuse. « Je t'ai, je te garde ! » se répétait amèrement Bethléem. Elle détestait ce ton familier qu'employait Grégoire à l'égard de Joséphine. Il se fendait en dix devant elle. Peut-être la désirait-il encore ?

Bethléem en était là de sa jalousie quand Grégoire revint. Joséphine allait et venait dans la grande cuisine. Elle n'en finissait plus de regarder les lieux. Les souvenirs refluaient, fusaient, se heurtaient.

– Tiens ! La berçante à Prosper. C'est là qu'il se retirait pour bouder dès que quelque chose lui passait devant le nez.

Bethléem se demanda combien de choses encore ils avaient en commun. C'était comme si elle n'existait plus.

Au bas de l'escalier, Joséphine étirait le cou vers l'étage supérieur.

– Dans le temps, je couchais là-haut dans la chambre en mansarde, la chambre jaune beurre. De ma fenêtre, je voyais le clocher.

Joséphine rappelait ce détail en toute innocence, sans se douter que ce fait pouvait chatouiller la jalousie de sa belle-sœur.

Bethléem cambra les reins. Une brume passa devant ses yeux bleus. Joséphine avait dormi dans la chambre jaune, celle-là même qu'elle partageait avec Grégoire. Et si la pièce était encore pleine de leurs sentiments ? Et qui sait, peut-être aussi avait-elle dormi dans le lit qu'ils partageaient. « Dès demain, se dit Bethléem, je vais faire déménager les meubles dans la chambre du fond.»

Puis elle se ressaisit et prit la parole pour marquer sa présence.

– Vous avez vécu ici ?

Joséphine acquiesça.

– Il me semble que c'était hier. Et pourtant, depuis, il en a coulé de l'eau sous les ponts, et pas toujours de l'eau claire.

Bethléem vit les yeux de sa belle-sœur se mouiller. Celle-ci devait faire allusion à la mort de son mari.

– Monsieur le curé m'avait trouvé une famille. Je lui en ai longtemps voulu, mais aujourd'hui, je sais que c'était dans le but de me protéger. Vous me permettez de monter ?

– Non ! Je suis en train de faire un grand barda et les pièces sont un peu bouleversées.

Grégoire s'étonna de ce mensonge.

– C'est nouveau, ça ?

Bethléem se retenait difficilement de lui tirer la langue. Elle lui adressa un regard chargé de reproches et continua sur sa lancée, en répondant d'un ton ferme :

– Depuis ce matin.

– Pourtant…

Joséphine sentait une certaine agressivité de la part de Bethléem. Cette dernière savait peut-être des choses au sujet de ses amours d'enfance. L'idée lui prit de s'en retourner chez elle, mais déjà Bethléem remplissait les tasses.

Joséphine resta.

Bethléem retira du réchaud une tarte au raisin toute dorée. Elle servit d'abord Joséphine puis les garçons installés sur le banc qui longeait le mur. Grégoire ne bougea pas de la berçante, ce qui rassura Bethléem qui s'attendait à le voir s'approcher de Joséphine.

La jeune femme distribua à chacun une belle pointe de tarte qu'elle nappa de crème douce. À la première bouchée, Joséphine s'exclama :

– Délicieuse, Bethléem. Ta pâte est toute feuilletée. Je vais être gênée de te faire goûter aux miennes.

– Je me suis fait la main aux chantiers. Quarante bouches à nourrir, c'est assez pour entraîner une cuisinière.

Grégoire se berçait à grands coups d'arceaux en savourant sa part. Soudain, il s'exclama tout joyeux, la bouche pleine :

– Dis-lui, Bethléem, que t'es en famille.

Bethléem sourit en lissant sa longue chemise sur son ventre à peine bombé. Elle se tourna vers Joséphine.

– À part Constant, dit-elle, t'es la première à qui on en parle.

– Tu m'apprends rien ! Je le savais !

– Comment ça ? C'est impossible !

– Le jour où t'es venue à la maison, je t'ai vue vomir sur le bord du chemin. Le mal de cœur, c'est un bon son de cloche.

– Ben, si c'est comme ça, tu l'as su avant nous.

– Parlant de ta visite, je tiens à te dire que j'en ai jamais parlé à Pierrot. Il l'aurait pas pris, pis comme la paix régnait dans notre maison, je tenais à ce que ça continue. Mais souvent par la suite, je pensais à vous deux. J'aurais préféré que les choses s'arrangent entre nous.

Grégoire approcha la chaise berceuse de la table.

– Parle-moi de notre père. Tu l'as ben connu, toi.

Joséphine réfléchit pendant un bon moment. Elle n'allait pas lui dire qu'il l'avait jetée dans la vie d'un coup de pied, alors qu'elle n'avait que onze ans, ni qu'il rabaissait sans cesse sa sœur Marguerite. Alors, elle dirait quoi ?

– Je sais pas au juste comment le décrire. Je me rappelle que chez nous, maman prenait toutes les décisions. Papa était un homme un peu ébranlé par la guerre. Sur la fin, il est devenu fou et on a dû l'interner. Papa a jamais parlé qu'il avait eu un fils avant nous, les filles. J'ai toujours cru qu'il était un mari fidèle.

– Je comprends ! Lui-même le savait pas. Maman me l'a écrit noir sur blanc. Tu veux voir sa lettre ?

Joséphine se leva promptement.

– Non ! Pas aujourd'hui. Il faut que je passe remercier Constant pour son horloge. Et pis, j'ai le souper à préparer. À un de ces jours ! Je vous inviterai avec Louisa et son fiancé.

– On y sera.

– Grégoire accepte toujours toutes les invitations, reprit Bethléem. On voit ben que la famille lui a manqué.

Grégoire enlaça Bethléem et ils restèrent sur le pas de la porte jusqu'à ce que Joséphine et les enfants soient dans l'atelier de Constant.

Grégoire attira ensuite Bethléem vers la berçante et, après avoir bécoté son cou et son bedon, il lui dit :

– J'ai l'impression d'avoir enjambé un pont et laissé mes malheurs sur l'autre rive. Devant moi, le soleil brille de tous ses feux. Je veux que toute notre vie soit aussi belle que le jour où tu m'as dit oui.

– Elle le sera, crois-moi !

– Dis donc, Bethléem, c'est quoi ce mensonge à propos du ménage en haut?

Bethléem rougit.

– Je voulais pas que ta sœur monte. Je veux garder notre intimité. Après tout, notre chambre, c'est notre coin à nous. Autre chose aussi; je veux déménager notre mobilier dans la chambre verte, celle au fond du passage.

– La chambre du fond? C'est une pièce à débarras? Quand t'es entrée ici, c'est toi pourtant qui as choisi la jaune.

– Je sais ben, mais la verte est à l'ouest et, de ce côté, il y a toujours un bon vent. Quand je l'aurai vidée, tu la reconnaîtras plus.

– La pièce est plus petite et puis, je déteste déménager les meubles, tu le sais!

– La penderie est plus grande.

Si Grégoire tenait tant à coucher dans cette chambre, c'était sans doute à cause de Joséphine, supposa bassement Bethléem.

– Si tu refuses, je vais le faire moi-même, ajouta-t-elle, mécontente.

Et elle tira la langue.

Grégoire sourit.

– Ça va, t'as gagné, mais jure-moi que demain ce sera pas la bleue et pis le surlendemain la beige.

Ce fut au tour de Bethléem de sourire.

Le lendemain, Grégoire déménagea le mobilier dans la chambre du côté ouest. C'était une petite pièce tendue de papier peint à vingt sous le rouleau.

# XXXII

Maria tenait Joséphine à l'œil. Presque tous les après-midi, elle allait lui faire une courte visite. Chaque fois, elle attachait sa jument au piquet et frappait légèrement pour ne pas risquer de déranger la jeune veuve en pleine sieste. Parce que, chaque jour, celle-ci s'allongeait. Le sommeil lui faisait oublier le silence de la maison. Joséphine reconnaissait Maria par sa manière douce de s'annoncer.

– Tante Maria !

– Ben oui, encore moi ! Je passe juste faire une petite saucette.

– Quand vous viendrez plus, il viendra personne.

Joséphine laissa en plan sa planche à repasser où s'étalait un grand linge blanc qui ressemblait à une nappe.

– Des fois, reprit Joséphine, il me prend un violent besoin de parler avec des adultes. Si vous saviez ce que c'est que d'être seule. Je refoule et refoule jusqu'à me sentir étouffée comme si j'étais prise dans un vêtement trop serré.

– Je devine un peu ce que c'est.

– Oh non, vous devinez pas ! C'est pire que ce que vous pouvez imaginer. Il faut le vivre pour comprendre.

– Sans doute ! Mais quand la maison est trop silencieuse, t'écoutes pas ton radio ? Pierrot te l'a pas achetée pour servir de décoration.

– Je supporte plus la musique. Les chansons me rendent mélancolique.

– Ce serait peut-être une bonne chose. Pleurer, ça fait sortir le trop-plein de chagrin. Ça allège le cœur.

Joséphine retira de l'armoire deux tasses et soucoupes à bordure dorée, achetées chez Dupuis & Frères.

– Sors pas tes tasses de porcelaine juste pour moi. Garde ta belle vaisselle pour la grande visite.

– Ma grande visite, c'est vous ! De son vivant, Pierrot voulait pas qu'on s'en serve quand on était seul, comme si on n'en valait pas la peine. Aujourd'hui, je regrette de l'avoir écouté.

Maria, avec son attitude et sa vision réaliste pensait : « Pierrot par ci, Pierrot par là ! Un an que Pierrot est mort et Joséphine parle que de lui. »

– Si tu te sens si seule, pourquoi tu irais pas demeurer au village ? Là-bas, ça bouge.

Joséphine redressa la tête, comme prête à affronter la pire tempête.

– Et vendre la ferme ? Jamais ! C'est le bien paternel.

Maria n'argumenta pas. Elle savait toujours quand parler et quand se taire et elle connaissait Joséphine sur le bout des doigts. Sur le coup, Joséphine réagissait, ensuite, elle raisonnait. Après tout, la jeune veuve était maîtresse des lieux et c'était à elle de décider de sa vie. Toutefois, Maria n'était pas dupe. Joséphine n'avait jamais secondé Pierrot à l'étable et elle ne connaissait rien de la terre ni des bêtes. Bien sûr, elle prenait un engagé, mais un employé investit moins d'énergie et d'ambition qu'un propriétaire qui ne compte pas son temps.

Soudain, le visage de Joséphine s'empreint d'une grande tristesse et elle rétracta son opinion.

– Oui, il faut vendre. Moi qui pensais finir mes jours ici, dans ma belle maison ! Vous avez encore raison, ma place est au village. Ce sera peut-être mieux pour nous tous.

– Je veux rien forcer, mais pour une veuve, ce serait plus sage. Sur la ferme, avec un homme engagé qui mange dans ta cuisine, ça fait jaser les mauvaises langues. Elles ont déjà commencé à déblatérer sur votre compte.

Joséphine devint furieuse. Le rouge lui monta à la racine des cheveux.

– Les gens sont donc ben méchants ! L'engagé m'adresse même pas la parole. Si vous le voyiez, il mange le nez dans son assiette pis il sort sitôt la dernière bouchée avalée.

– Tu peux pas empêcher le monde de parler. Tiens, par exemple, tu connais le cordonnier ? Lui, il marque toutes les dates de mariages sur son calendrier et aux naissances, il fait le décompte des neuf mois pour s'assurer que la jeune femme était pas enceinte avant son mariage. Il va jusqu'à s'en vanter. Dans les petites places, les commérages vont bon train.

– Je sais ! Quand je mendiais, j'en entendais des vertes et des pas mûres. Mais maman nous défendait ben de salir la réputation des gens.

–Ta mère t'a transmis l'éducation que nous avons reçue de maman.

– Allez-vous continuer de me rendre visite si je m'installe au village ?

– Mais oui ! Qu'est-ce que tu penses ?

Maria la regarda un bon moment, droit dans les yeux, sans parler. Comment lui dire le fond de sa pensée sans la blesser. Joséphine était si impulsive. Et puis, était-elle prête à entendre certains propos, sans monter sur ses grands chevaux ? Maria ne le pensait pas, mais serait-elle prête un jour ? Maria sonda son cœur.

– Tu sais, Joséphine, t'as le droit de refaire ta vie. T'es encore en pleine jeunesse. Tu serais pas la première veuve à se remarier. Il y a des hommes qui attendent le moment où ton deuil va prendre fin pour t'approcher. Je pourrais t'en nommer quelques-uns.

Joséphine ne s'intéressait même pas à savoir qui.

Comme Maria s'y attendait, sa nièce s'emporta. Ses yeux crachaient des flammèches.

– Jamais, au grand jamais ! Vous m'entendez ? Je serai fidèle à la mémoire de mon Pierrot jusqu'à ma mort.

Maria la laissa réagir et conserva son même ton égal.

– Ça va, ça va ! C'est un beau défi que tu t'imposes, mais si tu te demandais pour quoi, pour qui ? En retour, dans quarante ou cinquante ans, est-ce qu'on va te donner une médaille pour ta fidélité à un mort ? C'est toi qui mènes ta vie, mais je me demande si, de là-haut, Pierrot approuve ton choix de veuve éplorée ou s'il préférerait pas regarder vivre une Joséphine heureuse.

Joséphine se mit à pleurer, la tête couchée sur ses bras repliés sur la table.

Maria ébouriffa les cheveux de sa nièce et la quitta sur une dernière réflexion.

– C'est toi qui es maître de tes sentiments.

# XXXIII

Six ans de veuvage et la pauvre Joséphine n'avait ni ri ni folâtré avec aucun autre. Elle regardait vivre les gens heureux. Ils la dégoûtaient tous à afficher leur bonheur sous son nez, comme s'il fallait aimer la vie coûte que coûte. Ne pouvant se dégager d'un passé qui l'accablait, de deuils répétés, d'une solitude insupportable, la jeune femme ne croyait plus au bonheur. Elle allait mourir, comme son petit garçon, comme Pierrot, ses parents et Marguerite. Elle disparaîtrait du monde des vivants. La mort était partout, elle n'épargnait personne. Le processus la gagnait de proche en proche. Tous les siens partis, elle n'avait plus que la fin à attendre en répétant à cœur de jour le même travail, les mêmes gestes ennuyants. Seul l'amour de sa fille l'emprisonnait et la gardait en vie.

Joséphine avait oublié que dans le noir de la vie, il se fixe parfois quelques couleurs claires ou moins sombres.

***

Ce dimanche-là, c'était la première communion des enfants. Henriette était de ceux-là. Depuis la veille, Joséphine préparait une petite fête pour l'occasion et chaque geste lui demandait un effort de guerre. « Peut-on fêter, pensait-elle, quand on n'espère que mourir ? »

Sur le parvis de l'église, Joséphine promenait son regard de gauche à droite, trahissant son aversion pour les gens heureux. Ces chanceux avaient tout, tandis qu'elle vivait seule, enfermée dans sa maison, à cuisiner, soigner, éduquer, laver, sans la moindre distraction.

Une nombreuse assistance remplissait l'église. Dans la nef, les enfants, tous proprement vêtus, se tenaient très droits. Les filles portaient des robes blanches et de magnifiques diadèmes de fleurs barraient leur front. Les garçons portaient un brassard au bras gauche, mais en cet instant, rien ne comptait plus que leur piété et leur salut.

À la célébration de l'eucharistie, chaque communiant accompagné de son père et de sa mère, se rendait à la balustrade. Joséphine trouvait les enfants beaux au milieu du dégoût et des ordures de la vie. Dans le regard clair de sa fille Henriette, une petite fille au front plein de frisettes, brillait une espérance. « Quelle foi naïve ! » pensait Joséphine, sur le bord du découragement.

Elle regrettait que personne ne lui ait proposé de remplacer Pierrot auprès de sa fille. Pas pour elle, bien sûr, mais pour Henriette, pour que celle-ci ne se sente pas à part des autres. Autour d'elle, les gens avaient trop de choses à vivre, à voir et à faire pour se préoccuper d'une orpheline.

Elle avançait doucement avec sa fille quand elle vit un inconnu prendre la main d'Henriette. La fillette se laissait conduire comme si c'était la chose la plus naturelle au monde. Au retour, sitôt Joséphine et Henriette arrivées à leur banc, l'homme laissa tomber la petite main et se dirigea à l'arrière de l'église. Joséphine n'allait pas se tordre le cou de curiosité, toutefois, elle aurait bien voulu savoir qui était cet étranger et d'où il sortait. Elle le perdit de vue.

À la sortie de l'église, Joséphine regardait les paroissiens qui bavardaient et riaient comme s'ils n'avaient pas le moindre souci. Chacun avait sa chacune.

Soudain, elle aperçut l'inconnu qui se frayait un chemin jusqu'à elle. C'était un homme de stature moyenne aux cheveux blonds et aux yeux bleus. Joséphine avait toujours eu les blonds en aversion, toutefois, elle lui trouvait un certain attrait. L'individu avait l'air décontracté, quoique réservé. Il aborda poliment la jeune veuve.

– Madame ?

– Tremblay, Joséphine Tremblay.

Il avança une main sûre.

– Fabrice Normandeau. Comme j'étais seul, je me suis permis de remplacer le père absent.

– J'en ai pas de père, reprit Henriette. Papa est mort quand j'étais bébé, mais j'ai sa photo dans ma chambre.

L'homme sourit de l'entendre débiter sa tirade d'une seule haleine.

– Je suis le nouveau médecin. Le docteur Chénier ne suffisait plus à la tâche. Je suis arrivé ce matin et je me cherche une chambre en attendant d'acheter ou de construire une maison.

– C'est curieux ! s'exclama Joséphine. Dans la place, personne a parlé d'un nouveau médecin. Ici, pourtant, tout se sait. Vous venez de loin ?

Fabrice Normandeau la détaillait. Elle avait l'air d'une fille qui lève le nez sur les gens. Pourtant, il aurait voulu la prendre dans ses bras et embrasser ses belles joues rondes.

– De la Gaspésie, répondit Fabrice.

Joséphine ne trouvait plus rien à dire. Comme elle allait s'éloigner, le jeune médecin prit son bras pour la retenir.

– Chez moi, on a la mer partout, à droite, à gauche et à nos pieds.

– C'est pour ça que vos ye...

Joséphine se ressaisit et sa phrase resta inachevée.

– Que mes quoi ? insista le médecin.

– Non, rien.

Elle allait dire « que vos yeux ont des reflets si bleus ». Heureusement, elle avait retenu sa réflexion à temps. Venant d'une femme, la remarque aurait été inconvenante.

– Vous dites chercher une pension ? Ma sœur Louisa habite une grande maison non loin d'ici. Elle accepterait peut-être de vous loger.

– Votre sœur, vous dites ! Mais vous ?

Qui était ce docteur, sinon un pur imbécile ? « S'il se fait des idées à mon endroit, se dit Joséphine, la question va être réglée sur-le-champ. »

– Non ! Chez moi, toutes les pièces sont occupées. En plus de ma fille, je garde trois autres petits orphelins qui sont mes frères et ma sœur. Regardez ! Louisa demeure juste de biais, peut-être qu'elle...

Joséphine pointa du doigt une grande maison en brique rouge où il y avait l'air de n'avoir personne.

– Accepteriez-vous de m'accompagner ? Je serais gêné d'aller frapper chez les gens, comme ça.

Joséphine lui jeta un regard sceptique. « Comme si la gêne s'attrapait comme on attrape un rhume », se dit-elle. Deux minutes plus tôt, il l'avait abordée avec aisance. Elle lui adressa un sourire de gentillesse et traversa la rue. Il la suivit. Il l'aurait suivie au bout du monde.

* * *

Louisa accepta de loger le médecin pour un certain temps. Comme elle l'invitait à visiter la chambre d'amis, Joséphine se leva et posa la main sur la poignée de porte. Le visiteur s'avança pour la reconduire. Il s'empressa de la remercier de l'avoir accompagné.

– C'est un juste retour des choses, dit-elle. Vous avez ben accompagné ma fille à sa communion.

Joséphine s'excusa :

– Moi, je file. Je peux pas m'attarder plus longtemps. Les enfants sont à jeun. Ils vont mourir de faim.

– J'espère qu'on se reverra.

L'étranger la suivit des yeux. Elle était belle, elle refusait de le loger et elle gardait ses distances. Il ne pouvait comprendre l'attitude de cette femme, toute de refus et de fierté.

* * *

Joséphine allongea le pas. Henriette devait trottiner pour la suivre. Adèle et les garçons, à jeun depuis la veille, devaient être affamés. Joséphine avait promis de leur servir des crêpes pour le déjeuner. À son arrivée, elle jeta son manteau sur une chaise. Adèle avait déjà dressé la table.

La vaisselle de porcelaine, l'argenterie et le cristal brillaient sur la nappe blanche.

Joséphine se réservait pourtant cette nappe pour le souper ! La veille, elle avait invité Léocadie, Grégoire, Louisa et leur famille à souper, histoire de causer une belle surprise aux enfants, mais Adèle ne savait rien de son intention. Aussi, Joséphine cacha sa déception. Elle noua un tablier à sa taille, déposa le cierge de communiante au beau milieu de la table et coiffa les enfants de bonnets de papier, une confection de Louisa. Henriette tapotait son bras.

– Maman, aujourd'hui, on va chanter le bénédicité. La religieuse l'a demandé.

– Oui, ma puce.

– Maman, tu veux allumer le cierge ?

– Ah oui ! Veux-tu me dire où j'ai la tête ?

Henriette raconta sa communion.

– Le monsieur, il s'appelle Caprice.

Joséphine pouffa de rire et tout le monde enchaîna.

– Mais non, ma Riette, c'est Fabrice, mais il faut dire monsieur le docteur ou le docteur Normandeau.

Pour la première fois, depuis six ans, Joséphine se permettait de rire.

Pierre Chénier et Léocadie s'amenèrent les premiers avec leurs fils, Philippe et Claude. Suivaient Grégoire, Bethléem et leurs trois filles âgées respectivement de cinq, quatre et deux ans. Trois belles blondes aux yeux verts que Grégoire ne quittait pas des yeux. La première se nommait Marie, comme la Marie-Jolie de Constant, la deuxième Louise, et le bébé, Jeanne. Joséphine tira les tresses de Marie pour la taquiner, embrassa les belles joues roses de Louise, souleva la petite Jeanne dans ses bras et fit un tour complet sur elle-même.

Pierre Chénier et Léocadie remarquèrent ses gestes enjoués. Ils échangèrent un regard entendu. Joséphine sortait enfin de sa léthargie.

Louisa et son mari Edmond tardaient.

– Je peux aller voir ce qu'ils ont à traînailler, proposa Grégoire. Ils ont peut-être eu un empêchement !

– Un empêchement ! s'exclama Joséphine que la chaleur du poêle tuait davantage que sa grosse besogne. Vraiment ! Pour des gens sans enfant, ils ont pas de raison valable pour se faire attendre. Le rôti de bœuf est à point et les petits ont faim, approchez ! Louisa et Edmond mangeront les derniers et si leur repas est froid, eh ben tant pis pour eux ! Ils avaient beau se grouiller.

Joséphine marmonna, mécontente :

– C'est ben la moindre des politesses de se présenter chez les gens à l'heure.

Un silence se fit. Tous les invités subissaient la mauvaise humeur de l'hôtesse. Pierre Chénier se leva.

– Je vais aller voir ce qui se passe chez ta sœur. Je reviens dans la minute. Toi, Joséphine, je te défends de toucher à mon assiette.

– Je vais la conserver au chaud.

– J'ai dit non !

– Ici, vous êtes mon invité et non mon docteur.

Pierre Chénier démarra sa voiture par un tour de manivelle.

Louisa ne demeurait qu'à deux rues, mais le médecin n'aimait pas marcher. Il était le seul dans la paroisse à posséder une auto et rouler lui procurait une sensation agréable. Il prit le volant, heureux comme un roi.

Quand Joséphine entendit de nouveau gronder la Ford, elle étira le cou à la fenêtre et vit s'ouvrir en même temps les quatre portières de l'auto. Pierre, Edmond, Louisa et Fabrice Normandeau en descendaient.

En voyant le jeune homme, Joséphine prit sa tête à deux mains. Elle avait oublié que Louisa avait un pensionnaire à sa table. C'était donc la raison de son absence. Joséphine retrouva sa bonne humeur. Elle lissa ses cheveux de la main, replaça son tablier à bavette de dentelle et fit un sourire au petit miroir qui surmontait le réchaud du poêle. Pierre fit les présentations. Il s'approcha ensuite du poêle et glissa à l'oreille de Joséphine :

– Ils ont tous soupé.

Joséphine se tourna vers ses invités :

– Il doit ben vous rester un petit creux pour un café et un morceau de gâteau !

Tout le monde était d'accord pour le café. Mais seul Fabrice accepta une toute petite tranche pour accompagner mademoiselle Henriette, la reine du jour.

Joséphine nettoya un coin de table pour le dernier invité. Ses mains tremblaient et Fabrice dut s'en apercevoir. Il lui enleva l'assiette à dessert des mains. Il enjamba le banc qui longeait le mur, puis, avec la souplesse d'un singe, il se glissa entre Jonas et Isaac.

– Hé les gars, faites-moi une petite place.

Joséphine trouvait le garçon d'une simplicité désarmante.

– Vous, sur le banc ? Prenez donc une chaise et installez-vous au bout de la table. Vous serez plus confortable.

La jeune femme ne voyait pas que Fabrice cherchait à s'asseoir en face d'elle, là où il pourrait la regarder vibrionner d'un invité à l'autre.

Son petit monde servi, Joséphine s'assit en face de lui. Louisa les observait. Elle voyait bien que le cœur de sa sœur battait pour le jeune médecin, mais elle ne laissa rien transparaître de ses impressions. C'était facile à voir. Dès la première cuillerée de soupe, leurs sourires se croisaient, leurs regards s'embrassaient.

Joséphine ne remarquait plus Grégoire qui se pâmait d'admiration devant ses filles.

Fabrice prenait tout l'espace avec sa sensibilité riche et vibrante, sa communication chaleureuse, sa candeur toujours prête à jaillir et son intelligence prodigieuse qui s'attaquait à tout ce qui vivait. Le repas terminé, les femmes débarrassèrent la table. Fabrice, sûr de la joie qu'il allait propager, se mit à chanter : « *Quand j'étais chez mon père, apprenti pastouriau.* » Et toute la bande reprenait en chœur : « *Troupiau, troupiau, je n'en avais guère, troupiau, troupiau, je n'en avais piau !* »

Il se jucha sur une chaise, posa un pied sur la table et, à grands coups de poing, il joua de la grosse caisse sur un chaudron renversé. Il tendit des cuillères aux enfants.

– Allez ! Faites-les sonner dans vos gobelets.

Ceux-ci battaient frénétiquement la mesure. L'effet de l'orchestre était surprenant. Une chanson n'attendait pas l'autre. Les enfants chantaient à tue-tête. Les voix devaient porter jusqu'au coin de la rue. Pour finir, Fabrice coiffa Isaac d'une casserole.

Joséphine invita tout le monde à passer au salon. Fabrice s'assit au piano et invita de nouveau les enfants à chanter. Joséphine regardait les belles mains aux doigts effilés courir sur les huit octaves. Entre deux chansons populaires, Fabrice jouait du Mozart. Pierre Chénier s'exclama :

– Quel talentueux pianiste ! Et ce n'est rien, on m'a dit qu'au collège, c'était la plus belle voix. J'espère que tu es aussi bon médecin que musicien, ce dont je ne doute pas une seconde.

Fabrice sourit.

Joséphine, debout derrière lui, regardait sa belle chevelure souple. Sur sa nuque se tordaient quelques cheveux follets. Elle n'avait qu'à avancer sa main pour toucher les épaules étroites du musicien qui trépidaient au rythme des notes. Seulement un pas et ses seins frôleraient son dos très droit. La jeune femme sourit de son impudicité. Elle se demandait si elle n'avait pas rougi un peu. Qu'est-ce qui la prenait tout à coup d'avoir des idées aussi farfelues ? Ce n'était plus de son âge. Heureusement que monsieur Fabrice ne l'entendait pas penser. Le salon n'était plus que mélodies. Fabrice amenait dans la maison, une atmosphère de sympathie, de paix rustique, de candeur. Et Joséphine le désirait.

Fabrice se leva et passa une main sur son front.

– Fini le tintamarre ! Vos enfants sont bruyants, madame ! À votre place, je les enverrais au lit.

– C'est vous le coupable, intervint Joséphine. Tantôt, vous preniez plaisir à les exciter.

– Ils dormiront mieux.

Joséphine frappa dans ses mains pour rappeler les enfants à l'ordre.

– Allons les jeunes, modérez vos transports. C'est l'heure de monter vous coucher.

Le concert terminé, Bethléem entassa ses filles, trois dans le même lit. Les adultes retrouvèrent finalement un peu de paix. Ils s'entretinrent à voix basse de l'occupation de chacun. Le jeune médecin seconderait le docteur Chénier. Chez ce dernier, la chambre du bas serait transformée en cabinet, le temps que Fabrice Normandeau se monte une clientèle. Au début, il se contenterait des clients plus éloignés, comme ceux des paroisses avoisinantes.

– Vous auriez dû vous pointer dix ans plus tôt, lors de la grippe espagnole, avança Joséphine.

– En dix-huit, je n'avais que seize ans. Je grattais encore mes boutons.

– Dans le temps, monsieur le docteur était si épuisé qu'il avait l'air d'un rosier branlant.

Pierre Chénier ne tarda pas à donner la réplique.

– Holà ! Joséphine, t'exagères pas un peu ? Et il ajouta : J'espère qu'on ne reverra plus jamais pareille épidémie. Rares sont les familles qui n'ont pas perdu un ou plusieurs êtres chers.

Ils continuèrent de deviser. Joséphine trouvait que Fabrice avait de l'entregent et toujours un petit mot pour la faire sourire.

Ils ne virent pas les heures passer. Le lendemain, la vie reprendrait son rythme. Bethléem réveilla ses filles. Grégoire remercia Joséphine.

– Voilà une soirée que je suis pas près d'oublier.

À leur tour, Louisa et Edmond se retirèrent. Fabrice lambinait. Il serra longuement la main de Joséphine. Il avait ainsi l'impression de la posséder un peu.

Le beau temps invitait à la promenade.

– Si cela vous le disait, nous irions marcher un peu, proposa Fabrice.

C'était le seul moyen à sa portée qui lui permettait d'étirer la présence de la jeune femme. Elle résista, croyant de succomber à son charme, comme si ce n'était déjà fait. Où pouvait la conduire pareille aventure ? Il était garçon et elle était veuve avec une pleine maisonnée à sa charge.

– Marcher en pleine nuit ? Dehors, il fait noir. Ici, il fait chaud et il y a pas de gadoue. Restez plutôt ! Je vais vous servir un café.

Fabrice comprit à son hésitation qu'il ne devait pas insister. À vrai dire, il semblait content qu'elle se rétracte. Il ne se décidait pas à la quitter.

Joséphine se rendit à la fenêtre. Elle voulait s'assurer que ses invités étaient hors de vue. Les enfants endormis, elle se retrouvait seule avec un homme dans sa propre maison. Elle reprit sa tasse, mais elle restait debout.

Fabrice la regardait errer. Il lui enleva la tasse des mains et profita de ce qu'ils fussent seuls pour serrer la jeune femme dans ses bras. Elle se mit à le désirer ardemment. « Que Pierrot me pardonne ! » se dit-elle sans remords.

Tout en l'étreignant, Fabrice entraîna lentement la jeune femme en direction de la chambre et, du bout du pied, il poussa la porte qui grinça et s'ouvrit toute grande devant eux. Joséphine résista, craignant de succomber.

Fabrice était attirant et elle avait si soif d'amour. Il la faisait revivre. Elle qui, le matin même, considérait sa chair comme une vieille guenille juste bonne au dévouement ! Elle ne pensait plus qu'à lui. Elle se laissa conduire sur le grand lit en cuivre, placé en angle de la pièce. Elle s'assit, prenant bien soin de laisser une distance entre eux. Après tout, cet homme ne savait rien d'elle et elle ne savait rien de lui. Et puis, hier encore le fantôme de Pierrot était dans cette pièce, sur ce même lit, sur ce même oreiller.

– Je pourrais pas. Je suis pas ce que vous pensez.

– Selon vous, qu'est-ce que je pense ?

Pour toute réponse, elle sourit.

Fabrice respecta son refus. Toutefois, il s'allongea confortablement sur le lit, les bras sous la nuque. Joséphine demeurait assise à ses côtés. Ils causèrent jusqu'aux petites heures.

En pleine nuit, le jeune médecin se décida à partir. Joséphine lui tendit sa redingote.

– Edmond et Louisa vont se poser des questions de vous voir rentrer à une heure aussi tardive.

Fabrice l'embrassa légèrement sur la bouche.

– Votre sœur m'a pris en pension, pas en adoption. Et il ajouta aussitôt :

– Un jour, je vous amènerai voir la mer.

– C'est loin ?

– C'est au bout du monde ! Et je vous présenterai mes parents. Bon, il faut que j'aille ! Si j'attends d'en avoir le goût, je ne partirai jamais.

Fabrice saisit sa redingote en vitesse et disparut.

Joséphine s'allongea tout habillée sur le lit et cala sa tête dans ses oreillers. Fabrice était parti et elle restait là à le désirer.

***

Dans la nuit apaisée et silencieuse, Fabrice entra à sa pension. Il monta à tâtons jusqu'à l'étage de la grande demeure. Là, brusquement, une raie de lumière se dessina sous une porte. Il y eut un bruit de pantoufles traînées sur le plancher et un murmure parvint à ses oreilles.

– C'est vous, monsieur Fabrice ?

Le jeune homme ne répondit pas et fila à sa chambre. Il se dévêtit, passa son pyjama et ouvrit sa fenêtre. Déjà, le ciel pâlissait les toits. Il chercha un moment à reconnaître celui de la maison de Joséphine. Il n'avait pas envie de dormir. Il rit tout seul au rappel du souper bruyant. Quelle soirée ! Et quelle créature ! Le souvenir de Joséphine le rendit mélancolique et, sans qu'il ne sût pourquoi, il voulut revoir cette femme. Il se jeta sur le vieux lit dont les joints craquaient. Trop excité, son cerveau se refusait au sommeil. Il prit un livre et, au bout d'un moment, il oublia tout de ses émotions, de ses pensées, de ses rêves. Il rejeta le bouquin et ses yeux perdirent la partie.

***

Fabrice parti, Joséphine ne savait plus que penser. En l'espace de vingt-quatre heures elle s'était éprise, vingt-quatre heures seulement et elle en oubliait Pierrot. Elle ne connaissait rien de cet étranger, rien d'autre que son nom et le peu qu'il avait bien voulu lui raconter. Puis après l'avoir envoûtée, il était parti. Il disait avoir eu le coup de foudre pour elle, mais devait-elle le croire ?

Joséphine glissa la main sur le côté de lit vacant encore tout chaud du corps de Fabrice et ronronna comme une chatte. La tête tout échevelée, elle respira la bonne odeur de son savon imprégnée dans l'oreiller. « Avec lui, se dit-elle, j'irai voir la mer. » Le reste de la nuit, elle dormit comme une bûche.

# XXXIV

Ce jour-là, quand Maria fit irruption chez Joséphine, celle-ci ne l'entendit pas frapper. La musique jouait à tue-tête et Joséphine chantait. Ça faisait bien un bon six ans que la radio était muette. Maria ne reconnut pas la jeune femme éplorée de sa dernière visite. Enfin, Joséphine ressuscitait d'entre les morts. Elle lui offrit une part de gâteau au chocolat que Maria accepta de bon gré.

Joséphine lui parla en toute confiance de ses sentiments à l'endroit du jeune médecin.

– J'ai cru que tu te remettrais jamais de ton veuvage.

– Faut ben regarder en avant!

– C'est ce qu'on te disait, mais t'écoutais pas.

– J'avais un deuil à vivre.

– J'ai pensé pendant un bon moment que tu irais rejoindre Pierrot.

– Il y avait les enfants et des enfants, veux, veux pas, ça tient une mère en vie.

– Parle-moi de ton beau docteur.

– Vous savez ben ma tante que ce sont des amours qui mèneront nulle part.

– Pourquoi ça?

– J'ai pas besoin de vous faire un dessin. J'ai toute une famille sur les bras.

– Justement ! T'as une famille ! Des fois, Joséphine, je me demande si t'as pas les deux yeux dans le même trou. Les as-tu adoptés ces enfants-là ?

– C'est tout comme ! Qui d'autre s'en serait occupés ?

– Ça fait ben un bon huit ans que tu les torches tous, hein ! Si Grégoire et Louisa prenaient chacun un garçon, il te resterait seulement Adèle et celle-là, à seize ans, elle est à la veille de se trouver un mari. Ce serait ben à leur tour de se dévouer. Isaac et Jonas sont leurs frères au même titre que les tiens, enfin presque. Et puis, ça vous en fera chacun un.

– Vous auriez dû me faire penser à ça avant.

– Avant, c'était pas le temps. T'avais besoin de besogner fort pour surmonter ta grande épreuve. Le travail occupe l'esprit.

– Et si Grégoire et Louisa refusent de les prendre ?

– Tu t'arrangeras pour pas qu'ils refusent. À toi de les secouer.

– Quand je leur dirai qu'Isaac est un petit brise-fer et qu'il mouille encore son lit…

– Garde ça pour toi, l'interrompit Maria ; rares sont les familles qui comptent pas un ou deux incontinents. En leur rendant les garçons, tu leur donneras aussi leur argent à administrer. Tu te déchargeras de tout et, un coup les petits partis, refuse de les reprendre. J'ai l'air dure comme ça, mais c'est le simple bon sens. Grégoire a pas de garçon, ça lui fera une aide. Si je me fie à ce qu'on dit de lui, Grégoire ferait pas de mal à une mouche.

– Grégoire sait rien pour l'héritage de papa. Il va vouloir sa part.

– Je comprends donc ! Ce serait ben normal. Et tu devrais l'épauler en ce sens.

Joséphine demeura pensive. Sa tante Maria gardait toujours la tête froide. Cette femme avait le sens de la justice et de la droiture. Encore une fois, elle devait avoir raison.

– Ça doit faire cent fois que vous me tirez d'embarras. Je vous aime assez !

Un attendrissement soudain mouilla les yeux de Maria. Elle se ressaisit.

– Et ce beau docteur, comment il est ?

– Je saurais pas vous dire d'autre qu'il est beau et qu'il est fin. Je pense que je l'aime. C'est idiot, hein, venant d'une mère de famille ? Et en plus, à mon âge !

– T'as ben le droit ! Mais tu devrais apprendre à mieux le connaître avant de t'engager.

– M'engager ? Vous voulez rire, ma tante. Un médecin s'engage pas avec une quêteuse.

– Je te défends ben de lui parler de ça.

– Et si lui aussi voulait mieux me connaître ? La mendicité est l'histoire de ma vie.

– Autre chose aussi, tiens-toi sur tes gardes. Dans le village, les commères surveillent la conduite des autres, surtout celle des jeunes filles et des veuves. Elles ont une soif de racontars.

« Et si c'était d'elle qu'on parlait ? » s'inquiéta Joséphine. Sa tante Maria ne parlait pas pour rien. Elle devait avoir entendu jaser sur son compte. Quelqu'un avait peut-être été témoin de la sortie nocturne du jeune médecin. Et si la rumeur s'étendait de maison en maison ? La jeune femme se voyait déjà déshonorée. Aux gens, elle pouvait bien faire croire à une visite médicale, mais pas à Maria. Celle-ci ne s'en laissait pas conter. Avec son regard perçant, elle fouillait au fond des cœurs et au besoin, elle savait remettre les pendules à l'heure.

* * *

À maintes reprises, Joséphine rencontra Fabrice Normandeau. Il passait la saluer régulièrement. Elle reconnaissait les deux coups qu'il frappait à sa porte et, tout de go, il tournait la poignée et entrait.

Depuis la dernière visite de sa tante, Joséphine avait tourné et retourné l'idée de se libérer des enfants. Elle choisit de se rendre chez Grégoire en premier lieu, mais, depuis son arrivée au village, elle n'avait plus ni cheval ni voiture. La jeune femme pensa à la pouliche du docteur Chénier. Il venait de faire l'acquisition d'une Ford et sa jument ne lui était plus d'aucune utilité. Il ne pourrait refuser de lui prêter. Elle se rendit d'un bon pas chez Léocadie. De son cabinet, le docteur Normandeau l'aperçut. Il traversa à la cuisine comme Joséphine demandait une occasion.

– Je suis votre homme, dit-il, mais vous devrez vous contenter d'un attelage.

Joséphine hésitait. Comment pourrait-elle parler à Grégoire de choses délicates avec un étranger comme témoin ? Cette promenade la tentait pourtant. Incapable de refuser l'offre, elle accepta.

Fabrice frappa au bureau de Pierre Chénier et l'avisa de sa sortie. Celui-ci se leva d'un bond.

– Par la même occasion, j'aimerais que tu passes prendre la pression artérielle de monsieur Langlois. Au retour, arrête chez les Jutras t'informer de l'état de leur fils. Le petit de sept ans souffre de pleurésie. La médecine ne peut plus rien pour lui, mais une visite réconfortera les parents. Dis-leur que tu viens sur ma recommandation. Tu trouveras les noms sur les boîtes aux lettres.

Léocadie se posta à la fenêtre.

Fabrice Normandeau soulevait familièrement Joséphine par la taille pour l'aider à monter dans le tilbury noir. Léocadie resta là, à se demander s'il ne se passait pas quelque chose de plus fort qu'une occasion entre ces deux-là. Peut-être des sentiments. Le jeune médecin était tellement empressé auprès de Joséphine qu'il était difficile de ne rien deviner.

* * *

Arrivés chez Grégoire, Fabrice Normandeau aida Joséphine à descendre de voiture. Il la salua et continua sa route.

Grégoire et Bethléem la reçurent aimablement. Joséphine expliqua la raison de sa visite. Grégoire en fut d'abord étonné, puis il reconnut que Joséphine avait raison. Elle avait fait sa large part. En fait, cette idée lui souriait. Grégoire était prêt à tout pour se rapprocher de ses frères. Il s'intéressa surtout à Jonas. À treize ans, le garçon le suivrait sur la ferme. Bethléem, qui n'était pas encore intervenue, s'informa :

– Tu penses que les garçons accepteront de vivre éloignés l'un de l'autre ?

– Sans doute ! Ils passent leur temps à se chamailler.

Elle passa sous silence les changements d'humeur qui s'opéraient chez Jonas. Si Grégoire savait, il pourrait refuser de le prendre en élève. Le gamin commençait à répondre sec, parfois jusqu'à devenir injurieux et aussi, à se rebeller contre les ordres qu'il considérait comme des attaques personnelles. Il se mettait en colère pour des riens et élevait la voix. Combien de fois, Joséphine l'aurait vendu bon marché. En fin de compte, un homme saurait peut-être mieux s'imposer.

Bethléem ajouta :

– Pour eux, ce sera une nouvelle paroisse, une nouvelle famille, une nouvelle école. C'est ardu de quitter son coin. Je suis ben placée pour en parler.

– T'as trouvé ça si dur ? s'informa Grégoire étonné.

– Moi, je t'avais toi et je suis venue de mon plein gré. En amour, on suivrait un homme au bout du monde. Mais pour Jonas, c'est pas pareil !

– Quand on est jeune, on s'adapte facilement, rétorqua Joséphine. Mais cette responsabilité regarde que vous deux. Toutefois, si vous préférez en parler entre vous, je voudrais pas vous bousculer.

– Ce serait pour quand ?

– Quand vous voudrez.

Bethléem se leva :

– Je cours au puits chercher un peu de crème fraîche pour le café.

Joséphine profita de l'absence de sa belle-sœur pour questionner Grégoire sur le coup de sifflet qui avait fait avorter son mariage avec Pierrot.

– J'ai besoin de savoir.

– J'ai sifflé seulement pour te faire savoir que j'étais là. C'était plutôt idiot, me diras-tu. J'ai tellement regretté. C'est moi qui a été le plus surpris de te voir quitter l'église. Je m'excuse pour tout ce qui s'ensuivit.

– Moi, je pensais que tu m'aimais!

– Ben oui, je t'aimais! Dans le temps, si j'en avais eu la chance, c'est moi qui t'aurais mariée. Mais il y a eu un Bon Dieu pour nous deux. La vie s'est chargée de briser nos amours. Peut-être que de là-haut, notre père veillait sur nous? Aujourd'hui, j'ai Bethléem qui me vaut tout l'or du monde. Tiens, la voilà qui revient avec sa chopine de crème.

Le café fumait devant eux. Grégoire posa une main chaleureuse sur le poignet de Bethléem.

– Je suis ben prêt à prendre Jonas, mais je veux le rencontrer d'abord et m'assurer qu'il viendra de son plein gré.

Joséphine sentait la jeune femme réticente.

– Et toi, Bethléem, tu serais d'accord?

– Chez nous, c'est mon mari qui prend les décisions importantes. Ensuite, j'accorde mes flûtes en conséquence.

– Maintenant, je dois vous parler d'argent. Jonas vous coûtera pas un sou. Sa fortune est faite.

Joséphine fit allusion aux biens laissés par ses parents que Grégoire aurait à administrer. Mais quand elle aborda le sujet des maisons à revenus, Grégoire resta bouche bée.

Cet héritage qu'il croyait peu de chose était considérable. Ses frères étaient riches.

Joséphine s'attendait à ce que Grégoire demande sa part, mais il n'en fit rien. « Cette affaire, se dit-elle, aura sans doute des rebondissements plus tard. »

Joséphine avait gagné un bon point. Restait maintenant Isaac. Quant à Louisa, l'affaire était dans sa poche ; Louisa avait le cœur sur la main, mais il y avait son mari. Edmond serait-il prêt à assumer cette responsabilité ? Edmond et Louisa étaient en ménage depuis presque six ans et ils n'avaient pas encore d'enfant. Dans cette maison, tout reluisait de la cave au grenier. L'ordre et la propreté étaient une obsession continuelle pour le jeune couple. Joséphine voyait mal le petit Isaac, un gamin un peu désordonné, vivre dans ce décor rangé. Après tout, se dit-elle, Louisa et Edmond apprendront eux aussi ce que sont des vitres sales de doigts d'enfants et des pipis au lit.

Joséphine s'y rendit à pied avec la certitude qu'Edmond refuserait.

Edmond fut d'abord étonné.

– Un enfant, ça vous change une vie, mais ça fait des années que Louisa me casse les oreilles avec ses désirs de maternité.

– Moi, je vous en offre un tout fait.

– Et si Isaac refuse ? reprit Edmond.

– Chez nous, c'est Pierrot et moi qui avons pris l'engagement, sans leur demander leur avis. Et je pense que c'est pas à eux de choisir. Après tout, demeurer chez l'une ou l'autre de ses sœurs, c'est quoi la différence ? Les enfants jouissent d'une facilité naturelle à s'adapter.

Louisa s'accrochait au bras d'Edmond pour mieux le supplier.

– Joséphine a fait sa large part. Ce serait ben à nous de faire la nôtre. Sans compter qu'elle garde Adèle.

– Adèle a seize ans. C'est plus un bébé.

– T'as peut-être raison, mais elle avait seulement six ans et Isaac avait encore la couche aux fesses quand les petits sont arrivés chez elle.

Louisa insistait auprès d'Edmond.

– Isaac a onze ans. Le pire est passé. J'aurais une belle chambre pour lui en haut. Et puis, tu nous vois pas, sans enfant, on a déjà l'air de deux petits vieux.

Ils rirent tous les trois. Puis Edmond s'en remit à Louisa.

– Fais donc ce que tu veux !

– Il y a aussi la part d'argent des parents que je veux que vous preniez en main. Ce qui veut dire aller collecter les loyers et placer l'argent.

– Je m'en chargerai, reprit Edmond, mais les signatures et tout ça… tu m'expliqueras la façon dont je dois m'y prendre.

Louisa sauta au cou d'Edmond et le remercia.

– Ça va enfin bouger dans notre maison. Isaac est un petit drôle. En plus, il est si attachant.

– Vous viendrez le chercher quand ça vous adonnera. Mais avant leur départ, je tiens à acheter à chacun une bicyclette. Ça les amusera et ça adoucira le déplacement.

Le ciel s'était brouillé et une pluie chiche glissait en rideau sur l'horizon terne.

Joséphine emprunta un parapluie. Elle traversa la porte d'arche du salon et s'éloigna lentement, l'âme profondément remuée.

Le placement des garçons s'était réglé à son avantage. Elle aurait dû se réjouir et ne penser qu'à ses sentiments pour Fabrice. Pourtant, ce ne fut pas le cas. Il restait l'envers de la médaille. Comme lui disait Bethléem: «les petits seraient victimes d'une séparation.» S'il fallait qu'ils soient malheureux dans leur nouvelle famille? Jonas surtout l'inquiétait. Ce garçon parlait peu et Joséphine se culpabilisait de l'avoir négligé aux dépens d'Isaac qui monopolisait toute son attention. Sous son parapluie ruisselant, Joséphine anéantie, pressa le pas.

C'était plutôt elle la victime de l'amour des enfants.

Depuis le berceau, enfin presque, elle leur prodiguait soins et douceurs avec une attention vigilante, comme s'ils lui appartenaient en propre. Était-elle en train de chambouler leur vie par pur égoïsme? Elle ne pouvait plus reculer, mais elle leur dirait qu'en cas de pépin, elle serait toujours là. Puis elle se souvint de la consigne de sa tante Maria: «Ensuite, si tu veux pas de bisbille dans la famille, te mêles plus d'intervenir dans leur vie.»

«Tante Maria a ráison, se dit-elle, mais c'est ben plus facile à dire, qu'à faire!»

# XXXV

L'été suivant amena son lot de travail, mais aussi ses agréments : la vacance scolaire, la bicyclette, la balançoire.

Les enfants s'étaient bien acclimatés à leur nouvelle famille. Des heures durant, Isaac parcourait les rues du village à bicyclette avec des copains de son âge. Quant à Jonas, il s'était attaché à Grégoire et à Bethléem. Ceux-ci ne reconnaissaient plus le petit garçon replié et silencieux qu'ils avaient connu à son arrivée. L'adolescence et les responsabilités l'avaient mûri. Jonas savait maintenant regarder et écouter, rire et chanter.

* * *

Onze heures sonnèrent. Bethléem n'arrivait pas à fermer l'œil. Près d'elle, Grégoire étirait de longues respirations. Comment son mari arrivait-il à faire le vide dans son esprit et dormir d'un sommeil de plomb quand son frère Jonas traînait dans le noir, on ne savait où ?

Enfin, la porte craqua et Bethléem entendit un bruit de chaussures glisser sur le plancher. Elle reconnut le pas de Jonas avec sa manie agaçante de traîner les pieds !

Le garçon poussa doucement la porte de chambre laissée entrouverte et étira le cou.

Il chuchota :

– Je peux entrer, Beth ?

Jonas venait parfois retrouver Bethléem à des heures tardives pour lui raconter ses journées. Elle savait si bien l'écouter.

– Je voudrais te parler.

Le ton était sérieux. Bethléem le regarda, un peu étonnée. Elle s'assit, remonta ses oreillers et s'y adossa confortablement. Elle alluma une chandelle et donna une tape sur le côté de lit.

– Viens t'asseoir ici. Dis-moi donc d'où tu viens, comme ça, dehors en pleine noirceur ?

– J'étais dans la balançoire, au bout de la maison. Je jasais et j'ai pas vu le temps filer.

Bethléem éprouva un vif soulagement.

– Et moi qui m'inquiétais sans bon sens. Eh ben, je t'écoute.

– Tu m'as toujours demandé d'être franc et de rien te cacher. Tu te souviens ?

Bethléem se raidit un peu. Elle eut peur de ce que Jonas allait lui confesser. Bien sûr, elle appréciait la franchise de Jonas, mais celle-ci risquait d'être brutale.

– Tu dois tout me dire Jonas, fit-elle, en cachant son inquiétude. Même si c'est grave, je t'écoute.

– C'est pas facile, tu sais !

– C'est délicat ?

– Un peu.

– Jonas, dit-elle, en posant une main sur son poignet, je remplace ta mère. À qui te fieras-tu si t'as pas confiance en moi ? Tu sais, j'ai eu mes faiblesses moi aussi. Mais moi, j'avais personne à qui me confier. Il y avait un fossé entre ma mère et moi.

Bethléem semblait contente d'avouer ses faiblesses. C'était indispensable si elle voulait gagner la confiance de Jonas.

– Eh ben, voilà ! dit-il. Il y a une fille qui m'intéresse.

Sitôt sa phrase lâchée, Jonas sentit une chaleur monter à son visage et il soupira comme après un gros effort.

Suite à cet aveu anodin, Bethléem respira de soulagement.

– Et qui est-ce ? Je la connais ? Elle est d'ici ?

Jonas fit oui de la tête.

– C'est la petite voisine, Rachel Ricard. Je l'aime, Beth, et elle m'aime aussi. On fait des projets d'avenir ensemble. Elle va parler à ses parents. Je voulais d'abord que tu saches tout.

Bethléem réfréna difficilement une envie de sourire. Elle ne voulait pas se moquer et peut-être humilier Jonas. Elle le regarda mieux. Le garçon avait conservé sa figure d'enfant et sa peau satinée luisait à la lueur de la chandelle. Il était attendrissant.

– Je suis ben contente pour toi, mais de là à faire des projets... T'as que quatorze ans, Jonas !

– Je sais, mais j'ai de l'argent, j'ai mon héritage.

Bethléem resta bouche bée.

Comme Jonas se levait, Bethléem saisit son bras.

– Attends ! Tu parleras de tout ça à Grégoire, veux tu ?

– Ben, réveille-le !

– Ça peut attendre demain.

– J'aimerais mieux que tu lui dises, toi, quand je serai pas là.

– Mais c'est ta responsabilité, Jonas. C'est à toi de défendre tes opinions.

Jonas ne savait pas comment réagir. Il se retira doucement.

Sur l'oreiller, Bethléem ressassa longuement les confidences de Jonas. Puis ses souvenirs refluèrent. À quatorze ans, elle aussi aimait Grégoire et elle aussi prenait ses sentiments au sérieux.

Elle remonta ses couvertures et se recroquevilla contre son mari.

* * *

Le lendemain, tout en aidant Grégoire au train, Jonas lui raconta :

– La semaine prochaine, Joséphine et Fabrice partiront en voyage à la baie des Chaleurs.

Grégoire était scandalisé. Sa sœur partirait seule avec son amoureux ! Ce serait mal vu dans la place.

– Ah oui ? Un voyage de noces ?

– Ben non !

– Lui qui dernièrement se disait submergé de visites. Il parlait même d'augmenter ses *appointements.*

– Ils iront passer une semaine dans la famille de Fabrice et, pour leur retour, Louisa invite toute la famille à souper. Je pense que Léocadie est derrière tout ça. Mais il faut tenir notre langue, parce que c'est une surprise. J'ai invité Rachel à m'accompagner.

– T'as invité…

– T'as ben entendu.

– Eh ben! Tu la désinviteras.

– Ben quoi, j'ai pas le droit? Si je lui dis que tu veux pas, je vais avoir l'air d'un bébé.

– Il fallait nous le demander avant. Ça t'apprendra!

– À vrai dire, tu t'en fous complètement. D'abord que c'est comme ça, j'irai pas chez Louisa.

Jonas, les poings crispés, les dents serrées, laissa son travail et retourna à la maison, tout raconter à Bethléem. Celle-ci, agenouillée par terre, frottait son plancher à l'aide d'une brosse rude.

– Ce soir, quand les enfants seront au lit, on en reparlera ensemble. Cette histoire les regarde pas.

– Je sais que tu vas dire comme Grégoire.

Bethléem préféra se taire et laisser le temps au garçon de digérer sa rancœur. Elle connaissait Jonas, il avait la rancune tenace. Après le souper, elle le rejoignit à la balançoire et dut user d'arguments pour le ramener à de meilleurs sentiments. Finalement, Jonas accepta l'invitation de sa sœur. Bethléem en fut soulagée.

* * *

Le soleil brillait de tous ses feux sur la petite gare de Saint-Jacques.

Joséphine, le cœur battant d'émoi, attendait Fabrice sur le quai d'embarquement. Quelle belle aventure que ce voyage vers l'inconnu! Louisa, Adèle et Henriette étaient là. Elles venaient lui souhaiter bon voyage. Elles reculèrent d'un pas à l'arrivée de Fabrice. Ce dernier souleva la malle de Joséphine et la tassa contre la sienne. Henriette les observait. Malgré ses sept ans, elle sentait que le jeune médecin prenait toute la place dans la vie de sa mère, mais elle ne savait l'exprimer.

Joséphine abandonnait sa fille aux mains d'Adèle quand une surprise la cloua sur place. La fillette tenait une malle noire dans sa main. Son cœur de mère se serra. La petite avait préparé son départ à son insu et elle, sa propre mère, n'avait rien vu. Elle se pencha pour l'embrasser. Deux grosses larmes roulaient sur ses pommettes roses.

– Va, ma puce ! Adèle va rester avec toi chez Léocadie.

– Viens Riette ! l'invita Adèle. Toi, tu pars pas.

Joséphine, émue, promit de lui rapporter un souvenir. Elle s'arracha à la caresse de sa fille et monta dans le train au bras de Fabrice. Ce fut Adèle qui consola la fillette, en lui promettant de coucher dans le même lit. L'enfant serra sa main et sembla rassurée.

Pour la première fois, Joséphine s'éloignait de sa fille et cette séparation lui causait toute une déchirure. Là-haut, que pensait Pierrot de son comportement égoïste ? Sans doute la voyait-il comme une mère dénaturée et avec raison, elle abandonnait sa fille pour vivre une aventure. Joséphine avait

beau peser le pour et le contre, sur la balance, ses sentiments pesaient davantage. Finalement, l'amour l'emporta sur la raison. Après tout, chez Léocadie, sa fille serait entre bonnes mains. Joséphine monta dans le wagon et s'assit près de la fenêtre. Le train se mit en mouvement.

Sur le quai de bois, sa puce, la figure inondée de larmes, tenait à la main, sa petite valise inutile.

Joséphine ravala.

Les amoureux firent escale à Québec et y passèrent leur première journée. Ils se promenèrent main dans la main sur les plaines d'Abraham, puis visitèrent la citadelle. Au souper, ils s'attablèrent au restaurant du château Frontenac. Parfois, la jeune femme observait de longs silences. Tout le temps du service, sous la table, elle comptait et recomptait son argent. Elle regrettait de ne pas en avoir apporté davantage. Si jamais leur relation se gâtait, si Fabrice l'abandonnait, combien lui coûterait un billet de retour ? Fabrice ne parlait jamais de prix.

* * *

Ils passèrent la nuit dans une charmante auberge qui regardait le fleuve. Joséphine revêtit sa nuisette en satin rose, le cadeau de Pierrot qu'elle conservait comme une relique. À la sortie du bain, elle s'en revêtit sans scrupules et s'assit sur un côté de lit. Fabrice pouvait deviner les lignes de son corps sous le tissu chatoyant. Il glissa sa main sous la jaquette et toucha la peau de ses cuisses aussi lisse et satinée que son vêtement. Joséphine repoussa la main vagabonde.

– Attendez ! Il faut qu'on se parle. Vous connaissez encore rien de moi, de ma vie.

Fabrice la sentait apeurée, craintive.

– Si d'abord on se tutoyait ?

– Avant, je dois tirer certaines choses au clair.

– Bon, je t'écoute.

Joséphine hésitait. Elle n'avait pas besoin de fard sur ses joues. La confusion les rendait rouges comme des coquelicots. Elle tournait et retournait négligemment le bas de sa nuisette jusqu'à s'en faire un tampon de tissu. Allait-elle lui parler de ses parents, de sa vie de mendiante sans toit, de son rôle de bonne chez monsieur le docteur? C'était impensable. Il allait sûrement la répudier.

– Ce que j'ai à vous dire risque de vous surprendre, dit-elle, d'une voix enrouée.

Il fixait ses immenses yeux de biche pleureuse.

Elle éclata en sanglots.

– Laisse faire. Rien ne t'oblige!

Fabrice entoura les frêles épaules secouées par des hoquets.

Joséphine s'arracha de ses bras. Elle ne supporterait pas que Fabrice la repousse.

– Avant de marier Pierre-Stanislas Tremblay, dit-elle entre deux sanglots, je mendiais.

Elle renifla. Fabrice ne bougeait pas.

Il n'eut pas un geste, pas un mot. Il était trop entiché pour la repousser. Après un long silence, il glissa ses doigts dans son cou.

Elle éprouva un indicible soulagement à penser qu'il n'allait pas la quitter. Elle qui s'attendait à être rejetée comme une vieille galoche. C'était le connaître bien mal. Joséphine le regarda comme si elle le voyait pour la première fois, puis en confiance, elle lui raconta quelques épisodes de son passé.

C'est aussi passionnant que l'histoire de Cendrillon.

– Tu devrais écrire ta vie.

Joséphine baissa les yeux sur ses mains. Elle allait subir une seconde humiliation!

– Je sais à peine lire et écrire.

À la fin de chaque phrase, elle avait un hoquet. Fabrice essuyait du doigt les larmes qui coulaient et donnaient une brillance à ses beaux yeux.

– Alors, tu me la raconteras et je l'écrirai pour nos enfants.

Il avait dit: «nos enfants». Est-ce que ces mots sous-entendaient un avenir ensemble? Joséphine lui sourit à travers ses larmes.

Elle était là, belle et voluptueuse à faire damner un saint. Fabrice dénoua ses cheveux soyeux, enserrés dans une résille dorée et l'allongea doucement sur le lit de plume. Il se coucha à ses côtés. Joséphine frissonna sous la belle main du soigneur qui parcourait son corps. Elle se donna tout entière.

Le lendemain midi, le couple reprit le train. Cette fois, ce fut un aller direct pour Maria, une petite paroisse assise au fond de la Baie des Chaleurs et dernière station du chemin de fer.

La longue chenille noire filait droit vers l'infini, fonçait dans une forêt dense, pointait le clocher d'un village qu'on ne voyait pas. De loin en loin, un long cri aigu annonçait son arrivée aux petites gares de campagne. Le trajet devait durer dix-huit heures.

Joséphine se lova contre Fabrice. Celui-ci lui raconta l'histoire du chemin de fer gaspésien, inachevé.

– Sir Wilfrid Laurier a accordé des subsides, plus qu'il n'en fallait pour le district, et ils ont été dépensés d'une manière déplorable, voire criminelle, par des colporteurs et des trafiquants de charte. À cause du manque d'argent, la voie ferrée s'est arrêtée à Maria. Depuis, on surnomme les gens de la place les « bouts-de-ligne ». Je trouve ça plutôt singulier. Ne répète ça à personne.

– À personne, hein ? rétorqua Joséphine, la bouche moqueuse.

Fabrice lui raconta que sa famille comptait sept enfants, dont cinq filles, et que sa mère se nommait Françoise Longpré.

– Là, elle doit m'attendre, le nez collé à la vitre. Elle surveille chaque arrivée de train.

La nuit tombait. Fabrice se leva. Il sentait le besoin de marcher, de se dégourdir les jambes. Joséphine saisit sa main et le suivit dans le couloir du train. Les passagers dévisageaient ce petit couple adorable. La jeune femme ne cessait de bâiller. Elle regarda l'heure à sa montre. Minuit. Il restait encore six heures de train avant que le convoi entre en gare.

Revenus à leur banquette, Joséphine sommeilla, la tête couchée sur les genoux de Fabrice qui lui, appuya la sienne au carreau. Elle plaçait sa main en vue de sorte que les voyageurs remarquent son jonc et les croient mari et femme. Absorbé dans sa rêverie, Fabrice n'arrivait pas à dormir. Son cerveau surexcité tournait et retournait depuis quelques semaines, les mêmes pensées, les mêmes images. L'aventure où il s'engageait lui causait craintes et préoccupations. Le front appuyé à la vitre, il regarda le soleil se lever.

* * *

L'hôtel Giroux était relié à la gare par un long trottoir de bois. Fabrice y conduisit Joséphine. Elle remarqua plusieurs salons, des lustres merveilleux, des meubles riches et de beaux escaliers en colimaçon. La jeune femme fut étonnée de découvrir autant de luxe et d'opulence dans un pareil coin perdu. Fabrice se lança dans de volubiles explications :

– C'est ici que logent la plupart des représentants de commerce. Tu vois ce type, il trimballe de lourdes malles pleines d'échantillons. Il y a aussi un gros trafic de laine venant de partout pour se faire traiter au moulin à carder des Gagné.

– Joséphine ne se lassait pas de l'écouter. Elle découvrait chez Fabrice un attachement profond à sa place natale.

– Et ce soir, dit-elle, c'est ici qu'on va passer la nuit ?

– Non, ce soir, nous coucherons chez mes parents, mais là, pas question de dormir dans la même chambre.

– Puisqu'il le faut !

– C'est à dix minutes de marche. Viens.

Fabrice prit sa main et Joséphine se laissa conduire. Ils passèrent devant un bordel qui déshonorait la paroisse, puis devant la vitrine du barbier. Celui-ci, comme un chirurgien, taillait la moustache pointue d'une pratique. Fabrice pointa la boulangerie du doigt.

– Plus jeune, quand la boutique exhalait ses délicieux arômes, mon frère et moi venions quêter des petites brioches à la cannelle, mais le boulanger nous disait chaque fois : « Pas de sous, pas de pain ! »

Puis Fabrice désigna une petite église de bois dont le clocher avait la forme d'une chapelle miniature.

– Regarde, c'est là que nous allons nous marier, toi et moi. L'église est petite, mais chacun possède son banc et un piquet pour attacher son cheval.

– C'est une demande en mariage ?

– Oui, madame Normandeau !

Elle lui sourit et serra sa main plus fort.

– C'est nouveau, cette pratique ? Habituellement, le mariage a lieu dans la paroisse de la mariée.

– Je sais, mais ici, je connais le curé.

– Chez moi aussi, je connais le curé.

– Ici, le curé est mon frère.

– Ah oui ? Quelle sera sa réaction quand je lui dirai que nous avons passé la dernière nuit dans le même lit ?

Fabrice serra Joséphine dans ses bras et murmura à son oreille.

– Chut ! Si tu parles, monsieur le curé serait bien capable de nous condamner au feu de l'enfer.

Joséphine lui adressa son plus beau sourire.

– Avec toi, l'enfer sera le ciel.

FIN

# NOTE DE L'AUTEURE

Pour ce roman, j'ai dû entreprendre des recherches ardues et questionner d'anciens bûcherons pour en découvrir la réalité des chantiers du début du vingtième siècle. J'ai aussi eu recours aux brochures *Le circuit patrimonial de Maria* (Gaspésie) et *Histoire de la Province de Québec.*

Afin de me familiariser avec la vie de chantier, je me suis rendue au Musée du Bûcheron à Grandes-Piles.

Sur le site, j'ai eu la faveur d'une visite privée, commentée par monsieur Arnold Fay qui, par ses renseignements, a effacé certains doutes qui planaient au sujet des faits, gestes et conditions de vie très difficiles des bûcherons.

J'ai visité le camp des hommes, la forge, la maison du draveur, le moulin à scie, la cookerie, la tour du garde-feu. Ces hommes ingénieux arrivaient à tout fabriquer à partir de rien.

À la cookerie, Danny Cyr, natif du Nouveau-Brunswick, m'a servi du ragoût, de la tourtière, des fèves au lard et une succulente pointe de tarte. Salutations à monsieur Danny, un serveur empressé auprès des clients.

Pour qui veut passer une journée agréable, ce site, avec visite guidée, est un endroit intéressant.

780, 5e Avenue, Grandes-Piles (Québec)
G0X 1H0, Canada
Tél: (819) 538-7895
1-877-338-7895

# HOMMAGE À RACHEL GAGNON
# (1903-2004)

Ma mère adorait voyager. Deux malles étaient toujours fin prêtes sur le pas de sa porte. Mais cette fois, pour le dernier voyage, le plus long, elle est partie sans bruit, sans bagages en emportant un fragment de mon cœur.

Elle avait cent un ans et dix mois. Elle était belle et sans rides. Je ne me souviens d'elle que de sa bonté, de sa bonne humeur, de ses soins maternels et de combien je l'aimais.

J'ai perdu une raconteuse à la mémoire prodigieuse à qui je téléphonais pour les moindres détails de mes romans. Heureusement, elle m'a laissé en mémoire un gros bagage de souvenirs, de faits et de modalités de son époque que j'ai emmagasinés de mon enfance à aujourd'hui. Toutefois, avec son départ, j'ai perdu beaucoup plus qu'une source de réfé-rences, j'ai perdu ma mère.

On la retrouve sur la jaquette de mon deuxième roman, *Charles à Moïse à Batissette* alors qu'elle avait à peine quatre ans.

Rachel, que votre souvenir se perpétue chez vos cent vingt-huit descendants.

Votre fille aimante,

Micheline

# REMERCIMENTS

Je tiens à remercier: Irénée Brien, Alexandre Brien, Mélissa Gignac, Jean-Christophe Crépeau, Marie-Eve Lafortune, Lise Émery, S. B. ma correctrice, Raymond Lasalle, Gérard Loubert, Jean Tremblay, Jacques Gagnon, Jean Brien, Marcel Patry, Nelson Tessier, Nathalie Venne, Chantier des Piles, Sylvie Brien, Suzanne Dalpé, Gaétan Soulières.

Et toute mon affection, Lise, avec un bouquet pour tes quatre-vingts ans. Un bouquet de dix roses qui poussaient du coin du perron jusqu'au fond de la cour et que tu devais surveiller parce que, souvent, elles folâtraient. Madeleine et Claude surtout qu'il fallait attacher à la patte du poêle. Tu te souviens, Lise, c'était sur la rue de l'église.

Dix roses qui ont fleuri ta jeunesse et que tu abreuvais de chansons qui emplissaient le salon, de pique-niques sur l'herbe et de petits tours chez tante Marie. Pendant ta longue absence, tu t'en es fait voler deux que la Faucheuse a coupées. Ce qui te fait deux roses en moins et deux épines en plus.

Aujourd'hui, il reste huit roses à ta gerbe, huit frérots et soeurettes pour se souvenir de Lise, leur adorable jardinière.

tc • IMPRIMERIES TRANSCONTINENTAL

2012